JN086568

教養としての 東大理科の 入試問題

竹田 淳一郎

JUNICHIRO TAKEDA

PHYSICS
CHEMISTRY
BIOLOGY
EARTH SCIENCE

ベレ出版

は じ め に

　東大理科の入試問題というとどんなイメージをおもちでしょうか？　ひょっとしたら受験勉強をしてきた人しか解けない難問をイメージするかもしれません。でも実は教科書の知識をベースにした出題がメインなので、基本的な知識に基づいた少しだけの応用力と思考力があれば、解けるものなのです。

　そして東大の問題のすごいところはどの問題にも出題者からのメッセージが込められていて、人体の不思議や最先端の研究成果、科学史の偉大な業績など受験生に伝えたいことが随所にちりばめられているところです。このメッセージは問題にダイレクトに書いてあることもあれば、似たような過去の問題を並べることで浮かび上がってくることもあります。これらのメッセージを通じて学べる教養としての理科を受験生だけのものにしておくのはもったいないと思い、この本を書きました。ですからこの本は、いわゆる東大合格のための過去問題集とは異なり、三つの「つながり」を重視した構成になっています。

　一つ目のつながりは、受験のための知識と、受験には必要なくても教養として役に立ち楽しめる知識のつながりです。大学受験を控えた生徒を指導していると、「これを知っておくと入試で有利だよ」の一言で生徒の集中力が高まるのが手に取るように分かるので、どうしても受験に役立つか否か、という視点で話を進めてしまいます。しかし社会人の学び直しの場であるオープンカレッジで、教養として入試問題をとり上げたときには、入試には役に立たなくても日常生活で役に立つ知識や、問題の出題者の意図を予測すること、最先端の研究内容をテーマにした出題などの内容が好評でした。そこでこの本では問題を解くために必要な知識はもちろんですが、その問題が実生活のどんなことに関係しているのかなど、教養として楽しめるほうに重点を置い

て、脱線を恐れずに丁寧な解説をつけました。

　二つ目は、物理・化学・生物・地学の4科目のつながりです。東大に限らず、現在の大学受験では理科は2科目か1科目しか使わないので、それ以外の科目は深く学ばずに終わってしまうのが普通です。しかし病気と薬、天体観測、原子レベルの大きさの測定など、複雑化した現代の科学技術は"物化生地"にきれいに切り分けて議論するのは難しく、この4科目を俯瞰して見る必要があると考えています。その点、東大の入試では、理系ならどの学科を受験する場合でも物化生地の4科目から自由に2科目を選択できるため、どの科目も質・量ともに差の少ない出題となっているのが特徴です。そのため、この本では物化生地の科目ごとではなく「水」、「電気」、「宇宙」というように大きなテーマに沿って関係する問題を並べました。第1章では4科目を学ぶ上で最低限知っておいてほしい科学の基礎を学べる問題を集めましたので、順番に読んでいけば科学の基礎を学びながら4科目の共通点が見えてくるようにしてあります。

　三つ目は、過去から現在までの時間のつながりです。この本には過去60年分、約1000問の東大理科の入試問題の中から、古いものでは1957年、新しいものでは2020年の問題まで、興味深くためになるという視点から47問を収録しています。昔の問題には今では使わない名称が使われているので、現在の問題と比べることで日進月歩の科学を実感できます。また、共通テストがない時代、文科でも入試に理科がありましたので、そのときの問題をみると東大の入試制度の変遷や理科のカリキュラムの時代による変化にも触れることができます。

　この本を手に取ってくれたみなさんが、三つのつながりを通じて理科に親しみを感じてくれれば著者としてこれ以上の喜びはありません。

竹田淳一郎

CONTENTS

東大の理科入試の解答用紙は？

　これからこの本を読んでいくと、問題文に「1行で述べよ」とか、「2行程度で説明せよ」という解答の指示がよく出てきます。1行ってどれくらいの文字数が書けるの？ とみなさんは思うでしょう。実は東京大学の理科入試の解答用紙は他の大学に比べると特殊です。どう特殊かというと、A3程度の大きさの解答用紙1枚の表面に下の例のように第1問、第2問用の解答欄が、裏面にそれらのほぼ倍の大きさの第3問用の解答欄がある形式なのです。この解答用紙は物化生地の4科目で共通です。

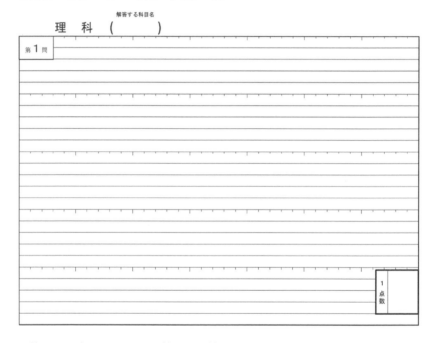

　第3問は裏面全面なので第1問、第2問の2倍のスペースがありますが、第3問が特に記述量の多い問題というわけではないようです。

　多くの受験生はこの解答欄を縦に2分割して使用しているようです。この解答用紙には25行分の目盛付きの罫線が引かれているだけなので、文字の大きさによっても変わりますが、1行あたりに書ける文字数は30〜40文字程度です。採点する側にとっては時間がかかりますが、答案用紙をどう使うかまで受験生に任せるなんて東大らしいですね。

第 1 章

理科の基礎に
まつわる問題

あらゆるスポーツで準備運動が必要なように、理科を学ぶ上で最低限知っておくべき基本事項があります。この章では化学と物理の問題をとり上げて、周期表の仕組み、重さと質量の違い、力の表し方、有機化学の「有機」の意味などの基本事項を学びながら、みなさんと一緒に理科を学んでいくための準備運動をしたいと思います。

60年前と比べ、化学の基礎問題でも相当レベルアップしています

●1957年化学第1問 ●1956年化学第1問 ●2020年化学第2問

　この節では化学の導入として元素とイオン、そしてそれに関連する周期表や結合の種類などを学びます。はじめに1957年の問題、次に2020年の問題と60年以上の時を超えた二つの問題を学びながら化学の基礎をマスターしましょう。

　まずは、1957年の問題です。この年は岸信介内閣が成立し、日本で初めてコカ・コーラが発売されて、学生運動の原点となる砂川事件が発生し、東海村で日本初の原子炉が臨界に到達した、そんな年でした。

1957年化学第1問より

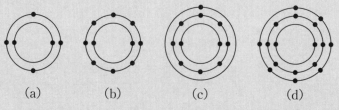

(a)　　　　　(b)　　　　　(c)　　　　　(d)

　(4) 上の図は4個の元素（a），（b），（c），（d）の原子の原子核をとりまいている電子の配置を示したものである。これらについて次に記してある事がらのうち正しくないものを示せ。

　(イ)（a），（b），（c），（d）の原子番号はそれぞれ6，10，11，17である。

　(ロ)（a）は周期律表の第6族の元素である。

　周期律表（現在では周期表）、同位元素（現在では同位体）という今は使われていない単語もあって時代を感じますね。内容も簡単すぎて今の東大で出題されることはないと思いますが、化学の基礎を理解するにはうってつけの問題なのでここで紹介します。

　世の中のすべての物質は原子という小さな粒からできています。その原子は陽子、中性子、電子という3種類のさらに小さな粒からできています。周期表（巻末にあります）の左上から1番がH、右上に行って2番がHe、左に戻って3番がLi、4番がBe、……と各元素には原子番号という番号が振られていますが、この番号は陽子の数をもとにつけられています。炭素原子の構造を次の図に示しました。

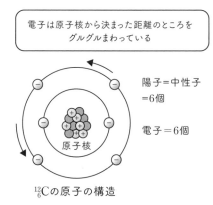

$^{12}_{6}$Cの原子の構造

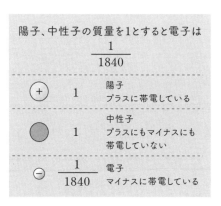

陽子の数 ＋ 中性子の数 ＝ 質量数 ⟶ ^{12}C ⟍ 元素記号

陽子の数 ＝ 原子番号 ⟶ $_{6}$C

(a) の元素は電子●が6個あるので原子番号6番の炭素だということが分かります。もう1つ「質量数」という原子の重さを表すキーワードについても押さえておきましょう。電子は陽子と中性子に比べると質量が1/1840ととても軽いので、原子の重さは陽子の数＋中性子の数で決まります。これを質量数というのです。

　以上の前提知識を使って（イ）〜（ト）の正誤を見ていきますが、分かりやすくするために（イ）→（ロ）→（ト）→（ニ）→（ハ）→（ホ）→（ヘ）の順に考えます。

（イ）の選択肢の正誤は？

　電子の数は陽子の数と等しいので、電子を表す●の数を数えれば原子番号が分かります（受験生は原子番号20番までは暗記しています。東大受験生なら30番くらいまでは覚えているでしょう）。(a) が6番の炭素C、(b) が10番のネオンNe、(c) が11番のナトリウムNa、(d) が17番の塩素Clであることが分かります。よって（イ）の選択肢は正しいですね。

（ロ）の選択肢の正誤は？

　ここでは炭素原子の周期表の場所が問題になっています。周期表を見ると、真ん中がくぼんだ変な形をしています。これは電子配置を表しています。原子番号が増えていくと陽子と電子、中性子が増えていきます。陽子と中性子はすべて原子核にありますが、電子は原子核のまわりにある電子殻（でんしかく）という入れ物に内側から収納されていきます。炭素は原子番号6番なので電子を6個もっ

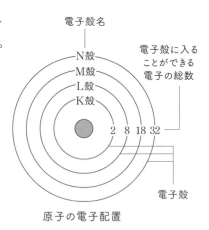

原子の電子配置

ています。電子はマイナスに帯電していて、原子核にあるプラスの陽子に引き付けられるため、なるべく原子核の近くに行こうとします。では、6個の電子がすべて原子核の近くにいられるのかというと、そうではありません。一番近くにいられる電子（＝一番内側の電子殻に入る電子）は2個までと決まっているため、残り4個の電子はその外側の電子殻に位置することになります。電子殻は内側からK、L、M、…とアルファベット順に並んでいます。また、それぞれに入ることのできる個数は2個、8個、18個、…と決まっています。

　C原子は電子を6個もつので、K殻に2個、L殻に4個電子が入っているのです。同様に（b）のNeではK殻に2個、L殻に8個、（c）のNaではK殻に2個、L殻に8個、M殻に1個、（d）のClではK殻に2個、L殻に8個、M殻に7個入っていることが分かります。

　ここでそれぞれの元素が周期表の何族に位置するのかを見てみると、Cは14族、Neは18族、Naは1族、Clは17族で族の番号の1の位の数字が一番外側の電子殻の電子の数と共通していることが分かります。この最外殻電子は原子同士がつながる化学結合に使われる大切な電子なので、特別に「価電子」とよばれています。

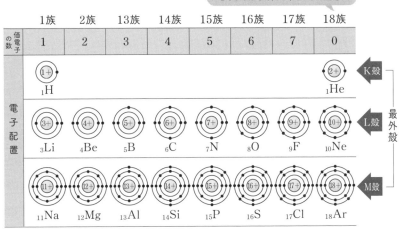

最外殻の電子の数（＝価電子）が同じ元素が同じ縦の列に並んでいる。

以上から（a）の炭素Cは第6族ではなく、第14族なので（ロ）の選択肢は正しくないことが分かりました。ここまで読んで、あれっ？　当時の周期表は今と違う形だったんじゃないの？　と思ったあなたはするどい！　実は周期表はメンデレーエフが考え出してから何回か改良されて今の形になったので、当時使われていた周期表は現在の周期表とはだいぶ違いました。ちょうどこの問題の前の年、1956年の第1問には当時使われた周期表が出て、鉄、ケイ素、カリウム、銅、リンの元素記号と原子番号をきく、という問題が出題されました。このときに出題された周期表を見てください。

	I	II	III	IV	V	VI	VII	VIII	0
1	1H 1.01								2He 4.00
2	3Li 6.94	4Be 9.01	5B 10.8	6C 12.0	7N 14.0	8O 16.0	9F 19.0		10Ne 20.2
3	11Na 23.0	12Mg 24.3	13Al 27.0	14 28.1	15 31.0	16 32.1	17Cl 35.5		18A 39.9
4	19 39.1 29	20Ca 40.1 30	21Sc 31Ga	22Ti 32Ge	23V 33As	24Cr 34Se	25 35Br	26 27Co 28Ni	36Kr
5	37Rb 47Ag	38Sr 48Cd					53I		
6	55Cs 79Au	56Ba 80Hg							
7	87Fr	88Ra							

　14番のケイ素Si、15番のリンP、16番の硫黄S、19番のカリウムK、25番のマンガンMn、26番の鉄Fe、29番の銅Cu、30番の亜鉛Znが省略されていて、これを埋めるという問題でした（このような単なる暗記問題は現在ではまず出題されることはないでしょう）。当時の周期表（現在の周期表に比べて横幅が短いので短周期表とよばれています）はアルゴンもA一文字でしたし、だいぶ変わった形だったことが分かりますね。ちなみにこの短周期表でも炭素はIV族なので、（ロ）の選択肢は誤りであることが分かります。

（ト）の選択肢の正誤は？

　陽子の数は同じ、つまり同じ元素なのに中性子の数が異なるために、質量数が異なる原子が存在することがあります。この関係を同位体といいます。
　（d）の塩素 Cl には、質量数が 35 のものと 37 のものが存在しています。質量数 35 のものは陽子の数 17 を引いて 18 個の中性子をもっています。よって（ト）は正しいことが分かります。

（ニ）の選択肢の正誤は？

　原子量とは何でしょうか？　本書の巻末の周期表を見ると、原子番号以外にももう1つ数字が書いてあります。これが原子量です。例えば Cl のところを見ると、35.5 と書いてありますね。原子はとても小さくて1粒ずつ扱うことはできないので、ある程度のまとまりで扱うことになります。このまとまりの中には質量数 35 の Cl が全体の 75%、37 の Cl が全体の 25% 存在するので、全体の重さは $35 \times 0.75 + 37 \times 0.25 = 35.5$ となります。これが原子量です。中性子の数は同位体によっても異なりますが、原子番号 20 番までなら陽子の数 ±3 以内に収まるので、原子量も原子番号の2倍前後になります。原子番号 10 番のネオン Ne の原子量は 20.18 ですので、（ニ）の選択肢は誤りです。

（ハ）の選択肢の正誤は？

　原子は最外殻電子の数が 8 個（K殻の場合のみ安定な数は2個）、つまり価電子の数が0個の閉殻という安定状態になろうとする性質があります。前々ページの電子配置を見ると 18 族のグループだけが価電子0です。このグループは原子1粒で安定に存在でき、貴ガス（少し前までは希ガスと書いていました）というグループ名でよばれています。（b）の Ne は貴ガスなので、（ハ）は正しいことが分かります。

（ホ）の選択肢の正誤は？

　では貴ガス以外の元素はどうやって閉殻になるのでしょうか？　その方法は、①イオンになってイオン結合する。②電子を出し合って共有し、共有結合する。の主に二つがあります。この（ホ）では（c）のNaと（d）のClがそれぞれイオンになってイオン結合し、化合物をつくるかどうかが問われています。そこでNaとClがどんなイオンになるかを考えてみましょう。Naは価電子を1個もちますから、この1個の価電子を放出してNa⁺になると安定になれます。また、Clは価電子が7個ですから、ここにNaが放出した1個の電子を受け入れてCl⁻になると安定になれます。そして、イオンとなった両者はお互いプラスとマイナスで引き合う静電気の力（クーロン力ともいいます）で結合するのです。これがイオン結合です。イオン結合でできた結晶をイオン結晶といいます。以上から（ホ）は正しいことが分かります。

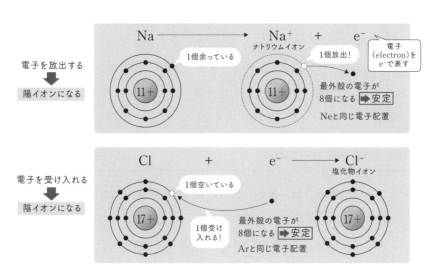

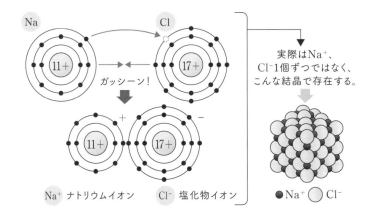

実際はNa⁺、Cl⁻1個ずつではなく、こんな結晶で存在する。

Na⁺ ナトリウムイオン　Cl⁻ 塩化物イオン

●Na⁺ ○Cl⁻

イオン結合の作り方

陽イオン／陰イオン	Na⁺ ナトリウムイオン	Mg²⁺ マグネシウムイオン	Al³⁺ アルミニウムイオン	H⁺ 水素イオン
Cl⁻ 塩化物イオン	NaCl 塩化ナトリウム	MgCl₂ 塩化マグネシウム	AlCl₃ 塩化アルミニウム	HCl 塩化水素
SO₄²⁻ 硫酸イオン	Na₂SO₄ 硫酸ナトリウム	MgSO₄ 硫酸マグネシウム	Al₂(SO₄)₃ 硫酸アルミニウム	H₂SO₄ 硫酸
CO₃²⁻ 炭酸イオン	Na₂CO₃ 炭酸ナトリウム	MgCO₃ 炭酸マグネシウム	Al₂(CO₃)₃ 炭酸アルミニウム	H₂CO₃ 炭酸
OH⁻ 水酸化物イオン	NaOH 水酸化ナトリウム	Mg(OH)₂ 水酸化マグネシウム	Al(OH)₃ 水酸化アルミニウム	H₂O 水

注1：陽イオンは元素名に〜イオンとつけるだけだが、陰イオンは〜化物イオンとする。イオン結晶の名前は陰イオン名の「物」をとって後ろの陰イオン→陽イオンの名前の順で読む。

注2：Na^+、Cl^-など1個の原子からできているイオンを単原子イオンといい、SO_4^{2-}、OH^-などのように複数の原子が組み合わさったイオンを多原子イオンという。イオン結合させるときに、多原子イオンが複数あることを表すには（　）を使う。

注3：H^+の列の化合物は塩化水素（塩化水素は気体で、水に溶けたものを塩酸という）、硫酸（例外的に硫酸水素とはよばない）、炭酸（炭酸水素とはよばない）など水溶液中で酸性の性質を示す酸である。ただし、このH^+の列はこの後に出てくる2020年の〔問〕コで解説している通りイオン結合ではなく極性のある共有結合である。

注4：OH^-の行の化合物は水溶液中で塩基性（アルカリ性）の性質を示す塩基である。

注5：酸と塩基を混ぜる中和反応では、例えば

$$HCl + NaOH \rightarrow H_2O + NaCl$$
$$H_2SO_4 + 2NaOH \rightarrow Na_2SO_4 + 2H_2O$$

のように水と「塩（えん）」とよばれるイオン結合している化合物ができる。この反応は表で中和する酸と塩基を対角線の頂点にした四角形を作るとH_2Oと塩ができることが分かる。

　貴ガス以外の元素が閉殻になる方法の二つ目は「②電子を出し合って共有し、共有結合する。」というものです。共有結合について説明します。

　水素や窒素はH_2やN_2という分子の形で存在します。1種類の元素からできている物質は化合物ではなく単体といいますが、貴ガスと違い一粒では閉殻になれないというのは化合物と同じです。H_2やN_2は同じ原子が2つ結合しているわけですから、陽イオンと陰イオンの結合という考え方では説明できません。どうやって閉殻になっているのかというと、H_2やN_2は次の右図のようにお互いの価電子を閉殻になるまで共有しているのです。お互いの最外殻の電子を共有しているわけだから2個の原子はもう離れられない（つまり結合している）、これが共有結合の基本的な考え方です。

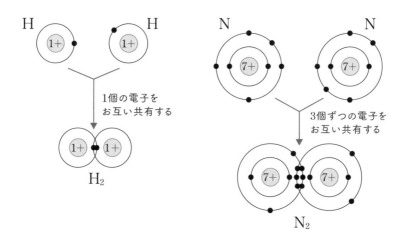

　この問題では（a）の炭素Cと（d）の塩素Clは共有結合して安定な化合物をつくるかどうかが問われています。炭素原子は価電子を4個もっていて、塩素原子は価電子を7個もっているので、図のように結合すればCCl_4となり、お互い閉殻になれます。よって（ヘ）は正しいことが分かります。

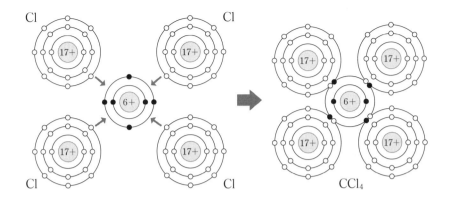

この描き方はスペースをとって大変なので、「電子式」を知っていると便利
です。電子式を使うと、共有結合がもっと簡単に理解できます。電子式とは
共有結合に影響する最外殻の電子だけを元素記号のまわりに○や●などで配
置したものです。電子式を使うと、いろいろな分子を簡単に表すことができ、
共有されている電子対（これを共有電子対といいます）と共有されていない
電子対（これを非共有電子対といいます）も一目で分かります。

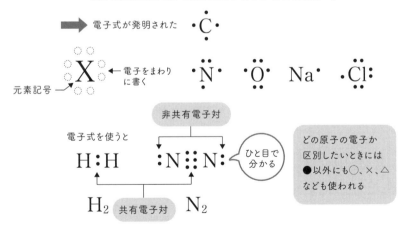

電子式をさらに簡略化したものが構造式です。そもそも結合に関与しない非共有電子対は書く必要がないので省略してしまい、共有電子対1ペアを価標という1本の線で表したものが構造式です。

代表的な分子の電子式と構造式

分子式	Cl_2	NH_3	CH_4	O_2	H_2O	CO_2
電子式	：Cl：Cl：	H：N：H（下にH）	H：C：H（上下にH）	O：：O	H：O：H	O：：C：：O
構造式	Cl－Cl	H－N－H（下にH）	H－C－H（上下にH）	O＝O	H－O－H	O＝C＝O

1957年の（ヘ）の選択肢で考えたCCl_4を電子式、構造式で表すと、

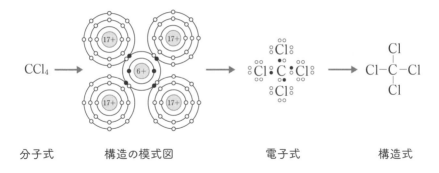

分子式　　　構造の模式図　　　　　　　　電子式　　　　　　　構造式

のようにだんだん簡単に書けるようになっていくのが分かりますね。

次は60年の時を超えて、2020年の問題を見てみましょう。

2020年化学第2問より

Ⅱ　次の文章を読み，問キ～コに答えよ。

④多くの分子やイオンの立体構造は，電子対間の静電気的な反発を考えると理解できる。例えば，CH_4分子は，炭素原子のまわりにある四つの共有電子対間の反発が最小になるように，正四面体形となる。同様に，

H_2O分子は，酸素原子のまわりにある四つの電子対（二つの共有電子対と二つの非共有電子対）間の反発によって，折れ線形となる。電子対間の反発を考えるときは，二重結合や三重結合を形成する電子対を一つの組として取り扱う。例えば，CO_2分子は，炭素原子のまわりにある二組の共有電子対（二つのC＝O結合）間の反発によって，直線形となる。

多数の分子が分子間力によって引き合い，規則的に配列した固体を分子結晶とよぶ。例えば，CO_2は低温で図2−1に示す立方体を単位格子とする結晶となる。図2−1の結晶中で，CO_2分子の炭素原子は単位格子の各頂点および各面の中心に位置し，⑤酸素原子は隣接するCO_2分子の炭素原子に近づくように位置している。

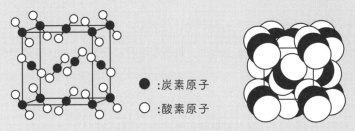

●：炭素原子
○：酸素原子

図2−1　（左）CO_2の結晶構造の模式図。
（右）分子の大きさを考慮して描いたCO_2の結晶構造。

〔問〕　原子量 C：12.0, O：16.0，アボガドロ数 $N_A = 6.02 \times 10^{23}$/mol,
$\sqrt{2} = 1.41$

キ　いずれも鎖状のHCN分子および亜硝酸イオンNO_2^-について，最も安定な電子配置（各原子が希ガス原子と同じ電子配置）をとるときの電子式を以下の例にならって示せ。等価な電子式が複数存在する場合は，いずれか一つ答えよ。

（例）

$$\overset{..}{\underset{..}{O}} :: \overset{..}{\underset{..}{C}} :: \overset{..}{\underset{..}{O}} \qquad \left[\begin{array}{c} H : \overset{..}{\underset{..}{O}} : H \\ H \end{array} \right]^{+}$$

ク 下線部④の考え方に基づいて、以下にあげる鎖状の分子およびイオンから、最も安定な電子配置における立体構造が直線形となるものをすべて選べ。

$$HCN \quad NO_2^- \quad NO_2^+ \quad O_3 \quad N_3^-$$

ケ 図2-1に示すCO_2の結晶について、最も近くにある二つの炭素原子の中心間の距離が0.40nmであるとする。このときCO_2の結晶の密度は何g/cm^3か、有効数字2桁で答えよ。答えに至る過程も記せ。

コ 下線部⑤について、CO_2の結晶中で、隣り合うCO_2分子の炭素原子と酸素原子が近づく理由を、電気陰性度に着目して説明せよ。

〔**問**〕**キ** HCN分子はシアン化水素という名前ですが、青酸ガスと言ったほうがピンとくるのではないでしょうか。有名な毒ガスですね。殺人事件で使われる毒物に青酸カリウムがありますが、青酸カリウムを化学式で書くとKCNとなり、これはK$^+$とCN$^-$のイオン結合からなる化合物です。これを飲んでしまうと胃の中は酸性でH$^+$がたくさんあるので、H$^+$がCN$^-$と結合してHCNができてしまうのです。構造式で書くとH−C≡Nとなるので、これを電子式に直して、H⦂C⦂⦂⦂N⦂ が解答です（ここではHの価電子を▲、Cの価電子を□、Nの価電子を●と書き分けましたが、実際にはすべて●で解答します。次の亜硝酸イオンも同じです）。

次の亜硝酸イオンはどうでしょうか？ 例を見ると、オキソニウムイオンH_3O^+が示してあります。オキソニウムイオンはH_2Oに水素イオンH$^+$が結合したイオンですが、この結合では、H_2OのO原子はH$^+$に非共有電子対を一方的に与えています。このように、結合する原子間で一方の原子から他の原子に非共有電子対が提供され、これを両方の原子が互いに共有してできる結合を配位結合といいます。配位結合は、普通の共有結合とでき方は異なりますが、できてしまえば共有結合と同じになります。したがって、オキソニウ

ムイオンができた後の3本のO−H結合のうち、どれが配位結合かは区別できません。そこで、[ ]をつけて表しているのです。

$$H\overset{\bullet\bullet}{\underset{\bullet\bullet}{:}}\overset{\bullet\bullet}{O}\overset{\circ}{:} \ + \ \overset{\circ}{\circ}H^+ \ \rightarrow \ \left[H\overset{\bullet\bullet}{:}\overset{\bullet\bullet}{O}\overset{\circ}{:}H \right]^+ \quad \overset{+}{H-O\rightarrow H}$$

$$\underset{H}{} \qquad\qquad\qquad \underset{H}{} \qquad\qquad \underset{H}{}$$

水　　水素イオン　オキソニウムイオン

配位結合は矢印で書くこともある。

電子1個

$$\overset{\triangle}{\underset{\bullet}{N}}\ \ \overset{\circ\circ}{\underset{\circ\circ}{O}}\ \overset{\circ}{\underset{\circ}{O}} \quad\Longrightarrow\quad \left[\overset{\circ\circ}{\underset{\circ\circ}{O}}\overset{\bullet\bullet}{:}\overset{\triangle}{N}\overset{\bullet\bullet}{:}\overset{\circ\circ}{\underset{\circ\circ}{O}} \right]^-$$

どの原子のまわりにも電子が8個になるようにする。もはやパズルですね。

〔**問**〕**ク**　ここでは分子の形について考えます。
メタンの構造式は十字架の形のように見えま
すが、結合が共有電子対からなり、マイナス
の電荷をもつ電子同士が反発することから考えると、3次元で考えれば結合
同士が一番距離をとれる正四面体型になっているのです。左の図がメタンを
平面上に書いたもの、右の図がメタンの実際の形を3次元で描いたもので、
紙面の手前に出る結合を黒い三角形、奥に向かう結合を点線で表しています。
　同様に、構造式ではNH_3は正三角形、H_2Oは直線形のように見えますが、
電子の反発まで考えると、三角錐、折れ線形になるのです。

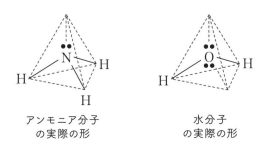

アンモニア分子　　　　　水分子
の実際の形　　　　　　　の実際の形

しかし、CO_2はC原子の両脇にしか電子対がないために〔問〕**キ**の例のように直線型です。つまり、〔問〕**ク**では提示された分子及びイオンの電子式を書いたときに、真ん中の原子に非共有電子対がないものを選べばいいのです。

電子1個（△）　　　O（°で囲まれたO）　　　C（□で囲まれたC）　　　N（・で囲まれたN）　　　H（▲）

分かりやすくするために、原子ごとに価電子の形を変えてあります。

H▲C∷N∶　　　　[O∷N∷O]⁻　　　　[O∷N∷O]⁺

HCN　　　　　　　　　NO_2^-　　　　　　　　NO_2^+
シアン化水素　　　　亜硝酸イオン　　　　ニトロニウムイオン
直線形　　　　　　　折れ線形　　　　　　直線形

O∷O∷O　　　　　　[N∷N∷N]⁻

O_3　　　　　　　　　N_3^-
オゾン　　　　　　　アジ化物イオン
折れ線形　　　　　　直線形

以上からHCN、NO_2^+、N_3^-の3つが直線形となります。この〔問〕**キ**、**ク**に出てくる分子やイオンは高校では電子式までは扱わないものばかりです。でも基本的な分子やイオンの電子式は必ず学習していますので、「基本を応用して未知の問題に対応する」という東大の出題コンセプトに沿った問題です。

〔**問**〕**ケ**　ドライアイスはみなさん知っていると思います。ドライアイスをミクロの視点で見るとどんなふうに結晶になっているのか？　というのがこの問題のテーマです。問題文には「炭素原子は単位格子の各頂点及び各面の中心に位置し、」とありますが、問題の図2−1のCO_2を分かりやすくするために1つの球で表すと、ドライアイスは次の図のように面心立方格子という名前の結晶構造になります。

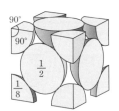

単位格子中に
含まれる原子の数

$$\frac{1}{2}（面）\times 6 + \frac{1}{8}（頂点）\times 8$$
$$= 3 + 1 = 4$$

この結晶構造を構造の6つ
の各面に球の中心があるの
で面心立方格子という。

面心立方格子

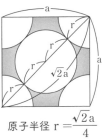

原子半径 $r = \dfrac{\sqrt{2}a}{4}$

問題から$2r = 0.40$nmである
ことが分かるので、この単位格子の
1辺の長さaは、
$a = 2\sqrt{2}r$より0.564nmとなる。

　この図を参考にして計算をしましょう。Cの原子量は 12.0、Oの原子量は 16.0 です。原子量は 1957 年の問題（ニ）で説明したように、同位体まで考慮した原子の重さを表す数字でした。どうせならこの原子量にそのまま質量の単位である［g］をつけて扱えるようなまとまりを考えたほうが便利です。例えばC原子を 12.0［g］量り取るとその中には 6.02×10^{23} 個の原子が入っています。これが 1mol というまとまりになり、この 6.02×10^{23} 個のまとまりのことをアボガドロ定数といいます。1 ダースが 12 個のまとまりを指すように、1mol はアボガドロ定数である 6.02×10^{23} 個のまとまりを指すのです。

　CO_2分子を 1mol 集めると、（Cの原子量＋Oの原子量×2）［g］になるので 44.0g です。ドライアイスの単位格子の中には 4 個の CO_2 分子があり、その単位格子の体積は 0.564^3 nm³なので、これらのデータを用いて密度を計算すると、以下の通り1.63g/cm³という解答になります。本番の入試では電卓が持ち込み不可なので、この計算を最後まで解くのは大変だったと思います。

$$\frac{44\left[\dfrac{g}{mol}\right] \div \left(6.02 \times 10^{23}\left[\dfrac{個}{mol}\right]\right) \times 4[個]}{0.564^3[nm^3] \times (10^{-7})^3\left[\dfrac{cm^3}{nm^3}\right]} = 1.63\left[\dfrac{g}{cm^3}\right]$$

〔**問**〕**コ**　まず電気陰性度というキーワードについて説明しましょう。電気陰性度とは、共有結合において共有電子対を引きつける力を数値化したものです。各原子の電気陰性度を次の図に示します。

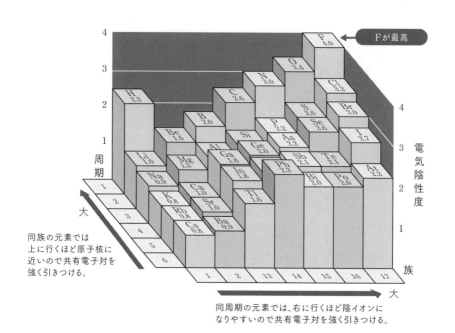

各原子の電気陰性度

　共有電子対は電気陰性度の大きな原子のほうへ引き付けられます。例えば、Cl_2 では共有電子対は 2 つの Cl 原子の真ん中にありますが、塩化水素 HCl では、共有電子対は Cl 側に大きく偏っています。これは、H 原子は電子を 1 個放出しても H^+ で安定になり、電子を 1 個受け取っても閉殻で安定になれるのに対し、Cl 原子はあと 1 個電子を受け取れば閉殻になれるので、Cl 原子のほうが共有電子対を引き付ける力が強いからです。HCl のように共有電子対に偏りのある共有結合を「極性がある」といいます。

　この極性の大きさがものすごく大きくなったものがイオン結合です。高校ではイオン結合と共有結合を区別していますが、実際はあまり意味のあるも

のではなく、極性が大きな共有結合をイオン結合として扱っているだけのことなのです。

無極性の共有結合、極性のある共有結合、イオン結合の違い

　さて、二酸化炭素CO_2も、O＝C＝Oの共有結合では、Oのほうが電気陰性度が大きいのでO原子はマイナスに、C原子はプラスに帯電していますが、O原子が両側から180度反対方向に引っ張っているために分子全体では極性はありません。しかし、それぞれの原子はプラスやマイナスに帯電しているので、わずかに電気的な引力がはたらいています。そのため、ドライアイスの結晶中では隣り合うCO_2分子の炭素原子と酸素原子が近づくのです。

　この節では、化学で頻繁に出てくる基礎的な内容について解説しました。60年の時を超えた問題を通じて化学の基礎を身に付けることができたと思います。

第2節

「地球で体重60kgの人は月では10kgになる」、これのどこが間違いか分かりますか？

● 2017年物理第1問

みなさんは「ジェンガ®」というゲームを知っていますか？ 積み上げた積み木を一人一つずつ取って一番上にのせていき、崩れた人が負けというゲームです。ジェンガを題材にした力学の問題を通して物理の基礎を身につけましょう。

2017年物理第1問Ⅲより

図1−1のような、3辺の長さがL, L, $3L$で質量がMの直方体の積み木を考える。積み木の密度は一様であるとし、重力加速度の大きさをgで表す。以下の設問に答えよ。

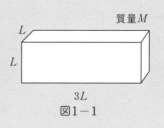

質量M

図1−1

ジェンガは同じ形の長方形の積み木を3つずつ交互に18段積み上げた図の左の状態からスタートします。一人ずつ順番に最上段以外の積み木を一つ取って一番上に積んでいき、崩れた人が負けです。辺の長さが1：1：3の積み木はまさにジェンガの1ピースと同じ比率です。物理を学んだ人にはなんてことのない前提条件ですが、苦手な人には「長さ」、「密度」はいいとしても、「質量」

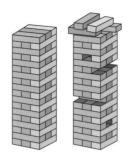

になると「重さ」とどう違うんだっけ？ と不安になって、「重力加速度」になるとすっかり忘れている、そんな人も多いのではないでしょうか？ 大丈夫、一つ一つの語句を丁寧に解説していきますので安心してくださいね。

重力加速度って何？

重力加速度とは重力によって生じる加速度です。地球上で物体を支えている手を放すと、物体は地面に向かって落下速度を増やしながら落ちていきます。手を放した瞬間の速度は0m/秒ですが、空気抵抗を無視すると1秒後にはその速度は9.8m/秒、2秒後には19.6m/秒、3秒後には29.4m/秒、……と速度が増加していきます。このような1秒当たりの速度の増加量を加速度といい、地球上では1秒当たり9.8m/秒ずつ増えていきます。これを重力による加速度、つまり重力加速度とよんで9.8m/秒^2（メートル毎秒毎秒と読みます）と表すのです。この問題では9.8m/秒^{2}をgで表しています。

質量と重さはどう違う？

続いて「質量」と「重さ」の違いについて見ていきましょう。みなさんは普段「私の体重はちょうど60kgです」という言い方をしますね。体重は文字通りにとれば「体」の「重」さで、[kg]は質量の単位ですので、質量と重さを区別する物理学ではこの言い方は間違いになってしまいます。正確には「私の体の質量は60kgです」と言わなければなりません。では質量とはいったい何でしょうか。中学校の教科書を見ると、質量とは「場所によって変わらない物体そのものの量」と書いてありますが、分かりやすく言い換えると「どれくらい動かしにくいかを数字で表したもの」です。スケートリンクで質量60kgの大人と質量30kgの子供を同じ力で押したとき、子供は大きな加速度で勢いよく動き始めますが、大人はゆっくりと小さな加速度で動き始めます。同じ力を加えても質量が2倍なら、動き始めるときの加速度は1/2になるのです。以上のことから物体に力を加えたときの加速度a[m/秒^2]は力

Fの大きさに比例し、質量M[kg]の大きさに反比例するので、これを数式で表すと、$F=Ma$ という式が成り立ちます。これをニュートンの運動方程式といいます。ここから力Fの単位は質量のkgと加速度m/秒^{2}の積なのでkg・m/秒^{2}であることが分かりますね。この単位をNで表してニュートンとよぶのです。力は目に見えませんが、質量1kgの物体を加速度1m/秒^{2}で動かすために必要な力を1と決めて単位をN（ニュートン）としたのです。このニュートンの運動方程式は物理ではしょっちゅう出てくるので、覚えておいてください。

　体重の話に戻ります。60kgが質量だとすると、体の重さはどう表せばいいのでしょうか。「重さ＝地面を押す力」と考えると、地球上では質量60kgの物体の重さは60kgに重力加速度9.8m/秒^{2}をかけて588kg・m/秒^2、力の単位N（ニュートン）を用いて588Nと表せます。ただし、物理では毎回9.8m/秒^{2}をかけるのは面倒なので、通常は重力加速度をgとして60g[N]と表します。

月では体重 60kg の人は 10kg になる？

　みなさんは「月では重力が小さいので体重は地球上の 1/6 になる。」ということを知っていると思います。しかしこれは 60kg が 10kg になるわけではありません。60kg という質量は物質そのものの量なので、地球でも月でも60kg という質量は変わらないのです。では何が変わるのか、それは重力加速度が変わります。月面では重力加速度が地球の 1/6 しかないので、「地球上で 588N の人は月では 98N になる」というのが正しい言い方です。分かりやすくするために表にまとめました。

地球・月・宇宙での重さの違い

	質量		重力加速度		重さ
地球	60kg	×	9.8 m/秒^2	=	588N
月	60kg	×	$\dfrac{9.8}{6}$ m/秒^2	=	98N
宇宙	60kg	×	0 m/秒^2	=	0N

※宇宙では手を放しても物体はその場にとどまるので、重力加速度は0m/秒^2

質量と重さの違いについてイメージできましたか？ それではいよいよ問題を考えていきましょう。

Ⅲ　積木を9個用意し，床の上に重ねて積むことを考える。積木どうしの静止摩擦係数を μ_1，積木と床との間の静止摩擦係数を μ_2 とする。積み木の側面の摩擦は無視できるものとし，積木の面に垂直に加わる力は均一とみなしてよい。また，積木にはたらく偶力によるモーメントは考えなくてよい。

(1)　$\mu_2 = \mu_1$ とする。図1−5のように積木を3段に互い違いに重ねて積み，下の段の真ん中の積木を長辺と平行な向きに静かに引っ張り，力を少しずつ増やしていったところ，あるときその積木だけが動き始めた。積木が動き始める直前に引っ張っていた力の大きさを求めよ。

(2)　$\mu_2 \neq \mu_1$ とする。図1−6のように前問と違う向きに積木を重ねて積み，下の段の真ん中の積木を長辺と平行な向きに静かに引っ張り，力を少しずつ増やしていったところ，下の段の真ん中の積木と2段目の真ん中の積木が同時に動き始めた。このような状況が起こるための μ_2 の範囲は $\mu_2 >$ オ と表される。 オ に入る式を求めよ。

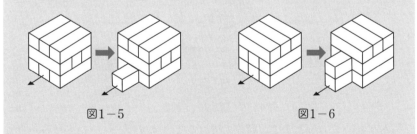

図1−5　　　　　　　　　　　　図1−6

---

　(1)はジェンガの積み方、(2)はジェンガとちょっと違う積み方ですね。この問題を解くためには、摩擦について理解する必要がありますので、一緒に考えていきましょう。

摩擦力とは？

　私たちが道を歩けるのは足の裏と地面の間に摩擦力がはたらくからですし、紙にペンで字を書けるのも紙とペンの間に摩擦力がはたらくからです。「摩擦力がなかったらどうなるか？」という問題が試験に出たとしたら、字が書けないので解答欄は空欄のまま提出するのが正解です（実際に空欄で提出して×になっても責任はとれませんが）。私たちの身のまわりには当たり前のように摩擦が存在するために、かえって摩擦をイメージするのが難しいのです。摩擦について考えましょう。

　摩擦があるざらざらした地面にのっている積木を考えます。この積木を軽く引っ張っても摩擦力がはたらくので動きません。このときの摩擦力 f [N] を静止摩擦力といい、静止摩擦力 f [N] は積木を引っ張る力 T [N] と等しくなっています（図左）。その後さらに T を大きくしていくと静止摩擦力も大きくなっていき、最大の摩擦力 f_0 （これを最大静止摩擦力といいます）を超えると積木は動き出します（図右）。

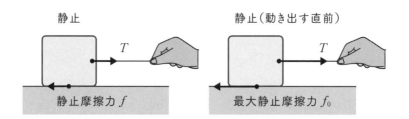

　積木が動いているときにも摩擦力ははたらきますが、いったん積み木が動き始めると、少し手の力を抜いても積み木を動かし続けることができます。つまり、積木が動いているときにはたらく摩擦力は最大静止摩擦力よりも小さくなるのです。この時の摩擦力を動摩擦力といいます。

　では物体にはたらく摩擦力と物体の重さとの関係を考えましょう。重い物

体と軽い物体が床に置いてあって、それを横から押して動かす場面を考えると、重い物体のほうが動かしにくいですね。つまり最大静止摩擦力は物体の重さに比例するのです。この問題の積木の場合でも、最大静止摩擦力f_0は積木の重さMgに比例するため、Mgに比例定数$\overset{\text{ミュー}}{\mu}$をかけて最大静止摩擦力$f_0$を$\mu Mg$と表します。$\mu$を静止摩擦係数といいます。$\mu$はざらざらした地面とざらざらした積木同士なら大きくなり、つるつるしたもの同士なら小さくなります。また、動摩擦力を考えるときには、動摩擦係数として$\overset{\text{ミューダッシュ}}{\mu'}$を使って区別します。積木を紙の上に置いたときの$\mu$は0.4くらいで、$\mu'$は0.3くらいになります。ちなみに摩擦係数は日常生活では1よりも小さくなりますが、これについて考えてみましょう。みなさんは学生時代に教室掃除のとき先生から「机は引きずらないで持ち上げて運びなさい！」とおこられたことはありませんか（私はあります）。なぜ机を引きずって運ぼうとするのかというと、持ち上げるよりも楽だからですね。これは質量Mの机をもち上げるにはMgの力が必要ですが、引きずるなら動摩擦係数をかけて$\mu'Mg$の力で済むからです。えっ？ 摩擦係数が1よりも大きくなることはあるのかって？ありますよ。例えば教室の床と机の脚がマジックテープみたいなものでくっついていたら、摩擦係数は1よりも大きくなります。もし教室の床が全部マジックテープなら机を引きずるよりも持ち上げるほうが楽なので、学生はみんな机をもち上げて運ぶようになります。床全部がマジックテープだったら、すごく掃除しにくそうですけどね。

Ⅲ（1）では引き抜こうとしている積木にかかるすべての最大静止摩擦力の和を引っ張る力Fが超えた瞬間に積木が動き出すので、この和を求めればそれが解答になります。積木の側面の摩擦は無視するので、積み木の上にかかる摩擦力と下の面にかかる最大静止摩擦力の和を求めればOKです。

まず、引き抜こうとしている積木の上の面にはたらく摩擦力は、上の面にかかる重さにμ_1をかければ求められます。上の面にかかる重さは、一番上の段と真ん中の段にある6個の積木を下の段の3個の積木で協力して支えていると考えられるので、$6Mg \div 3 = 2Mg$[N]になります。よって、最大静止摩擦力は$2\mu_1 Mg$[N]になります。

底面にはたらく摩擦力も底面にかかる重さにμ_2をかければ求められます。底面にかかる重さは、上の面のかかる重さ$2Mg$[N]に引き抜こうとしている積木自身の重さMg[N]を加えて$3Mg$[N]になります。よって、最大静止摩擦力は$3\mu_2 Mg$[N]になります。

以上からFを徐々に大きくしていったとき、「積み木が動き出す直前に引っ張っていた力の大きさ（＝積み木の上面にはたらく最大静止摩擦力＋積み木の底面にはたらく最大静止摩擦力）」は$2\mu_1 Mg + 3\mu_2 Mg$で、（1）の問題では$\mu_1 = \mu_2$とするので答えは$5\mu_1 Mg$[N]になります。

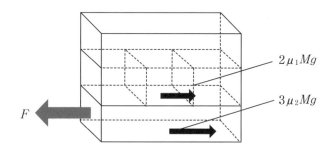

続いてⅢ（2）です。分かりやすくするために、積木にA～Eの記号をつけましょう。

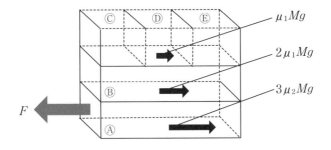

積木の動き方について考えると、次の①から⑤の5通りありますね。

①Aの積木だけが動く

$F_①$＝Aの上の面にはたらく摩擦力 ＋Aの底面にはたらく摩擦力 ＝ $2\mu_1 Mg + 3\mu_2 Mg$

②問題の図1-6のようにAとBの積木が重なって動く

$F_②$＝Bの上の面にはたらく摩擦力 ＋Aの底面にはたらく摩擦力 ＝ $\mu_1 Mg + 3\mu_2 Mg$

③A～Eの積木が動く

$F_③$＝C、D、Eの積木の底面とBの両脇の積木の上の面にはたらく摩擦力 ＋Aの底面にはたらく摩擦力 ＝$2\mu_1 Mg + 3\mu_2 Mg$

④A～Eの積木に加えて、Bの両脇の積木も動く

$F_④$＝Bの両脇の積木の底面とAの両脇の積木の上の面にはたらく摩擦力 ＋Aの底面にはたらく摩擦力 ＝$4\mu_1 Mg + 3\mu_2 Mg$

⑤すべての積木が同時に動く

$F_⑤$＝Aの底面にはたらく摩擦力× 3＝$9\mu_2 Mg$

$F_② < F_① = F_③ < F_④$ の順なので、引っ張る力 F を大きくしていくとまず②がおきてしまうため、①、③、④はおこらないことが分かります。しかし、⑤だけは μ_2 の値がとてつもなく小さい、つまりつるつるの床だった場合には、②の $\mu_1 Mg + 3\mu_2 Mg$ よりも⑤の $9\mu_2 Mg$ のほうが小さくなるため、②の前に⑤がおきてしまいます。

この問題で聞かれていることは、F を大きくしていったときに⑤がおきずに②がおきる条件、数式では $\mu_1 Mg + 3\mu_2 Mg < 9\mu_2 Mg$ となるときの μ_1 と μ_2 の関係を聞いているのです。

　この式を解くと $\mu_2 > 1/6\,\mu_1$、つまり、床と積木の静止摩擦係数が積木同士の静止摩擦係数の1/6よりも大きければよいという結論が得られます。

　さて、この1/6というのはどれくらいの値なのでしょうか。木の種類にもよりますが、積木同士の静止摩擦係数は0.5くらいですので、この1/6というと0.1弱くらいになります。これはスキー板と雪のようにお互いがつるつるの場合の値ですので、実際には積木全部が動いてしまうことはおこりません。もちろんこの問題では積木の側面の摩擦は無視していますし、問題文に「考えなくてよい」という断りがある積木がずれて回転する運動である「偶力によるモーメント」も実際には存在します。さらにジェンガで使われる積木はゲームを面白くするためにあえてひとつひとつの積木のサイズを微妙に変えて作られています。実際に著者がもっているジェンガの質量（重さではありませんよ！ 念のため）を1つ1つ量ってみたところ、15.9g〜23.2gまで大きな幅がありました。だからジェンガで実際に問題の通りにやると理論的にはおきないはずの①や④がおきたり、いきなり全部が崩れた！ なんてこともおきたりするのです。

　ジェンガという身近な題材をとり上げて、物理を身近に感じてもらおうという出題者の意図を感じることができる面白い問題でしたね。

円運動とエネルギー保存則をジェットコースターを通じて学べます

● 2010年物理第1問

みなさん、ジェットコースターは好きですか？ 私は苦手です。もし宙返りする円軌道の頂上で乗っている車両がとまったら…なんて考えるとぞっとします。たまにニュースで円軌道の頂上で止まっている事故映像を見たりすると、（もともと乗る気なんてないのに）「やっぱりジェットコースターは怖いなあ」なんて考えてしまいます。

2010年の物理では図1のように「ジェットコースターの円軌道を車両が1周して宙返りするにはスタート地点のhはどれくらいの高さにすればよいか？」という問題が出題されました。

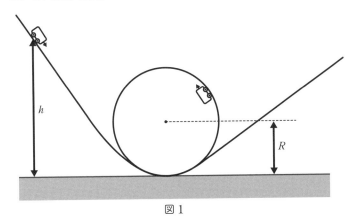

図1

車両を左側から走らせるときに、高さhは円軌道の半径Rに比べてどれくらいとればいいだろうか？　という問題です。問題文を見てみましょう。

　円軌道に入った車両がRの高さまで登れないなら逆走するだけですみますが、Rを通りすぎて宙返りができないと（この問題では車両はレールに乗っているだけという設定なので）、車両は落ちてしまいます。車両が落下しないで宙返りするためには、円軌道の頂上まで車両が登ったときに、抗力という車両をレールが押す力がはたらいていれば落下せずに円軌道を1周できるわけです。ここはちょっと分かりにくいと思うので補足します。ここでいう抗力は車両がレールを押す力の反作用なので、抗力がはたらいているということは、車両がレールを押している $\underset{\text{イコール}}{=}$ 車両はレールを離れることはない、ということを意味しています。

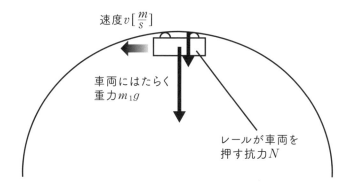

速度$v\left[\frac{m}{s}\right]$

車両にはたらく
重力m_1g

レールが車両を
押す抗力N

抗力Nが0以上であれば車両はレールから離れないで円軌道を宙返りできる。

円運動している物体の加速度はどう考えればいいでしょうか？ まっすぐ進んでいる物体を円運動させるには、円の中心向きに力を加え続ける必要があります。

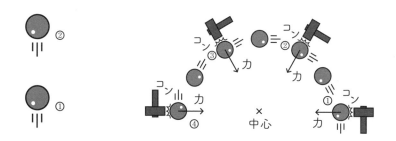

何もしないと直線運動

中心方向にたたき続ければ円運動になる

この力を円の**中心**に**向**かう力ということで向心力といいます。つまり、$F=Ma$の式より円運動では力の向きである中心方向に加速度も向いているのです。

遠心力とはどんな力？

　ここまで読んできてみなさんは何で遠心力は出てこないのかな？と思われたかもしれません。遠心力とはみなさんがジェットコースターに乗って円軌道を回るときに外側に引っ張られるように感じる力のことです。ジェットコースターに乗ったことがない人でも車に乗ってカーブを曲がるときに、外側に体がもっていかれる経験をしたことはあると思います。これが遠心力です。遠心力は円運動をしている人だけが感じる見かけの力です。この問題はジェットコースターの外部から見ている立場で解いているので遠心力は出てきません。もし、ジェットコースターに乗っている人の立場で解こうとすると向心力の代わりに遠心力を使って運動方程式をたてることになります。

　この円運動の速度をどう表せばいいのでしょうか。速度は1秒あたりに進んだ距離 [m] ですが、円運動では1秒あたりに進んだ円周の弧の長さ [m] で表します。1秒で半径Rの円を1周する場合は$2\pi R$ [m/秒]、$\frac{1}{2}$周する場合はπR [m/秒]、$\frac{1}{4}$周する場合は$\frac{1}{2}\pi R$ [m/秒] ですので、$360° = 2\pi$ [rad]（ラジアン）で表される角度の単位 [rad]（ラジアン）を使って、1秒間に回転する角度をω（オメガ）[rad/秒] で表すと、円運動の速度は$v = R\omega$と表せます。

　では円運動の加速度はどう表せばいいでしょうか。加速度a [m/秒^2] は、速度v [m/秒] の時間当たりの変化量なので$a = \frac{\Delta v}{\Delta t}$ですが、円運動では$v$が$\Delta t$秒後に$v'$になっても大きさは変化せずに向きだけが変化します（次の図のア）。そこで変化量を分かりやすく見るために、v'を移動させてvと起点を合わせて、vの先端からv'の先端に矢印を引きます（図のイ）。すると加速度は円運動の速度を表す式$v = R\omega$の半径Rがvに代わったものと同じになるので、$a = v\omega$と表せることが分かります。$v = R\omega$から$\omega = \frac{v}{R}$なので、これを$a = v\omega$のωに代入すると$a = \frac{v^2}{R}$が導き出されます。このとき、加速度は

円運動の中心を向いていることに注意しましょう（トンカチで中心に向かって常にたたかれているイメージですね）。

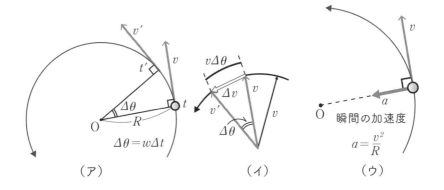

（ア）　　　　　　　　（イ）　　　　　　（ウ）

　以上で円運動の速度と加速度が分かりました。この問題では車両が円軌道から落ちないためには、向心力である抗力 $N \geqq 0$ という条件を満たせばよいので、さっそく円軌道での最高点での垂直方向の運動方程式を作ります。$F = Ma$ より、

$$m_1 g + N = m_1 \frac{v^2}{R}$$

$$N = m_1 \frac{v^2}{R} - m_1 g \geqq 0 \qquad \cdots (A)$$

となります。この問題では車両が円軌道を宙返りするのに必要な高さ h_1 を求めるのが目的ですが、この式には h_1 がありません。そこでもうひとつ円軌道の頂上に着目して、頂上の速度 v と高さ h_1 の関係の式をたてて式（A）の v に代入し、h_1 を m_1 や g や R といった定数で表すのがゴールです。そこで、円軌道の頂上での速度 v とスタート時点での高さ h_1 の関係はどのようにすれば数式で表せるのかを考えていきますが、これはちょっと大変です。最終的には力学的エネルギー保存則という法則を使うのですが、ここに到達するまでに仕事 → 位置エネルギー → 運動エネルギー → 力学的エネルギー保存則という長い道のりをたどらないといけません。

仕事と位置エネルギー

　物理学で言う仕事はサラリーマンがお給料をもらうための仕事とは少し異なります。物理学では、ある物体に一定の力 F [N] を加えて x [m] 動かしたとき、Fx [J] の仕事をしたという言い方をします。具体的には、「男の子が質量30kg、つまり294Nの重さの荷物を0.5m持ち上げると 294 × 0.5 ＝ 147、よって男の子は147Jの仕事をした」という言い方をします。

　ここで仕事の単位に注目してください。[J] ですね。実は熱の単位も同じ [J] ですし、電気を学習すると出てくる [W] という単位は1秒あたりに電気エネルギーが行なう仕事のことですので [J/秒] という単位に書き換えられます。つまり [J] はエネルギーに使われる単位なのです。先ほど男の子が持ち上げた荷物は147Jの仕事をされたので、その分のエネルギーを蓄えたことになります。この蓄えたエネルギーを位置エネルギーといいます。地球上では高さ h [m] にある質量 m [kg] の物体は、mgh [kg・m²/秒² ＝ J] の位置エネルギーをもつのです。

位置エネルギーと運動エネルギー

　図のように、曲がりくねった斜面のＡの高さから車両を走らせたときのことを考えます。結論から言うとスタートの高さとの差が同じなら、どんなに斜面が複雑な形をしていても車両の速度は同じになります。例えば、ＡからスタートしたときにはＢとＥ、ＤとＦでの車両の速度は同じになるのです。

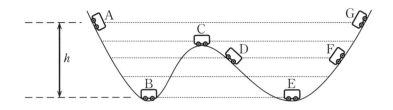

　え？　そんなのウソだろって？　そうなんです、どんなにつるつるの斜面で

も我々の日常生活では摩擦や空気抵抗の影響を受けてしまうので、AからスタートしたらおそらくFくらいまでしか登れないでしょう。しかし、摩擦や空気抵抗を無視できると、AからスタートすればずずGに到達し、その後はAとGの間を永遠に往復運動するのです。この往復運動とエネルギーの関係について考えてみます。Aの時点で車両はmghの位置エネルギーをもちますが、BやEでは高さhが0になるので位置エネルギーも0になり、Dではhが$\frac{1}{2}h$になるので位置エネルギーも$\frac{1}{2}mgh$になります。ただ、Gまで行けばまた位置エネルギーはmghに戻るわけですから車両がもつエネルギーがどこかへ行ったわけではありませんね。ではどこに行ったのかというと、減った分の位置エネルギーは動いている車両のもつ運動エネルギーというものに変わったのです。この運動エネルギーはどう数式で表されるのでしょうか。考えてみましょう。高さh [m] の位置にある車両が位置エネルギーmghをすべて失って、ロスなく運動エネルギーに変化したときの速度v [m/秒] がどうなるかを考えます。地球上では高さh [m] から物体を落とすと、加速度g [m/秒²] で落下をはじめます。t [秒] 後の物体の速度v [m/秒] は、$v=gt$ですので、これをグラフで表すと次の図になります。

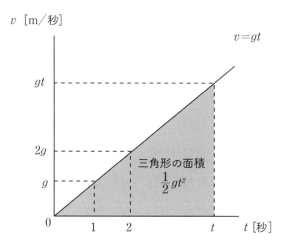

このグラフからt秒後までに落下した距離h [m] はグラフの直線と横軸

で囲まれた三角形の面積なので $h=\dfrac{1}{2}gt^2$ となることが分かります。そして $v=gt$ と $h=\dfrac{1}{2}gt^2$ の2つの式から t を消去すると $gh=\dfrac{1}{2}v^2$ となります。ここで両辺に質量 m [kg] をかけてみましょう。$mgh=\dfrac{1}{2}mv^2$ になりますね。以上から、mgh の位置エネルギーがすべて運動エネルギーに変化したとき、その運動エネルギーは $\dfrac{1}{2}mv^2$ となることが分かります。

つまり摩擦や空気抵抗を無視できるときは、物体が失った位置エネルギーの分だけ運動エネルギーは増加します。これを、「外部から仕事がされない限り、系の全体のエネルギーは $mgh+\dfrac{1}{2}mv^2$ で一定になる」という言い方をします。これを力学的エネルギー保存則といいます。

この力学的エネルギー保存則を使って、円軌道の頂上での速度 v と、スタートしたときの車両の高さ h_1 との関係を式で表してみましょう。摩擦や空気抵抗がはたらかない限り車両がどこにあっても力学的エネルギー保存則が成立しているので、円軌道の頂上では

$$m_1gh_1=m_1g\times 2R+\dfrac{1}{2}m_1v^2$$

という式が成り立ちます。この式から $v^2=2g(h_1-2R)$ が得られて、v と h_1 との関係が明らかになりました。これを（A）式に代入すると、

$$m_1\dfrac{2g(h_1-2R)}{R}-m_1g\geqq 0$$

となり、これを解いていくと

$$2h_1-5R\geqq 0 \quad より \quad h_1\geqq\dfrac{5}{2}R$$

となって、問題 I の解答が求められました。この解答から分かることは、最初の高さは円軌道の高さ（この問題では $2R$）の25%だけ余計に高ければ円軌道を1周できるということです。ジェットコースターという身近な題材を通じて力学を少しでも身近に感じてくれれば幸いです。

一見簡単そうでも、実は思考力が必要な有機化学の基礎の問題です

● 2006 年化学第 3 問 ● 2005 年化学第 3 問

　　この節では有機化学の問題を見ながらその基礎を身につけましょう。「有機」という言葉は「有機農法で栽培する」、「有機的なつながりをもつ」などポジティブなイメージで使われます。逆に「無機」という言葉は「無機質な空間」などネガティブなイメージで使われます。「有機」、「無機」の本来の意味はどういうものでしょうか。

　有機化学の「有機」の本来の意味は、「機」が生命機能を表し、これが「有る」、すなわち「生きているものからしか作られないもの」なのです。有機化学で扱う有機化合物とは、CO、CO_2 などの無機物を除いた炭素原子を含む化合物を指しますが、これは CO、CO_2 が黒鉛を燃やせばすぐにできるからです

　このように昔は有機化合物は生物のみが作り出せるもので、人工的に合成するのは不可能だと考えられていました。しかし、ドイツの化学者ウェーラーは 1828 年に、シアン酸アンモニウムという無機物質から、尿素という生体でしか作れないはずの有機化合物を実験室で合成することに成功しました。

$$NH_4OCN \quad \rightarrow \quad CO(NH_2)_2$$

シアン酸アンモニウム　　　　　尿素

　それ以来無数の有機化合物が人工的に作り出されていて、現在では従来の「有機」の定義はすっかり崩れてしまいましたが、今でもその名前だけが残っ

ているのです。つまり、有機農法とは生物由来の肥料を使用する方法、「有機的なつながりをもつ」というときの「有機的」はヒトの温かみがあるつながりを意味しますが、これは従来の「有機」の定義をもとにしているのです。

有機化合物の基本コンセプト

炭素原子は4本の共有結合を作ることができます。この共有結合を「手」と表現して、この手に水素をつけてみましょう。水素の「手」は1本なので、メタンCH_4という最も単純な有機化合物ができました。メタンからさらにCの数を1個増やすとエタンができます。さらにエタンの2つのC原子の間やC－H結合の間に2本の「手」をもつO原子を入れれば、また別の有機化合物ができます。

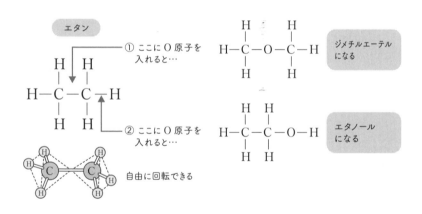

これが有機化合物が無数に存在する理由です。ジメチルエーテルとエタノールは構造式で書くと明らかに違う物質ですが、分子式で書くと同じC_2H_6Oになります。このような物質の関係を構造異性体といいます。

2006年の問題は有機化学の学習には欠かせない構造異性体を書く練習として最適な問題なので、一緒に見ていきましょう。

2006 年化学第 3 問 I より（前半の問題は省略した）

　ここに分子式 $C_3H_8O_2$ の 3 種類の化合物 A，B，C がある。①<u>これらの化合物をエーテルに溶解し十分量のナトリウムを加えたところ，1mol の A と B からはそれぞれ 1mol の水素が発生したのに対し，1mol の C からは 1/2mol の水素が発生した</u>。また，化合物 A，B，C を水に溶解し，塩基性条件下でヨウ素を加えて加熱すると，B からのみ黄色沈殿が生成した。次に，化合物 A，B，C を適当な条件で酸化剤と反応させたところ，それぞれから生じた化合物 D，E，F はすべて酸性を示した。分子式はそれぞれ D：$C_3H_4O_4$，E：$C_3H_4O_3$，F：$C_3H_6O_3$ であった。さらに，化合物 F は酸触媒の存在下で水を加えて加熱しても変化しなかったことから，エステルではないことがわかった。

〔問〕（※ア、イは省略）

ウ　下線①のように，ナトリウムと反応して水素を発生する官能基にはどのようなものがあるか。名称を一つあげよ。

エ　化合物 A，B，C の構造式を示せ。

　この問題では $C_3H_8O_2$ の構造異性体が問題になっています。C が 3 個、H が 8 個ということは、C_nH_{2n+2} の関係ですのでこの化合物はすべて単結合でできているということです。もし 2 重結合や、環状構造があれば H は 2 個ずつ減っていくからです。

C_3H_8 の構造式　　　　　二重結合や環状構造をもつと C_3H_6 となり、H が減っていく

この問題では2つのO原子を基本骨格のC$_3$H$_8$にどのように入れていくのか
を考えます。では、可能性のあるすべての構造異性体を書いてみてください。
いくつ書けましたか？　正解は全部で11個です。

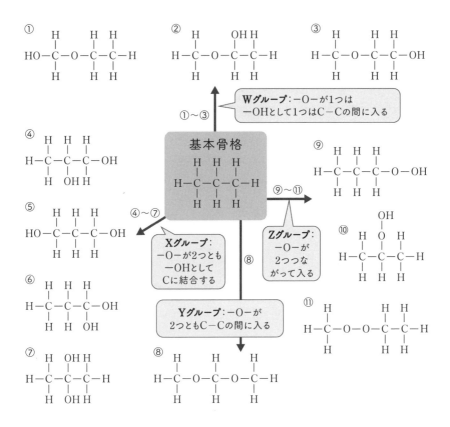

　全部できた人はパズルが得意な人だと思います。12個以上あるよという人
は、上下左右をひっくり返してみてください。どれかが同じ構造です。有機
化学ではこの構造異性体を正確に書き分けられる能力がとても大切です。
　この11種類から問題文のA〜Cの化合物がどれに該当するのかを考えて
いきます。ここまでに必要なのはパズルを解く力でしたが、ここから化学の
力が試されます。実は図のZグループは構造式としては書けますが、実際に
は存在しません。なぜなら−O−O−という構造をもつ物質は過酸化物とよ

ばれてとても不安定なため、仮に存在してもすぐに分解してしまうからです。
怪我をしたときの消毒薬として使われるオキシドールという名前で有名な過
酸化水素も、H_2O_2、$H-O-O-H$という構造式をもつために不安定で分解
しやすく、その分解の時に発生する活性酸素がはたらくのです。

　また、同じCに$-OH$が2個結合している構造も不安定で、H_2Oが取れて
違う構造式に変わってしまうので、⑥と⑦の構造もやはり実際には存在しま
せん。

⑥
$$H-\overset{\overset{\displaystyle H}{|}}{\underset{\underset{\displaystyle H}{|}}{C}}-\overset{\overset{\displaystyle H}{|}}{\underset{\underset{\displaystyle H}{|}}{C}}-\overset{\overset{\displaystyle H}{|}}{\underset{\underset{\displaystyle OH}{|}}{C}}-OH \quad \xrightarrow{-H_2O} \quad H-\overset{\overset{\displaystyle H}{|}}{\underset{\underset{\displaystyle H}{|}}{C}}-\overset{\overset{\displaystyle H}{|}}{\underset{\underset{\displaystyle H}{|}}{C}}-\overset{\overset{\displaystyle O}{\|}}{C}-H$$

⑦
$$H-\overset{\overset{\displaystyle H}{|}}{\underset{\underset{\displaystyle H}{|}}{C}}-\overset{\overset{\displaystyle OH}{|}}{\underset{\underset{\displaystyle OH}{|}}{C}}-\overset{\overset{\displaystyle H}{|}}{\underset{\underset{\displaystyle H}{|}}{C}}-H \quad \xrightarrow{-H_2O} \quad H-\overset{\overset{\displaystyle H}{|}}{\underset{\underset{\displaystyle H}{|}}{C}}-\overset{\overset{\displaystyle O}{\|}}{C}-\overset{\overset{\displaystyle H}{|}}{\underset{\underset{\displaystyle H}{|}}{C}}-H$$

　では残った①〜⑤、⑧のうちからA〜Cを見いだすためにはどうすればい
いでしょうか。①〜⑤、⑧の中で⑧だけ異なるのは、$-OH$という構造（$-OH$、
$-NH_2$、$-COOH$などの決まった性質を示す原子団を官能基といい、$-OH$
をヒドロキシ基とよびます）をもっていないということです。$-OH$をもっ
ている化合物はナトリウムNaと反応して水素を発生します。

$$2ROH + 2Na \longrightarrow 2RONa + H_2$$
アルコール　　　　　　　　ナトリウムアルコキシド

$$2C_2H_5OH + 2Na \longrightarrow 2C_2H_5ONa + H_2$$
エタノール　　　　　　　　ナトリウムエトキシド

$$2H_2O + 2Na \longrightarrow 2NaOH + H_2$$

　有機化学では、官能基によって反応性が大きく異なるために、官能基の種
類によってグループ分けをしています。$-OH$をもつグループをアルコール、
$R-O-R$をもつグループをエーテルといい、ナトリウムとの反応性の有無で

区別することができます。A～Cはすべてナトリウムと反応したので、⑧ではありませんね。－OHが構造式中に1つあると、化合物1molに対してH_2が0.5mol発生します。「1molのAとBからはそれぞれ1molの水素が発生した」とあるので、AとBは－OHを2つもつXグループのうちの④、⑤のどちらかです。そしてCはWグループの①～③のどれかですね。

　ここから先に行って構造を決定するにはアルコールの反応性の違いと、ヨードホルム反応の知識が必要です。

第一級～第三級アルコールとは何か

	第一級アルコール	第二級アルコール	第三級アルコール
一般式	$\begin{array}{c} H \\ \mid \\ R^1\!-\!C\!-\!OH \\ \mid \\ H \end{array}$ **R1個**	$\begin{array}{c} R^2 \\ \mid \\ R^1\!-\!C\!-\!OH \\ \mid \\ H \end{array}$ **R2個**	$\begin{array}{c} R^2 \\ \mid \\ R^1\!-\!C\!-\!OH \\ \mid \\ R^3 \end{array}$ **R3個**
例	$CH_3\!-\!CH_2\!-\!CH_2\!-\!CH_2\!-\!OH$ 1-ブタノール $\begin{array}{c} CH_3 \\ CH_3 \end{array}\!\!\Big\rangle CH\!-\!CH_2\!-\!OH$ 2-メチル-1-プロパノール	$\begin{array}{c} CH_3\!-\!CH_2\!-\!CH\!-\!OH \\ \mid \\ CH_3 \end{array}$ 2-ブタノール	$\begin{array}{c} CH_3 \\ \mid \\ CH_3\!-\!C\!-\!OH \\ \mid \\ CH_3 \end{array}$ 2-メチル-2-プロパノール

メタノールも第一級アルコールに分類されることに注意してください。なお、炭素原子を4個以上もつアルコールには第一級から第三級アルコールのすべての構造異性体が存在します。例には、炭素原子4個の$C_4H_{10}O$の構造異性体7個のうち、アルコールの4個を示しました。

第一級～第三級アルコールの酸化され方の違い

$$RCH_2OH \xrightarrow{-2H} RCHO \xrightarrow{+O} RCOOH$$
第一級アルコール　　アルデヒド　　カルボン酸

$$\begin{array}{c} \overset{取れる}{H} \\ \mid \\ H\!-\!C\!-\!OH \\ \mid \\ H \end{array} \xrightarrow{-2H} \begin{array}{c} O \\ \parallel \\ H\!-\!C\!-\!H \end{array} \xrightarrow{+O} \begin{array}{c} O \\ \parallel \\ H\!-\!C\!-\!O\!-\!H \end{array}$$
メタノール　　　　　ホルムアルデヒド　　　　ギ酸

$$\begin{array}{c} \quad\overset{取れる}{H} \\ \mid\ \ \mid \\ H\!-\!C\!-\!C\!-\!OH \\ \mid\ \ \mid \\ H\ \ H \end{array} \xrightarrow{-2H} \begin{array}{c} H\ \ O \\ \mid\ \ \parallel \\ H\!-\!C\!-\!C\!-\!H \\ \mid \\ H \end{array} \xrightarrow{+O} \begin{array}{c} O \\ \parallel \\ CH_3\!-\!C\!-\!O\!-\!H \end{array}$$
エタノール　　　　　　アセトアルデヒド　　　　　酢酸

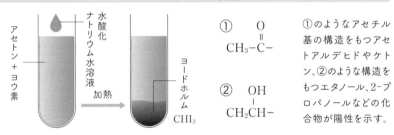

ヨードホルム反応

① のようなアセチル基の構造をもつアセトアルデヒドやケトン、②のような構造をもつエタノール、2-プロパノールなどの化合物が陽性を示す。

「Bからのみ黄色沈殿が生成した」とありますが、これはBのみがヨードホルム反応に陽性（黄色沈殿が生じる）だったということなので、構造を見てBが④だと分かります。④を酸化すると分子式が$C_3H_4O_3$で酸性を示すカルボキシ基$-COOH$が存在するのでEに合致します（酸化と還元の詳しい定義については13節で解説していますが、Oが結合するだけではなく、Hが取れるのも「酸化された」と表現します）。

Aが酸化されるとHが4個減少し、Oが2個増加しています。よって第1級

アルコールの酸化反応が2か所で起きていることが分かるのでAは⑤です。

⑤
$$\underset{\begin{array}{c}H\ H\ H\end{array}}{\overset{\begin{array}{c}H\ H\ H\end{array}}{HO-C-C-C-OH}} \xrightarrow{\text{酸化}} HO-\overset{O}{\underset{}{C}}-\overset{H}{\underset{H}{C}}-\overset{O}{\underset{}{C}}-OH$$

　Cを酸化してもエステルにはならないと書いてあります。エステルとは、カルボン酸（―COOHをもつ化合物）とアルコール（－OHをもつ化合物）から水が取れる脱水縮合という反応でできる化合物です。

$$R^1-\overset{O}{\underset{}{C}}-O-H \ + \ H-O-R^2 \xrightarrow{\text{濃}H_2SO_4} R^1-\overset{O}{\underset{}{C}}-O-R^2 \ + \ H_2O$$

カルボン酸　　　　アルコール　　　　　　　　　　エステル

　エステルは酸触媒の下で水を加えて加熱すると元のカルボン酸とアルコールに分解されます。①、②は網掛けの部分がエステルの構造になるので、③がCであることが分かります。

①
$$HO-\overset{H}{\underset{H}{C}}-O-\overset{H}{\underset{H}{C}}-\overset{H}{\underset{H}{C}}-H \xrightarrow{\text{酸化}} HO-\overset{O}{\underset{}{C}}-O-\overset{H}{\underset{H}{C}}-\overset{H}{\underset{H}{C}}-H$$

②
$$H-\overset{H}{\underset{H}{C}}-O-\overset{OH}{\underset{}{C}}-\overset{H}{\underset{H}{C}}-H \xrightarrow{\text{酸化}} H-\overset{H}{\underset{H}{C}}-O-\overset{O}{\underset{}{C}}-\overset{H}{\underset{H}{C}}-H$$

③
$$H-\overset{H}{\underset{H}{C}}-O-\overset{H}{\underset{H}{C}}-\overset{H}{\underset{H}{C}}-OH \xrightarrow{\text{酸化}} H-\overset{H}{\underset{H}{C}}-O-\overset{H}{\underset{H}{C}}-\overset{O}{\underset{}{C}}-OH$$

この問題では分子式は$C_3H_8O_2$だと示されていましたが、分子式が分からない場合はどうでしょうか。単なる白い粉末でしかないものがみなさんの目の前にあるとしたらどうやって分子式までたどり着けばいいのでしょうか。2005年の問題を解いて考えてみましょう。

2005年化学第3問より

Ⅱ　化合物 C, D, E, F, G は，炭素，水素，酸素だけからなる異性体で，いずれもベンゼン環を含む。これらについてつぎの実験1〜7を行った。問ウ〜クに答えよ。（※実験7、問キ、クは省略）

1. 化合物 C 12.2 mg を完全に燃焼させると，二酸化炭素 30.8mg と水 5.4mg が生成した。

2. 化合物 C 0.25g をラウリン酸 [$CH_3(CH_2)_{10}COOH$] 8.00g に溶解し，その溶液の凝固点を測定したところ，純粋なラウリン酸よりも 1.00K 低かった。ラウリン酸のモル凝固点降下は $3.90K \cdot kg \cdot mol^{-1}$ である。

3. 化合物 C に炭酸水素ナトリウム水溶液を作用させると，気体が発生した。

4. 化合物 D を水酸化ナトリウム水溶液中で加熱した後，反応液を酸性にすると，化合物 H と I が生成した。

5. 化合物 H にアンモニア性硝酸銀水溶液を作用させると，銀が析出した。

6. 化合物 E, F, G に $FeCl_3$ 水溶液を作用させると，いずれも着色した。

〔問〕

ウ　化合物 C の組成式を求めよ。

エ　実験2より，化合物 C の分子量を求めよ。小数点以下を四捨五入して，整数値で示せ。また計算式も示せ。

オ　化合物 C, D, H, I を，それぞれ構造式で示せ。

カ　化合物 E, F, G として可能な構造式を3つ示せ。ただし，各構造式がどの化合物に対応するかは示さなくてよい。

先ほどの2006年の問題とは違い、分子式も分子量も分かっていません。分かっているのは炭素、水素、酸素だけからなる異性体でいずれもベンゼン環を含むということだけです。

　ベンゼンは、炭素原子6個と水素原子6個からなる有機化合物です。炭素原子6個は六角形の環状につながっているのですが、この構造をベンゼン環とよびます。ベンゼン環を含む有機化合物は芳香族化合物として有機化学の中では特別扱いをします。ベンゼン環は、（A）の構造式で表されますが、簡略化した（B）や（C）の構造式もよく使われます。

　なぜベンゼン環を含む有機化合物だけ別扱いをするのでしょうか？ それはベンゼンがとても安定で、化学反応で壊れることがめったにないからです。この問題でも、分子式を求めたのちは分子式からベンゼン環のC_6H_6を引いて残りの部分で構造異性体を考えます。問題を解きながら順番に見ていきましょう。

　まずは、元素分析という操作を行なって、有機化合物に含まれるC、H、Oの割合を調べます。元素分析のための装置（次の図）について説明していきます。試料を完全燃焼させると、試料中のCはCO_2に、HはH_2O（水蒸気）になります（酸化銅（II）は不完全燃焼でできたCOをCO_2に酸化する役割があります）。これらの気体をまず塩化カルシウムを詰めた吸収管に通してH_2Oを吸収させ、続いてソーダ石灰（CaOとNaOHを混ぜたもの）を詰めた吸収管に通してCO_2を吸収させます。H_2OとCO_2を吸収した分だけ吸収管の質量が増加するので、元の試料の質量をxg、発生したH_2Oの質量をyg、発生したCO_2の質量をzgとすると、試料中のHの質量は$y \times 2.0/18$、Cの質量は$z \times 12/44$となります。この質量をそれぞれの元素の原子量で割って組成式が求められます。組成式は原子の数の比なので、例えば$C_2H_4O_2$の酢酸

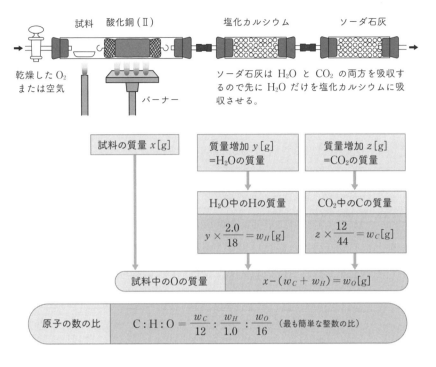

図中のラベル：

試料　酸化銅（Ⅱ）　塩化カルシウム　ソーダ石灰

乾燥した O_2 または空気　バーナー

ソーダ石灰は H_2O と CO_2 の両方を吸収するので先に H_2O だけを塩化カルシウムに吸収させる。

試料の質量 x [g]

質量増加 y [g] = H_2O の質量

質量増加 z [g] = CO_2 の質量

H_2O 中の H の質量

CO_2 中の C の質量

$y \times \dfrac{2.0}{18} = w_H$ [g]

$z \times \dfrac{12}{44} = w_C$ [g]

試料中の O の質量　$x - (w_C + w_H) = w_O$ [g]

原子の数の比　$C : H : O = \dfrac{w_C}{12} : \dfrac{w_H}{1.0} : \dfrac{w_O}{16}$ （最も簡単な整数の比）

も CH_2O のホルムアルデヒドも $C_4H_8O_4$ も組成式は同じ CH_2O になります。そこで分子量を求めて分子式を決定します。具体的に問題を解きながら考えてみましょう。

ウ　実験1から化合物 C の組成式を求めます。元素分析装置の図を参考にして、二酸化炭素 30.8mg 中の C の質量、水 5.4mg 中の H の質量を求めます。そして 12.2mg から C の質量と H の質量をマイナスして試料中の O の質量を求めます。

$$C の質量 : 30.8 \times \frac{12}{44} = 8.4 \, [\text{mg}]$$

$$H の質量 : 5.4 \times \frac{2.0}{18} = 0.6 \, [\text{mg}]$$

$$O の質量 : 12.2 - 8.4 - 0.6 = 3.2 \, [\text{mg}]$$

そして、この質量をそれぞれの元素の原子量で割って組成式を求めます。

$$C : H : O = \frac{8.4}{12} : \frac{0.6}{1} : \frac{3.2}{16} = 0.7 : 0.6 : 0.2 = 7 : 6 : 2$$

$C_7H_6O_2$の組成式が得られました。これは組成式なので、この有機化合物はひょっとしたら$C_{14}H_{12}O_4$かもしれませんし、$C_{21}H_{18}O_3$かもしれません。そこで実験2の凝固点降下法を行ないます。

エ　純粋なラウリン酸の凝固点（融点）は43.2℃ですが、このラウリン酸1.00kg に何らかの不揮発性の物質 1.00mol が溶解すると凝固点が3.90℃下がります。この問題ではこれがモル凝固点降下として 3.90K・kg・mol⁻¹ と与えられています。この [K] は温度の単位です。私たちが普段温度の単位として使っている [℃（セルシウス度）] は、水を基準にしており、水が凍りはじめる温度を 0℃、沸騰する温度を 100℃として決めたものです。しかし科学の世界ではすべての物質の振動が止まってしまう温度（これを絶対零度といいます）である −273℃を 0 とした温度の単位を利用したほうが便利です。これが絶対温度というもので、単位には K を使います。0℃ = 273K、100℃ = 373K ですが、モル凝固点降下ではどれくらい凝固点が下がったかを表しているので 3.90K・kg・mol⁻¹ でも 3.90℃・kg・mol⁻¹ でも OK です。ちなみにモル凝固点降下は溶媒によって異なり、水なら 1.85 K・kg・mol⁻¹ です。

　このモル凝固点降下を用いると、未知の有機化合物の分子量を求めることができます。凝固点の降下度は溶解している粒子の数に比例するので、同じ質量の溶質でも分子量の大きさと凝固点の降下度は反比例するのです。具体的な計算方法はこの化合物Cの分子量をMとして以下の通りです。

$$\frac{0.25}{M} \, [\text{mol}] \times \frac{1000}{8.00} \left[\frac{1}{\text{kg}} \right] \times 3.90 \left[\frac{\text{K} \cdot \text{kg}}{\text{mol}} \right] = 1.00 \ [\text{K}]$$

この式を解いて分子量 $M = 121.8 ≒ 122$ が求められます。

オ、カ 分子量122から分子式は $C_7H_6O_2$ となります。ベンゼン環を含むので、ここから C_6H_6 を引くと、C_1 個と O_2 個が残ります。これをどこに入れるかで右図のように異なる5つの構造異性体が書けます。

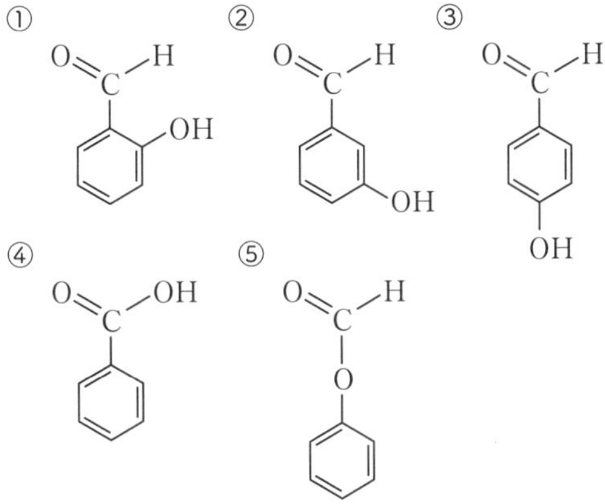

この①〜⑤がCからGのどれに該当するのかを実験3〜6を読みながら考えていきます。①〜⑤を官能基に基づいて分類すると、①〜③はベンゼン環に直接 $-OH$ が結合した構造をもちます。このグループをフェノール類といいます。フェノール類の特徴として、塩化鉄（Ⅲ）水溶液で青〜赤紫色に呈色する、水溶液はごく弱い酸性を示す（pHで6前後、炭酸よりも弱い）、という特徴があります。

④は $-COOH$ がベンゼン環に直接結合している芳香族カルボン酸というグループです。⑤はエステルですね。実験3では、Cが芳香族カルボン酸であるということを示しています。というのは、フェノール類はとても弱い酸なので、強い塩基性の水酸化ナトリウムとは反応して塩を形成しますが、弱塩基性の炭酸水素ナトリウムとは反応しないのです。

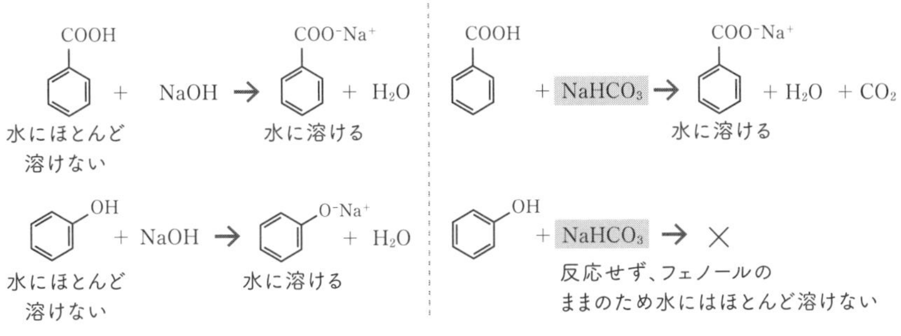

よって化合物Cは④で、E、F、Gは①〜③です。残りのDが⑤となり、実

験4ではエステルである⑤の分解を行なっています。できた二つの物質のうち、アルデヒド基（−CHO）が存在すると、実験5の反応（これを銀鏡反応といいます）が起きます。ここからHとIの構造が決まります。

　この節に出てきた有機化合物はすべて無色透明な液体か白い粉末なので、見た目では全く区別できません。これらの化合物も化学の力できちんと区別ができるなんてすごいですよね。

第 2 章

水にまつわる問題

水は私たちが生きていく上で欠かせない物質です。この章では水に関する問題を物化生地の4分野から集めました。地学からは気象、物理からは水の熱力学、化学からはロウソクの燃焼（ロウソクが燃焼すると水ができます）、生物からは羊水中で育まれている胎児に関する問題です。身近な水を通じて科学の世界に興味をもってもらえたらうれしいです。

第5節

気象、海洋、災害から気候変動まで、東大ならではのとても欲張りな問題です

● 2010年地学第2問

　地学は物化生地の理科4科目の中で断トツに履修者が少ない科目です。共通テスト（旧センター試験）で「地学」を選択する人は毎年だいたい2000人です。2000人というと結構いるように思うかもしれませんが、化学が約20万人、物理が約16万人、生物が7万人であることを考えると、地学の少なさが際立っていますね。ですが、地震、台風、火山などの災害は地学が守備範囲ですから、我々はもっと地学を学ぶべきなのではないでしょうか。

2010年地学第2問より

　海水位はさまざまな原因によって変動する。比較的短期間の海水位変動の要因としては，太陽や月の運動による　 a 　，沿岸や外洋の海洋波動，地震による　 b 　，(ｱ) 海面気圧の変化，強風による波浪や海水の吹き寄せなどが挙げられ，沿岸域に深刻な災害をもたらすことがある。

問 I　上の文章中の空欄　 a 　と　 b 　に入れるべき最も適切な語をそれぞれ解答せよ。

　 a 　は太陽や月の運動による短期間の海水位変動ですから潮の満ち引き

ですね。これを語句で答えると潮汐になります。 b は、津波です。そしてさらに台風による海水位の上昇について問題は進みます。

問Ⅱ　下線部（ア）に関連して，図2−1は1959年台風15号の進路を示したものである。この台風は記録的な高潮によって東海地方に甚大な被害をもたらした。その要因としては，強風により伊勢湾奥に向けて海水が吹き寄せられたこと，および，気圧が非常に低いために海面が吸い上げられたことが挙げられる。これに関する以下の（1）と（2）に答えよ。

(1) 伊勢湾奥に向けて海水が吹き寄せられた理由を，台風の進路と風向きの関係を考慮して，2行程度で説明せよ。

(2) 台風の中心が最も接近したとき，伊勢湾奥での海面気圧は958hPaであった。気圧差による吸い上げ効果だけを考える場合，このときの伊勢湾奥の海面は，その周囲にある1気圧（1013hPa）の海面と比べてどれだけ高くなるか。有効数字2桁で求めよ。なお，重力加速度を9.8m/秒^2，海水の密度を$1.0 \times 10^3 \mathrm{kg/m^3}$とする。

図2−1　1959年台風15号の各日時における中心位置とおおまかな進路

問Ⅱは、1959年9月26
日に東海地方に上陸して
大きな被害をもたらした
伊勢湾台風に関する問題
です。このときの犠牲者
は5000人を超え、阪神・
淡路大震災がおきるまで
は戦後の自然災害で最多
の犠牲者でした。図2－1
を見ると、台風15号（伊

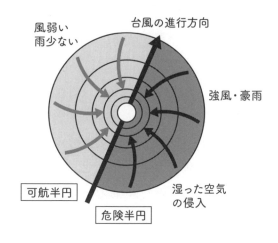

勢湾台風）は伊勢湾と大阪湾のちょうど真ん中の潮岬（しおのみさき）に上陸したにもかかわ
らず、被害はその名前の通り伊勢湾沿岸に集中しています。その理由を答え
る問題ですが、それには台風のまわりでは図のように反時計回りに風が中心
に向かって吹き込んでいることを知っている必要があります。

　台風の進み方ですが、日本付近では台風は伊勢湾台風のように南から北東
方向にカーブしながら進むのが普通です。すると、台風の東側では南から吹
き込む風に台風の速度が加わって風速が大きくなり、さらに南から湿った空
気も流れ込むために雨も強くなって暴風雨が吹くことが多いのです。逆に西
側では台風の速度に打ち消されて風速がそれほど強くならないことが多くな
ります。このことから台風の東側を危険半円（きけんはんえん）、西側を可航半円（かこうはんえん）とよんでいま
したが、可航といっても強い風が吹くことも多く、危険であることには変わ
りないのでこの名称は現在ではあまり使われていません。伊勢湾台風の時は、
伊勢湾がちょうど危険半円側にあったために被害が大きくなりました。そこ
で解答は「北半球では台風の東側では反時計回りに中心に向かって吹き込む
風に台風の移動速度がプラスされて風速が強まるため、台風の東側に位置し
た伊勢湾奥には強い南風が吹き、海水が吹き寄せられたから。」となります。

続いて（2）では、台風の吸い上げ効果を考えます。台風は巨大な低気圧なので、中心では強い上昇気流が発生していて海面が盛り上がった状態になります。これが吸い上げ効果です。この吸い上げ効果は台風の中心気圧が958hPaのときはどれくらいの高さになるのかという問題です。この気圧を表す単位である［hPa］という単位から考えていきましょう。

　あなたのお腹の上に体重60kgの人が乗っているのを想像してください。うーん、かなり苦しそうですね。このときはどれくらい圧力がかかっているのでしょうか。図を見ながら考えてください。

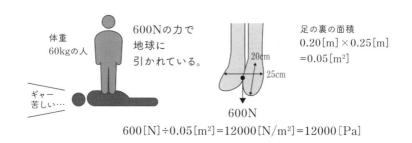

体重
60kgの人

600Nの力で
地球に
引かれている。

ギャー
苦しい…

足の裏の面積
$0.20[m] \times 0.25[m]$
$=0.05[m^2]$

20cm
25cm

600N

$600[N] \div 0.05[m^2] = 12000[N/m^2] = 12000[Pa]$

圧力は単位面積（1m²）当たりにかかる力のこと

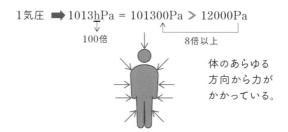

1気圧 ➡ $1013\underline{hPa} = 101300Pa \gg 12000Pa$

100倍

8倍以上

体のあらゆる
方向から力が
かかっている。

　60kgの人が地球に引っ張られている力は地球の重力加速度9.8m/秒²をかけて588Nでしたね。これだと計算が大変なので、重力加速度を10m/秒²として、600Nで計算していきましょう。Paは単位面積1m²にかかっている力を表す単位なので、600Nを両足の足の裏の面積$0.25[m] \times 0.20[m]$$=0.05m^2$で割ると$600 \div 0.05 = 12000[N/m^2]$が得られます。これと気圧を比較してみましょう。地球上の海抜0m地点の平均的な大気による圧力

は1013hPaで、これを1気圧といいます。この圧力は気体分子がぶつかることで生じているので、気圧というのです。[hPa] はヘクトパスカルと読み、h＋Paです。hは100倍を表す接頭辞（1km ＝ 1000mなのでk（キロ）は1000倍を表す接頭辞ですね）ですので、1013hPaは101300Paです。体重60kgの人の両足にかかる圧力は12000Paなので、1気圧とは人間の体に体重60kgの人が8人以上も乗っているほどの圧力があらゆる方向からかかっているということです。私たちはとてつもない圧力を受けながら暮らしているのですね。

　以上を踏まえて、まずは1m²あたりの地面に厚さが10cmの水が乗っているときの圧力を出してみましょう。海水の密度は1.0×10^3kg/m³とし（実際の海水の密度は塩分が溶け込んでいるので真水より3％程度大きくなっています）、重力加速度は9.8m/秒²とするので、厚さ10cm、面積1m²の水の重さによる圧力は以下の式により、

$$0.1\,[\mathrm{m}] \times 1\,[\mathrm{m^2}] \times 1.0 \times 10^3 \left[\frac{\mathrm{kg}}{\mathrm{m^3}}\right] \times 9.8 \left[\frac{\mathrm{m}}{\mathrm{秒^2}}\right] \div 1\,[\mathrm{m^2}] = 980\,[\mathrm{Pa}] = 9.8\,[\mathrm{hPa}]$$

となります。つまり、だいたい10hPa気圧が低下すると、海水面は10cm吸い上げられるということになります。この台風の海面気圧は958hPaだったので、1013－958＝55 [hPa] 分吸い上げられます。よって、$0.1\,[\mathrm{m}] \times \dfrac{55}{9.8}$＝0.56 [m] が解答です。あれ？ 思ったより潮位は上がらないんだな？ と思いませんか？ 0.56mならたいしたことなさそうですね。確かに最も潮位に変動がある大潮のときなら2m程度海面は変動しますし、波の高さも少し風が吹けば3、4m程度の高さにはすぐになりますので、吹き寄せ効果と吸い上げ効果を比べると吹き寄せ効果のほうが影響は大きいと言えます。このときの大きな被害は、伊勢湾の奥のほうが幅が狭まっているという地形的要因に加えて、伊勢湾が遠浅で沿岸を干拓したことから海岸付近の土地は低く、さらに地下水のくみ上げによる地盤沈下のため、いったん高潮が堤防を越えると大きな被害を出してしまうということも要因となったと考えられています。

次の問題に行きましょう。**問II**までは時間スケールでは数時間単位の短期間の海水面変動についての出題でしたが、**問III**からは数十年単位の海水の長期的な変動についての出題です。

> （ｲ）海水の蒸発や降水，河川水や地下水の流入，陸氷（大陸氷床や山岳氷河）の融解もそれぞれ海水位を変化させ得るが，地球全体で海洋・陸面・大気それぞれの水収支のつり合いが成り立っていれば，海水（海氷も含む）の全質量に長期的な変化は起こらない。しかし，（ｳ）地球温暖化によって陸氷の融解が進めば，水収支のつり合いが崩れて海水の全質量が増加し，地球全体の平均的な海水位の長期的な上昇につながる。
>
> また海水位の上昇は海水の全質量が増加しなくても起こることがある。地球温暖化が起こると，海洋表層の水温が上昇するのはもちろんのこと，海洋大循環の結果として深層の水温も有意に上昇すると予測されている。（ｴ）この海水温上昇は海水の熱膨張を伴い，海水位の上昇につながる。

問III 下線部（イ）にあるように，地球表面にある水は海洋・陸面・大気の間を循環している。特に大気中にある水蒸気は，液体の水や固体の氷になる際に大量の潜熱を放出することで熱収支に影響を与えたり，雲・雨・雪を形成して天気に関わる現象において重要な役割を担ったりする。水が海洋・陸面から蒸発によって大気に輸送され，降水によって再び海洋・陸面に戻る過程に関連する以下の（1）と（2）に答えよ。

(1) 海洋・陸面・大気それぞれにおける水の収支はつり合ってほぼ一定の状態が保たれている。陸面と海洋の間での水の輸送の大部分は河川水によって行われることを考慮すると，海洋全体で平均した年間降水量と年間蒸発量との大小関係が推定できる。どちらが大きいと考えられるかを，水の収支のつり合いの観点から，根拠も含めて2行程度で答えよ。

(2) 降水は，主に気温の違いにより降雨や降雪の形をとる。図2-2に
模式的に示されているように，上空の雲の中で氷晶が成長すると
き，それがとけずに地面まで到達すると雪になるのに対し，気温
が高くて途中でとけると「冷たい雨（氷晶雨）」と呼ばれる雨にな
る。ところが，地上気温が0℃以上でも降雪が観測されることがあ
り，特に湿度が低いときにこの傾向は顕著である。湿度の低い大
気の中を落下する氷晶（雪）の表面でどのようなことが起こるか
を考えることにより，湿度が低いときに降雪が観測されやすい理
由を推測し，2行程度で述べよ。

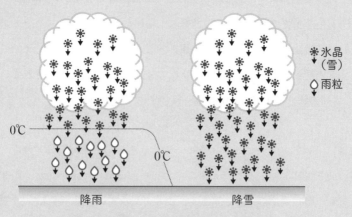

図2-2　冷たい雨（氷晶雨）による降雨
および降雪が観測される状況を示す模式図

　問Ⅲ（1）は問題文中にヒントもあり、答えやすい問題です。陸面から海
洋に向かっては河川が流れ込んでいるのに水の収支は釣り合っているわけで
すから、海洋全体では年間蒸発量のほうが大きくなります。海洋では、年間
蒸発量－年間降水量＝河川による流入量という式が成り立ちますね。よっ
て解答は「年間蒸発量－年間降水量＝河川による流入量という式が成立す
るので、年間蒸発量は年間降水量よりも大きくなる。」となります。

（2）は地上の気温が高くても湿度が低いと雪が降ることが多い理由を答え
なさいという問題です。実は地上気温と地上湿度と雨、雪の関係は良く調べ
られており、次の雨雪判別図にまとめられています。

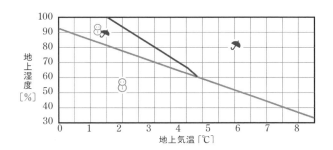

この雨雪判別図を見ると、地上の気温が氷点下でなくても湿度が低ければ
低いほど雪になる可能性が高くなることが分かります。この理由を－20℃の
氷を加熱した時の温度変化の図を見て考えてみましょう。

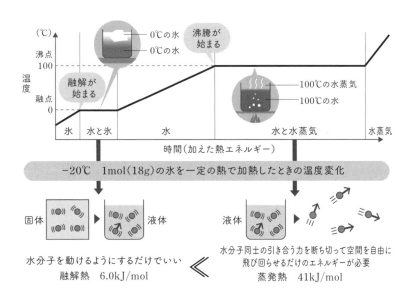

化学や物理を学んだ人にはおなじみの図ですね。氷が融けている間の温度

は0℃のまま変わりませんし、水が沸騰している間の温度は100℃のまま変わりません。この間に加えられた熱は、氷⇒水、水⇒水蒸気の状態変化をさせるために使われたのです。このとき必要な熱を融解熱や蒸発熱といいます。水が状態変化をするときには温度が変化していないので、そのときに出入りする熱のことを「潜」という漢字を使って「潜熱」（潜む熱）というのです。暑い日に打ち水で道路に水をまくのは、水が冷たいから道路が冷えるのではなく、水が蒸発するときに熱を奪うから道路が冷えるのです。気象について学習するときは、この潜熱をいつも意識することが大切です。

　問題に戻りましょう。湿度が低いと落ちてきた氷晶（雪）の表面では氷が昇華して水蒸気になります。このときは融解熱＋蒸発熱に相当する潜熱をまわりから吸収するために、まわりの温度は下がって氷晶は融けないまま地表に雪として降るのです。以上から解答は「湿度が低い時は氷晶が昇華しやすく、その際にまわりから昇華熱を奪うため、氷晶が溶けずに降雪となって観測されやすいから。」となります。

> **問Ⅳ**　下線部（ウ）に関連して，地球温暖化は一般に陸氷を減少させると考えられるが，今後しばらくは，陸氷のうち南極大陸上の氷床はむしろ増大する可能性も指摘されている。南極大陸上の氷床の質量収支のうち増加に寄与するものは降雪であり，低緯度側から大気を通して運ばれてくる水蒸気がその源になっている。このことを参考にして，なぜ温暖化の結果として氷床の増大が起こり得るか，2行程度で考えを述べよ。

　この問題では地球温暖化について冷静に考えることを要求しています。地球温暖化によって海面が上昇し、低い土地が水没する危険性についてはみなさん聞いたことがあると思います。では、なぜ地球が温暖化すると低い土地が水没するのでしょうか？「そりゃ北極や南極の氷が融けるからでしょ」と

思うかもしれませんが、北極の氷は海の上に浮いているだけなので、融けても海面は上昇しません。海面が上昇するのは陸地の上に乗っている氷、具体的には氷河や凍土、雪山にある氷、そして南極大陸上の氷が融けてその水が海面に流れ込むからなのです。ところが、**問Ⅳ**では地球が少し温暖化したくらいでは南極の氷は融けない、むしろ増加する可能性もあるよ、と鋭い指摘をしているのです。そもそも南極の平均気温は内陸部では $-50℃$ 程度、海岸付近では $-10℃$ 程度ですので、地球温暖化で平均気温が $2 \sim 5℃$ 程度上がっても平均気温が氷点下であることには変わりません。つまり、地球温暖化がおきると低〜中緯度で、海水からの蒸発量が増え、増えた水蒸気が高緯度に運ばれて氷晶になり南極の氷が増えるということが考えられるのです。

　この問題では、問題文に書いてあるヒントがほぼ解答の内容そのままになっていますが、文章としてまとめると「地球が温暖化すると、海水からの蒸発量が増えて、増えた水蒸気が低緯度から高緯度にある南極大陸に運ばれるため、南極大陸では降雪量が増えて氷床が増大すると考えられるから。」という解答になります。実は地球温暖化で海面が上昇する原因としては陸氷の減少以外にもあるのですが、**問Ⅴ**ではその原因に触れています。

問Ⅴ　下線部（エ）に述べた熱膨張による全地球的な海水位上昇を簡単に見積もってみよう。地球温暖化の将来予測を参考に，今世紀末までに海洋表層では一様に $2.0℃$，それより深い場所では一様に $0.40℃$ の温度上昇が起こるとする。仮に海底までの水深が場所によらずに $4000m$ であるとし，また，表層が水深 $0 \sim 100m$ を指すとき，今世紀末までに海水位がどれだけ上昇するか。有効数字 2 桁で求めよ。海水の熱膨張率（水温上昇に伴う体積増加率）は水温等に依存するが，ここでは表層では一様に $2.5 \times 10^{-4}℃^{-1}$，それより深い場所では一様に $1.0 \times 10^{-4}℃^{-1}$ とする。また，海水位上昇に伴う海洋表面積の変化は考えない。

陸氷の減少以外に地球温暖化で海面が上昇する原因、それは海水の膨張です。一般的な液体は温度が上がると粒子の振動が激しくなるために体積が膨張しますが、気体に比べると液体の膨張率は非常に小さいので、我々の生活ではまず気づきません。例えば問題文にある膨張率を使って、深さ$10\,\mathrm{cm}$の水が入ったコップを$10℃$から$70℃$まで温めたときのことを考えてみると、深さの変化は$10\,[\mathrm{cm}] \times 2.5 \times 10^{-4}\,[1/℃] \times 60\,[℃] = 0.15\,[\mathrm{cm}]$となります。つまり冷蔵庫から出した$10℃$の水を電子レンジでチンして$70℃$のお湯にしても深さは$1.5\,\mathrm{mm}$しか増えないので、気づくことはありませんね。ただ、海水は膨大にあるので温度が少し上がっただけでも海水位はかなり上昇します。この海水位の上昇度合を計算してみようというのがこの問題です。実は海水温は場所や深さによっても大きく変わりますし、水の熱膨張率も表のように温度によって大きく変わるため（先ほどのコップの例でも温度が上がるほど膨張率は大きくなるので$1.5\,\mathrm{mm}$よりもう少し大きくなるはずです）、所々で近似の数値を使うように指示があります。

水温と熱膨張率の関係

温度 [℃]	熱膨張率 [$\times 10^{-4}/℃$]
0	−0.6
10	0.9
20	2.0
30	2.9
40	3.8
50	4.5
60	5.4
70	5.9

水の密度は$4℃$で一番大きくなるため、
$0℃$での熱膨張率はマイナスになる。

　東大の入試問題には、複雑な事象でも高校生が対応できるように適切な近似が随所にあるのが特徴です。

では計算をしていきましょう。表層部の体積増加による海水位の上昇は、

深さ100mまで：$100\,[\text{m}] \times 2.5 \times 10^{-4}\,[1/\text{℃}] \times 2.0\,[\text{℃}] = 5.0 \times 10^{-2}\,[\text{m}]$

100〜4000mまで：$3900\,[\text{m}] \times 1.0 \times 10^{-4}\,[1/\text{℃}] \times 0.40\,[\text{℃}]$
$$= 1.56 \times 10^{-1}\,[\text{m}]$$

となります。表層部に起因する海面上昇が5cm、それより深いところに起因する海面上昇が15.6cmなので、合計して約21cm海水位が上昇することになります。

　どうですか？ 海水の膨張による影響も無視できないくらい大きい値ですね。実は地球が温暖化したときにどれくらい海水位が上昇するのかは研究者によってさまざまな予測結果があってはっきりとは分かっていません。気候変動に関する政府間パネル（略称IPCC。国際的な専門家でつくる、地球温暖化についての科学的な研究の収集、整理のための政府間機構）は、2013〜2014年にかけて発表された第五次の報告書において、1901年から2010年の期間に世界平均海面水位は約20cm上昇したとしています。人間の寄与が大きい1970年以降の海水位の上昇に対しては海洋の熱膨張の寄与が一番大きく、次が氷河の融解、その次がグリーンランド氷床の融解であるとして南極氷床の変化はそれに続いているとしていますが、将来の予測については、南極氷床は**問Ⅳ**で考えたように温暖化による降雪量の増加で海水位を低下させる効果の可能性もあるとしています。

　IPCCが第五次報告書を出す3年前に入試で出題するなんてさすが東大ですね。

水の状態変化について
トコトン考えさせる
問題です

● 2009年物理第3問

　宇宙探査が進んだ現在でもいまだに地球以外の天体で液体の水が見つかっていないことを考えると、地球に液体の水が存在し、生命が誕生したことは奇跡だといえるのです。この問題を解いてなぜ地球以外には液体の水がないのかを理解しましょう。

2009年物理第3問より

　常温の水は液体（以後単に水という）と気体（水蒸気）の2つの状態をとることができる。どちらの状態をとるかは温度と圧力により、図3−1に示すように定まる。たとえば、水をシリンダーに密封して温度を30℃、圧力を7000Paにしたときは水であり、熱を与えて、温度や圧力を多少変えても全部が水のままである。一方、同じ30℃で、圧力を1000Paにしたときはすべて水蒸気である。ただし、図3−1のB点、C点のような境界線上の温度と圧力のときは水と水蒸気が共存できる。逆に水と水蒸気が共存しているときの温度と圧力はこの境界線（共存線）上の値をもつ。温度を与えたときに定まる共存時の圧力を、その温度での蒸気圧という。一定の圧力で共存している水と水蒸気に熱を与えると、温度は変わらずに、熱に比例する量の水が水蒸気に変わり、全体の体積は膨張する。単位物質量の水を水蒸気に変化させるために必要なエネルギーを蒸発熱と呼ぶ。

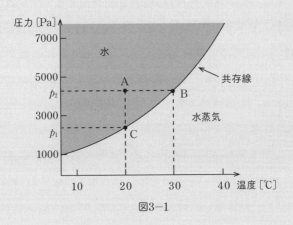

図3-1

　このことを参考にして，図3-2に示す装置のはたらきを調べよう。断面積 $A\,[\text{m}^2]$ で下端を閉じたシリンダーを鉛直に立てて，物質量 $n\,[\text{mol}]$ の水を入れ，質量 $m_1\,[\text{kg}]$ のピストンで密閉し，その上に質量 $m_2\,[\text{kg}]$ のおもりをのせる。シリンダーの上端を閉じてピストンの上側を真空にする。ピストンはシリンダーと密着してなめらかに動くことができるが，シリンダーの上方にはストッパーが付いていて，ピストンの下面の高さが $L\,[\text{m}]$ になるところまでしか上昇しないようになっている。シリンダーの底にはヒーターが置かれていて，外部からの電流でジュール熱を発生できるようになっている。以下の過程を通じて，各瞬間の水と水蒸気の温度はシリンダー内の位置によらず等しいものとする。また，圧力の位置による違いは無視する。

Ⅰ　20℃での蒸気圧を $p_1\,[\text{Pa}]$，30℃での蒸気圧を $p_2\,[\text{Pa}]$ と記す。ピストンのみでおもりをのせないときに内部の圧力が p_1 で，ピストンにおもりをのせたときに p_2 になるようにしたい。m_1 と m_2 を求めよ。重力加速度の大きさを $g\,[\text{m}/秒^2]$ とする。

Ⅱ　圧力 p_2 での20℃の水のモル体積（1mol 当たりの体積）を $v_1\,[\text{m}^3/$

mol］とする。この温度でおもりをのせた状態でのシリンダー内の水の深さ d ［m］を求めよ。なお、ヒーターの体積は無視できる。

Ⅲ　装置全体を断熱材で覆い、ピストンにおもりをのせたまま、はじめ 20℃ であった水をヒーターでゆっくりと 30℃ になるまで加熱する。このとき、水の状態は図 3-1 の A 点から B 点に移る。20℃ から 30℃ までの水の定圧モル比熱は温度によらず、c ［J/（mol・K）］であるとする。水を 30℃ にするためにヒーターで発生させるジュール熱 Q_1 ［J］を求めよ。なお、シリンダー、ピストン、おもり、断熱材など、水以外の物体の熱容量は無視できるものとする。

Ⅳ　30℃ の水をさらにヒーターでゆっくりと加熱する。このときの温度と圧力は B 点に留まり、水は少しずつ水蒸気に変化していく。図 3-3 のようにピストンがストッパーに達したときにも水が残っていた。B 点での水のモル体積 v_2 ［m³/mol］と B 点での水蒸気のモル体積 v_3 ［m³/mol］を用いて、このときの水蒸気の物質量 x ［mol］を求めよ。

Ⅴ　30℃ の水を、その温度での蒸気圧の下で、水蒸気にするために必要となる蒸発熱を q ［J/mol］とする。問Ⅳの過程で、ピストンがストッパーに達するまでに、ヒーターで発生させるジュール熱 Q_2 ［J］を求めよ。

Ⅵ　ピストンがストッパーに達したときにヒーターを切り、おもりを横にずらして、ストッパーにのせる。つぎにまわりの断熱材を取り除き 18℃ の室内で装置全体がゆっくりと冷えるのを待つ。

(1) 時間の経過（温度の低下）とともに、圧力がどのように変化するか述べよ。

(2) 時間の経過（温度の低下）とともにピストンはストッパーに接した位置と水面に接した位置の間でどのように動くか。動く場合にはその速さ（瞬間的か、ゆっくりか）を含めて述べよ。

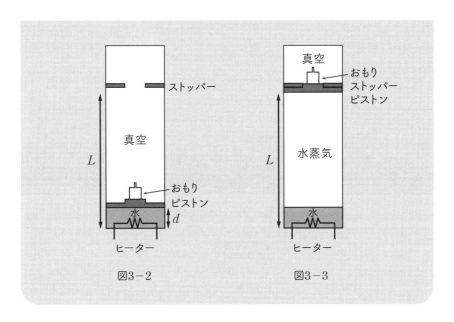

図3－2　　　　　　　図3－3

　お鍋に水を入れておくと、いずれ水は蒸発してなくなってしまいます。お鍋を加熱して水を沸騰させると、ふたをしてもふたが動くほど水が盛んに蒸発して、もっと早く水はなくなります。つまり、水は加熱しなくても蒸発するけれども、加熱することで勢いよく蒸発させられることが分かります。この水分子が蒸発する勢いによって生じる蒸気の圧力を蒸気圧といいます。蒸気圧は温度が上がると急激に大きくなります。このグラフを蒸気圧曲線といいます。

　蒸気圧曲線を見ると水の沸点である100℃のときの蒸気圧は1013hPa、つまり1気圧です。これは、水を加熱していき、蒸気圧がまわりの圧力である大気圧と等しくなった時に沸騰が始まるということを表してい

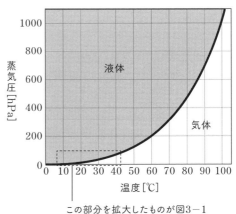

この部分を拡大したものが図3－1

ます。沸騰が始まると、液体の内部からも盛んに蒸発がおこります。この問題の図3-1は蒸気圧曲線の ┊┄┊ の部分を拡大したものなのです。

水の蒸気圧曲線をより広範囲で考えたものが状態図になります。

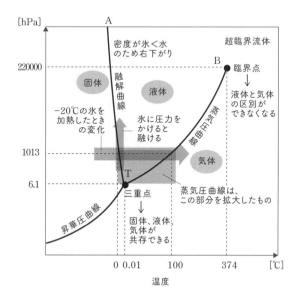

前節で-20℃の氷を加熱したときの温度変化の図を示しましたが、これは1気圧（1013hPa）で温度を上げていくことを意味しています。

ついでに温度を変えずに圧力を変えたときのパターンも考えてみましょう。1気圧0℃で氷に圧力を加えていったときの変化について考えてみます。氷をギューっと押しつぶそうとするイメージです。水が氷になるときには体積が増えることを思い出してください。これを逆に考えると、氷に圧力をかけると体積が減って水になることを表しています。これを再び凍らせるには、温度を下げる必要があります。つまり、圧力が高くなると氷の融点は下がるのです。これを表したのが状態図中の融解曲線です。

融解曲線と蒸気圧曲線のぶつかった6.1hPa、0.01℃のところには「三重点」と書いてあります。三重点とは水が固体、液体、気体のどの状態でも存在できるのです。この三重点よりも圧力が低いと水は液体として存在できません。

「水が液体として存在できない」というとイメージしにくいですが、ドライアイスをイメージすると分かります。ドライアイスは二酸化炭素の固体ですが、昇華するので液体にはならずに直接気体に変化しますね。これは二酸化炭素の三重点が5.2気圧、−57℃なので、我々の生活する世界では二酸化炭素は液体としては存在できないのです。

　このドライアイスの例で分かるように、地球に液体の水が存在しているということは、状態図の3本の曲線で分けられた領域のうちちょうど液体の領域に地球があるからなのです。これはすごいことで、現在のように宇宙探査が進んでも、いまだに地球以外では液体の水は発見されていません。

Ⅰ　この問題は気体の圧力についてきちんと理解できているかどうかが問われています。物理では当たり前のように p_1 や m_1 などの文字式を使いますが、イメージしにくいのであえて具体的な数字で考えてみましょう。

　この問題では p_1 となっている20℃での水の蒸気圧は2336Paです。ピストンの断面積は A [m²] となっていますが、みなさんが想像しやすいようにこのピストンを道路のマンホールのサイズだと仮定しましょう。マンホールの直径は60cmなので、断面積は 0.30 [m] $× 0.30$ [m] $× π = 0.28$ [m²] になります。圧力 [Pa] は1m²あたりにかかっている力を表す単位ですので、2336Paのとき断面積0.28m²では、2336 [Pa] $× 0.28$ [m²] $= 654.08$ [N]、つまり蒸気圧によりピストンに上向きにかかる力は654Nになるので、質量66.7kg以上のピストンであれば水面にぴったりくっついて水が蒸発することをブロックできることになります。では、66.7kg未満のピストンならどうなるでしょうか。この場合は、ピストンによる圧力＜蒸気圧になるので水は沸騰して、水がどんどん蒸発してピストンは上昇していきます。え？ 20℃の水の蒸気圧ってそんなに大きいのかって？ 確かにイメージしにくいですよね。普段私たちは1013hPaの世界に生きているので、この問題のように真空の世界はなかなか実感できないのです。沸騰は蒸気圧が大気圧と等しくなった

時におこるので、真空の世界ではたとえ0℃でも水は沸騰します。大気圧が1013hPaよりも低ければ沸点は100℃よりも低くなりますし、逆に1013hPaよりも高ければ沸点は100℃以上になるのです。

　圧力鍋を使うのは、内部の圧力を1013hPa よりも上げられるため100℃以上で加熱することができ、食材に速く熱が通って味もしみ込みやすくなるからです。逆に富士山の山頂では気圧が地上の6 割くらいしかないので、水は88℃で沸騰してしまいます。つまり、カップラーメンを作ろうとしてもぬるいものしかできないのです。

　問題に戻ります。20℃のときはピストンに上向きにはたらく力は$p_1 A$ [N]、ピストンにはたらく重力は$m_1 g$ [N]、これが釣り合っているので、求めるm_1は以下の式で表されます。

$$p_1 A = m_1 g$$

$$m_1 = \frac{p_1 A}{g} \text{ [kg]}$$

30℃のときはピストンに上向きにはたらく力は$p_2 A$ [N]、ピストンにはたらく重力は$(m_1 + m_2)g$ [N]、これが釣り合っているので、求めるm_2は以下の式で表されます。

$$p_2 A = (m_1 + m_2)g$$

$$p_2 A = \left(\frac{p_1 A}{g} + m_2 \right) g$$

$$\frac{p_2 A}{g} = \frac{p_1 A}{g} + m_2 \text{ なので、} m_2 = \frac{(p_2 - p_1)A}{g} \text{ [kg]}$$

Ⅱ　この問題は難しくありません。物質量 n [mol]、20℃の水のモル体積 v_1 [m³/mol]、断面積 A[m²] を使ってシリンダー内の水の深さ d [m] を表します。単位をよく見て式を作りましょう。

$$n \, [\text{mol}] \times v_1 \, [\text{m}^3/\text{mol}] = d \, [\text{m}] \times A \, [\text{m}^2]$$

$$d = \frac{nv_1}{A} \, [\text{m}]$$

Ⅲ　定圧モル比熱、難しい言葉が出てきました。長い言葉は要素ごとに分け
て考えてみましょう。「比熱」とは 1g の物質の温度を 1℃上げるために必要
な熱量で、例えば水なら $4.2 \, [\text{J/g} \cdot \text{K}]$ です。食べ物で使うカロリーは水の
比熱 $4.2 \, [\text{J/g} \cdot \text{K}] = 1 \, [\text{cal/g} \cdot \text{K}]$ として、食べ物を燃やしたときに出てく
る熱を表したものです。油物のカロリーが高いのは、燃やしたときに大きな
熱が出るからですね。普通比熱は 1g あたりの熱で表しますが、これを物質量、
つまり 1mol あたりの熱で表したものはモル比熱といいます。この問題では
圧力を一定に保って加熱したので定圧モル比熱といいます。10℃温度を上げ
るために必要な熱量を求めるので、以下の式で計算すれば OK です。

$$Q_1 = n \, [\text{mol}] \times c \left[\frac{\text{J}}{\text{mol} \cdot \text{K}} \right] \times (30 - 20) \, [\text{K}] = 10nc \, [\text{J}]$$

Ⅳ　ピストンがストッパーに達したときの体積は $AL \, [\text{m}^3]$ で表されます。
この体積は水蒸気の体積と水の体積を合わせたものですね。水蒸気の物質量
を $x \, [\text{mol}]$ とするので、水の物質量は $n - x \, [\text{mol}]$ になります。問題で水の
モル体積 $v_2 \, [\text{m}^3/\text{mol}]$ と水蒸気のモル体積 $v_3 \, [\text{m}^3/\text{mol}]$ が与えられている
ので、これに水の物質量 $n - x \, [\text{mol}]$ と水蒸気の物質量 $x \, [\text{mol}]$ をかけて、
以下の式が成り立ちます。

$$(n - x)v_2 + xv_3 = AL$$

$$x = \frac{AL - nv_2}{v_3 - v_2} \, [\text{mol}]$$

V　この問題では水の蒸発熱に関する知識が問われています。水を蒸発させるときには、温度が変化しなくても状態を変化させるだけで熱が必要になります。これを蒸発熱といいます。前節の潜熱のところで説明しましたね。**IV** の過程で蒸発した水は $x = \dfrac{AL - nv_2}{v_3 - v_2}$ [mol] なので、これに蒸発熱をかければ解答が得られます。

$$Q_2 = x\,[\text{mol}] \times q\left[\frac{\text{J}}{\text{mol}}\right] = \frac{q(AL - nv_2)}{v_3 - v_2}\,[\text{J}]$$

VI　（1）現在の温度は 30℃ですから、18℃まで冷えていくときのシリンダーの様子を答える問題です。まずヒーターを切ると水の温度が下がるので、水の蒸気圧も共存線に沿って徐々に下がっていき、18℃のときの圧力で一定になります。

　（2）このときピストンによる圧力 > 18℃の水の蒸気圧なので、ピストンは水面まで下がっているため水蒸気はシリンダー内部には存在しません。シリンダーの動き方ですが、ヒーターを切っても 20℃になるまではピストンはストッパーにくっついたままです。20℃よりも温度が下がるとピストンは徐々に下がっていきます。水蒸気がすべて水に変化すると、ピストンは水面に接して静止し、温度は 18℃までゆっくり下がります。

　水の状態変化についてとことん考えた問題でした。普段身近な水もこれだけ色々なバリエーションの問題ができるのですね。

ファラデーの『ロウソクの科学』は東大ではこう出題されます

● 2006年化学第1問

イギリスにマイケル・ファラデーという偉大な科学者がいました。19世紀に活躍した彼は小学校しか卒業していないにもかかわらず、物理、化学で大きな業績を残して王立研究所の教授になりました。ファラデーの電気分解の法則、ファラデーの電磁誘導の法則など彼はいろいろな法則に名を残しています。

　ファラデーは王立研究所の教授になり、所長になってからも決して研究室に閉じこもることはなく、一般の人、特に子供達に科学の面白さを伝えるために毎年のクリスマスに講演会を行ないました。1861年にはロウソクを題材に燃焼時におきる現象を科学的に解説する講座が6回連続で行なわれ、この記録が『ロウソクの科学』として日本でも文庫本が発売されています。2006年にはこの『ロウソクの科学』を題材とした問題が出題されました。問題文では化学の入試問題なので「ロウソクの化学」としていますが、原題がThe Chemical History of a Candleであることを考えると、「ロウソクの化学」のほうが正しい気がしますね。

2006年化学第1問より

　以下はマイケル・ファラデーによる1860年のクリスマス・レクチャー「ロウソクの化学」の抜粋である。これを読み後の問Ⅰ，Ⅱに答えよ。

『レクチャー1─ロウソク：炎とその源・形・動き・光』より

　私達は，皆さんがこうして，ここでの
催しに関心を持たれて，見に来て下さっ
たことを光栄に思います。そのお礼に，
このレクチャーで「ロウソクの化学」を
ご覧に入れようと思っています。

　…（中略）…

　気流の向き次第で，炎は上にも下にも

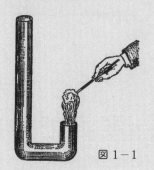

図1−1

向くことをお目にかけましょう。この小さな実験装置で簡単にできます。
今度はロウソクではありません。煙が少ないアルコールの炎を使います。
ただ，A<u>アルコールだけの炎は見にくいので，別の物質［原注1］で炎</u>
<u>に色をつけています。</u>炎を下に吹いてやると，気流が曲がるように細工
した，この小さな煙突に，炎が下向きに吸い込まれていくことがわかる
でしょう。（図1−1）

［原注1］：アルコールに塩化銅（Ⅱ）を溶かしてあった。

『レクチャー2〜3─炎の出す光・水の生成・他』より

　…（中略）…

　この黒い物質は何でしょうか？　それはロウソクの中にあるのと同じ炭
素です。それは明らかにロウソク中に存在していたはずです。そうでな
ければここにあるはずがありません。固体の状態を保っている物質は，
それ自身が燃える物であろうが，なかろうが，炎の中で明るく輝くのです。

　これは白金製の針金です。高温でも変化しない物質です。B<u>これを炎</u>
<u>の中で熱してみると明るく輝いているのがわかるでしょう。</u>炎自身の光
が邪魔にならないように，炎を弱くしてみます。それでも炎が白金に与
えている熱は─炎自身の熱よりずっと少ないのですが─白金を輝かせ
ています。

… （中略） …

　ここにはまた（別のビンを取りながら），オイルランプの燃焼で作られた水があります。1リットル（訳注1）の油をきちんと完全に燃やすと，1リットル以上の水が生成します。cこちらは蜜ロウソクから長い時間をかけて作った水です。このように，ほとんどの燃える物質は，ロウソクのように炎を出して燃える場合，水を生成することがわかります。

『レクチャー4― ロウソクの中の水素・燃えて水に・水の他の成分・酸素』（略）

『レクチャー5― 空気中の酸素・大気の性質・二酸化炭素』より
… （中略） …

　この物質をたくさん手に入れる，いい方法があります。おかげで，この物質のいろいろな性質を探求することができます。この物質は，ほとんどの皆さんが予想もしない所に大量にあります。D石灰石はどれでも，ロウソクから発生するこの気体―「二酸化炭素」と言います―を大量に含んでいます。チョーク（訳注2）も貝殻もサンゴも皆，この不思議な気体をたくさん含んでいます。この気体はこういう石の中に「固定」されているのです。

　そして，これはとても重い気体です。空気よりも重いのです。その質量を，この表の一番下に書いておきました。私達がこれまでに見てきた他の気体の質量も，比較のために示してあります。

表1―1 標準状態(0℃、1atm)における28.0Lの気体の質量（訳注1）

水素	2.50g	空気	36.0g
酸素	40.0g	二酸化炭素	57.0g
窒素	35.0g		

『レクチャー6― 炭素/炭・石炭ガス・呼吸 ― 燃焼との類似性・結び』より

ご覧に入れたように，炭素は固体の形のままで燃えます。そして皆さんがお気付きのように，燃えた後は固体ではなくなるのです。このような燃え方をする燃料は，あまり多くはありません。…（中略）…

　ここにもう一つ，よく燃える，一種の燃料があります。E ご覧のように空気中に振りまくだけで発火します。（発火性鉛［原注2］の詰まった管を割りつつ）この物質は鉛です。とても細かい粒子になっていて，空気が表面にも中にも入り込めるので燃えるのです。しかしこうやって（管の中身を，鉄板の上に山のように積み上げる），かたまりにすると燃えないのはどうしてでしょうか？　そう，空気が入って行けないのです。まだ下に燃えていない部分があるのに，生成したものが離れてくれないので，空気に触れることができず，使われずに終わってしまうのです。何と，炭素と違うことでしょう！ F 先ほどご覧に入れたように，炭素は燃えて，灰も残さずに酸素の中に溶け込んでいきます。ところが，ここには（燃えた発火性鉛の灰を指して）燃やした燃料よりも沢山の灰があります。酸素が一体化した分だけ，重いのです。これで皆さんは，炭素と鉛や鉄の違いがおわかり頂けたことと思います。

［原注2］：発火性鉛は乾燥した酒石酸鉛をガラス管（片方を封じ，他方を絞っておく）中で，気体の発生がなくなるまで加熱することで得られる。最後にガラス管の開いてあった端をバーナの火で封じる。管を割って中身を空中に振り出すと，赤い閃光を出して燃える。

（Michael Faraday."*The Chemical History of a Candle*", Dover, New York, 2002より）

　（訳注1）：原文のヤード・ポンド法による記述は，意図を損なわぬよう書き改めた。
　（訳注2）：日本では，これと異なる物質でできたチョークも多く使われている。

I　以下の問ア～エに答えよ。必要であれば次の原子量を用いよ。

　原子量 H：1.0，C：12.0，N：14.0，O：16.0，Ca：40.1，Pb：207.2

〔問〕

ア　下線部 A および下線部 B で観察した光の説明として最も適切なものを A，B それぞれについて，以下の（1）～（5）から選び，その番号を答えよ。

(1)　化合物中の炭素と水素の元素比により波長が異なる発光

(2)　電球のフィラメントなど高温の物質が出す光で，物質の種類によらない

(3)　大気中の微粒子が太陽光を散乱して，空が青く見えるのと同じ現象

(4)　金属原子やそのイオンが，金属に固有の波長の光を放出する現象

(5)　化合物が電離したときに生成する，陰イオンに特有の色

イ　下線部 C の蜜ロウソクの成分は，100％ セロチン酸（分子式 $C_{26}H_{52}O_2$）であるとする。99g の蜜ロウソクの燃焼から生成する水の質量を求めよ。答に至る計算過程も示すこと。

ウ　下線部 D について，この固定された二酸化炭素を取り出す方法を一つ，化学反応式を示した上で説明せよ。

エ　表 1-1 の窒素および二酸化炭素の質量から，窒素および二酸化炭素の分子量を計算し，上記の原子量から計算される分子量と比較せよ。これらの気体は理想気体であるとする。

　電気や電池が普及した現在では、ロウソクを目にすることはめっきり減りました。現在我々が目にするロウソクは、パラフィンという石油を精製したときにできる白い固体（$CH_3CH_2CH_2-\cdots\cdots CH_2CH_3$ と炭素原子が多数つながった構造をしています）でできていますが、昔はいろいろな種類がありました。ファラデーは『ロウソクの科学』で色々なロウソクを紹介しています。まずは、熱で融かした牛脂の中に木綿糸の芯をひたしては取り出して冷やし、ひたしては取り出して冷やしという作業を繰り返した「ひたしロウソク」を紹介しています。夏の暑い日はベトベトして、においもきつかったことでしょう。続いて牛脂を水酸化カルシウムと煮ることでけん化してステアリン酸カルシウム、いわゆるせっけんにして、これでロウソクを作る方法も紹介しています。このロウソクはベトベトしないので、現在のロウソクに近いものでした。さらに彼はクジラの油を精製して作った鯨油ロウソク、ミツバチの巣

を構成するロウからできる蜜ロウ、アイルランドの湿地に産出するパラフィンからできるパラフィンロウソクも紹介しています。最後に彼は、「私たちが開国させた」日本から取り寄せたロウソクも紹介しています。当時の日本では櫨（はぜ）の実の皮から絞り取ったロウを使った和ろうそくがメインでした。

　では問題について考えていきましょう。まずは、〔問〕**ア**です。下線部Aではアルコールに塩化銅（Ⅱ）を入れて火をつけると、色がつくと言っています。何色だか分かりますか？　答えは青緑色です。これは炎色反応というもので、周期表1族のアルカリ金属（Li、Na、Kなど）や2族のアルカリ土類金属（Ca、Srなど）、銅の化合物を炎の中に入れると、表のようにそれぞれの元素特有の炎色が見られます（表にはよく高校生が使う覚え方ものせました）。

元素		炎色	覚え方の例
リチウム	Li	赤	リアカー
ナトリウム	Na	黄	無き
カリウム	K	赤紫	K村で
銅	Cu	青緑	動力に
バリウム	Ba	黄緑	馬力
カルシウム	Ca	橙赤	借（りょう）と
ストロンチウム	Sr	紅（深赤）	する（も、貸して）くれない

　よって、下線部Aで観察した光の説明は（4）になりますね。この炎色反応は夏の夜空に咲く花火に利用されています。

　では下線部Bはどうでしょうか。白金線を加熱すると明るく輝く現象です。みなさんはドロドロに融けた鉄が加熱をやめても赤く光っているところをイメージできると思います。また、電気ストーブの電熱線は、発熱と同時に暗い赤色になり、温度が高くなるにつれて明るい色になります。この二つの現象は金属原子に含まれる電子が熱により振動することが原因で起きるのです。電荷をもつ電子が振動すると、電磁波が発生します。実は冷たい氷やドライ

アイスも含めて、あらゆる物体は熱をもち電磁波を出しています。氷やドライアイスが光っているように見えないのは、電磁波のうちで人間が目に見えない長い波長の光しか出していないからです。物体の温度が上がっていくと、だんだん波長の短い電磁波を出すようになります。

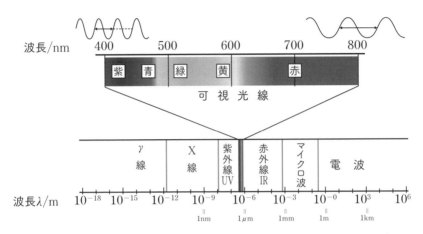

波長が長いほどエネルギーは小さいが遠くまで届く（電波は遠くまで届く）。波長が短いほどエネルギーは大きい（ガンマ線やX線などの放射線は生物にダメージを与えるほどエネルギーは大きいが遠くまでは届かない）。

　人間の体温くらいになると赤外線を放出し、さらに温度が上がると可視光線を放出するようになります。可視光線でも青い色は一番波長が短いので、青く光り輝いている星は赤い星よりも温度が高いのです。以上から下線部Bで観察した光の説明は（2）になります。

　ではこの二つ以外の選択肢はどうでしょうか。まず（1）の化合物中の炭素と水素の元素比により波長が異なる発光とはどういうことでしょうか。例えばいわゆる都市ガスのメタンCH_4とライターに充填されているブタンC_4H_{10}の炎ではどうでしょうか。メタンは炭素と水素の元素比が1：4、ブタンは2：5ですが発光には酸素の量が重要で元素比は影響ありません。（3）ですが、空が青く見えるのは青い光のほうが波長が短いために、散乱されやすく日中はこの青が強調されて空は青く見えます。しかし、朝と夕方は光が大気の層

を長く通過することになるために、青い光は散乱されつくされてしまい、残った赤やオレンジが強調されて空は赤く見えるのです。

　では（5）はどうでしょうか。通常は水溶液に色がついているとき、原因は周期表で3〜11族の遷移金属の陽イオンになることが多いです。例えばFe^{3+}の水溶液は黄色ですし、Cu^{2+}は青色です。しかし、中には数が少ないながらも陰イオンによって色がついていることがあります。高校の段階で出てくるのは3種類で、MnO_4^-の紫色、$Cr_2O_7^{2-}$の橙色、CrO_4^-の黄色です。ただし、これらの陰イオンは電離していなくても色がついているのでそもそもこの選択肢は誤りのために用意されたものといえそうです。

イ　蜜ロウソクとはミツバチの巣から作られたロウソクです。ミツバチは花から集めた蜜を胃の手前にある蜜胃という袋に貯めます。巣に帰る途中で蜜胃の中で分解された蜜はハチミツとなり、巣に貯められるわけですが、ハチミツは液体なのでそのままではこぼれてしまいます。そこで、巣を蜜蝋でふたをするのです。蜜蝋はヨーロッパでは古くからロウソクの原料として珍重されていました。その成分はとても複雑で、20以上の成分が含まれていますが、この問題では100%のセロチン酸として扱うとしています。とすると、反応式は以下のようになるので、水の質量をxgとして物質量との関係から解答である$117 = 1.2 \times 10^2$ [g] が求められます。

	$C_{26}H_{52}O_2$	+	$38O_2$	→	$26CO_2$	+	$26H_2O$
1molの質量	396g		32g		44g		18g
今ある質量	99g						xg
物質量の関係	$26 \times \dfrac{99}{396}$			=			$\dfrac{x}{18}$

ウ　石灰石の主成分は炭酸カルシウムで$CaCO_3$です。チョークも貝殻もサンゴも主成分は炭酸カルシウムです（ただし、チョークは訳注にあるように硫酸カルシウムを原料とするものもあります）。古代の地球ではCO_2は大気中にとてつもなく多く存在していて、海水に溶け込んでCa^{2+}と反応して

CaCO₃として取り除かれていくことで現在の大気中濃度の約0.04％まで下がったと考えられています。そのため、ファラデーは二酸化炭素はこれらの中に「固定」されているという表現を使っていますが、まさにファラデーの表現がピッタリなのです。ではこの「固定」された CO_2 を取り出すにはどうすればいいのでしょうか。それには塩酸を加える、加熱するという二つの方法があります。塩酸を加えると $CaCO_3 + 2HCl \rightarrow CaCl_2 + H_2O + CO_2$ という反応がおき、加熱すれば $CaCO_3 \rightarrow CaO + CO_2$ という反応がおきて CO_2 を取り出すことができます。

エ 「比較せよ」と指示されているので、比較して違う場合はその理由を説明していきます。まず原子量から分子量を計算すると、みなさんご存知の通り窒素は $14.0 \times 2 = 28.0$、二酸化炭素は $12.0 + 16.0 \times 2 = 44.0$ です。続いて表1-1から分子量を計算してみましょう。理想気体では標準状態の0℃、1気圧（1atm）では1molが22.4Lなので、22.4Lあたりの質量＝分子量となります。よって窒素は $35.0 \times 22.4/28.0 = 28.0$、二酸化炭素は $57.0 \times 22.4/28.0 = 45.6$ です。この二つの計算結果を比較すると、窒素はどちらも28.0なので一致していますが、二酸化炭素は45.6と理論値の44.0より少し大きな値が出ています。これは窒素は理想気体として扱えるが、二酸化炭素は理想気体としては扱えないということです。表1-1の気体について計算すると水素は2.0、酸素は32.0、空気は28.8と理想気体の分子量と同じ数値ですが、二酸化炭素だけはずれています。この原因について考えてみましょう。水素や酸素、窒素に比べると二酸化炭素は分子量が大きく、水素の沸点は-253℃、酸素は-183℃、窒素は-196℃であるのに比べて、二酸化炭素の昇華点（二酸化炭素は温度を下げても液体にならず、固体のドライアイスになります）は-79℃と極端に高くなっています。つまり、二酸化炭素は分子同士が引き合う力である分子間力が窒素に比べて大きいので、同じ気圧では理想気体よりも体積は小さくなり、そのため22.4Lの質量も理想気体より大きくなるのです。

Ⅱ　下線部Ｅや下線部Ｆのようにファラデーは，炭素と鉛の燃え方の違いを述べている。炭素が燃焼するときには，二酸化炭素が散逸するのに対して，鉛が燃焼するときには，酸化生成物が散逸せずに留まっている。鉛の燃焼直後の状態を考察するために，以下の問オ，カに答えよ（※問カは省略）。必要であれば，次の生成熱を用いよ。

生成熱（25℃）〔単位：$kJ \cdot mol^{-1}$〕　CO_2（気）：394，PbO（固）：219，PbO_2（固）：274

オ　燃焼直後の高温状態では，鉛の酸化物中で一酸化鉛（PbO）が最も安定である。鉛が燃焼して，固体の一酸化鉛を生成する反応の熱化学方程式を書け。

　ファラデーはレクチャー6で炭素と鉛の燃え方の違いについて説明していきます。炭素は燃えると二酸化炭素になって大気中に拡散していってしまいますが，鉛は酸化鉛になり酸素と結合した分だけ重くなります。考えてみれば不思議なこの違いを，ファラデーはダイナミックな演示実験で聴衆に紹介します。

オ　固体の一酸化鉛を生成する反応の熱化学方程式を答えます。化学反応式は（1）式ですが、熱化学方程式で表すと（2）式になります。出入りした熱量が書いてある以外にどこが違うか分かりますか？

$$2Pb + O_2 \rightarrow 2PbO \qquad \cdots (1)$$
$$Pb（固）+ \frac{1}{2}O_2（気）= PbO（固）+219 [kJ] \qquad \cdots (2)$$

①係数に分数がついている。

②→が＝になっている。

③Pb（固）、$\frac{1}{2}O_2$（気）のように化学式の後に物質の状態が書いてある。

この3つですね。なぜそうするのか、解説します。

① 熱化学方程式では、着目している物質の係数を「1」とする決まりがあります。ここでは PbO の生成熱なので PbO の係数を 1 にします。そのために O_2 の係数は分数になっても OK なのです。

② 化学反応における→は反応の向きを表すものでした。熱化学方程式では 1mol の Pb と $\frac{1}{2}$ mol の O_2 がもつエネルギーの和が、1mol の PbO のもつエネルギーと 219kJ の和に等しいことを示しているだけで、反応の向きにはこだわりません。だから→が＝に変わったのです。

③ 熱化学方程式では液体を表す（液）、気体を表す（気）など、物質の状態を化学式のあとに書きます。これは、普段化学反応として扱わない水の蒸発という状態変化も熱化学方程式で H_2O（液）＝ H_2O（気）－ 44 [kJ] と扱うことができるようにするためのものです。

　今回**問カ**は省略しましたが、**問カ**を解くのにも CO_2 の生成熱は必要ありません。ではなぜ問題を解くのに必要ない CO_2 の生成熱がわざわざ与えられているのかを考えてみましょう。PbO の生成熱 219kJ に比べて CO_2 の生成熱は 394kJ と二倍近い値です。しかも C の原子量は 12、Pb の原子量は 207.2 なので炭素と同じ熱量を出すには 30 倍もの質量の Pb が必要になるということを示しています。ここからバーベキューの燃料に鉛の粉末ではなく炭を使うのは合理的な理由があることが分かりますね。

　この問題を解いてファラデーに興味をもった人は『ロウソクの科学』ぜひ読んでみてください。ファラデーが一般の人に化学を分かりやすく伝えたいという情熱を感じることができると思います。

生命の不思議を
伝えたいという
メッセージを感じます

● 1991年生物第3問 ● 2014年生物第1問

　「生物は暗記科目だ」なんて声をよく聞きます。確かに一面ではその通りですし、私もテストを作るときについつい教科書の文章を引用して重要語句の穴埋め問題を作ってしまうこともあります。でもこの問題を見てください。「生物のすばらしさを伝えるにはこんな問題を出せばいいんだよ。」そんな出題者の声が聞こえてきそうな問題です。

1991年生物第3問より

　次の文を読み，Ⅰ〜Ⅴの各問いに答えよ。（※（Ⅴ）は省略）

〔文〕

　誕生時のヒト新生児は，(ァ)羊水に浸りきりの生活から急に空気中に放り出された状態にある。たいていの新生児は誕生後数秒のうちに(ィ)前腹壁を1回大きく膨らませ，その直後に(ゥ)うぶごえをあげる。これは肺を利用した空気呼吸を新生児が自力で開始したことを示しており，新生児を見守る人たちにひと安心という気持を抱かせる。しかし新生児にとっては，これまでの羊水中よりもはるかに寒暖の差が激しい空気中での生活環境に適応するために(ェ)成人に見られるような体温調節機構をできるだけ早い時期に確立する必要があり，さらに乾燥の危険に対す

る備えも急がなければならない。

　新生児の体重は通常，生後3〜5日まで下降線をたどり，生後8〜14日にようやく誕生時のレベルに回復するが，これは水の喪失量と獲得量の関係で説明することができる。ヒト新生児が身体内の水を急速に失う原因としては，(ｵ) 成人の尿（比重：1.015〜1.025）にくらべて含有成分の種類では大差がないが比重の低い尿（比重：1.002〜1.008）を排出する，皮膚の最外層となる防水性のケラチン（角質）層が未発達で身体の全表面から水が空気中に蒸発する，呼吸運動のたびにかなりの量の水が空気中に逃げる（新生児呼吸回数：40〜50/分，成人呼吸回数：16〜18/分），などがある。一方，水の獲得については，母乳など外界からの摂取物に含まれる水のほか，新生児自身の体内で物質の代謝の結果生じる水（代謝水，物質交代水，酸化水などと呼ばれる）がある。

〔問〕

Ⅰ　下線部（ア）について。

　（A）　セキツイ動物の仲間である魚類，両生類，ハ虫類，鳥類，ホ乳類のなかから，発生のある段階を羊水のなかで過ごすものを，すべて挙げよ。

　（B）　ヒトの胎児はどのような方法で栄養物質の摂取，不要物質の排出を母体内で行うか，60字以内で述べよ。

Ⅱ　下線部（イ）と（ウ）について。下の（a）〜（f）から，（イ）と同時進行するものと，（ウ）と同時進行するものをひとつずつ選び，（イ）−（a），（ウ）−（b）のように答えよ。

　（a）　横隔膜が上昇し，胸腔は縮小する。

　（b）　横隔膜が上昇し，胸腔は拡張する。

　（c）　横隔膜が下降し，胸腔は縮小する。

（d）　横隔膜が下降し，胸腔は拡張する。

（e）　横隔膜が動かずに，胸腔が縮小する。

（f）　横隔膜が動かずに，胸腔が拡張する。

Ⅲ　下部線（エ）について。急に寒気にさらされた成人の体では，どのような反応が進行し，そのために体温の極端な下降が防がれるのかを，下の語句を少なくとも一度ずつ使って200字以内で述べよ。

冷えた血液　　間脳　　骨格筋　　肝臓　　チロキシンの増加

Ⅳ　下線部（オ）について。新生児の腎臓が低比重尿しか作ることができない理由としてどのような状況が考えられるか。下の（a），（b）を参考にしながら50字以内で述べよ。

（a）　正常な新生児の脳下垂体後葉は，成人の場合と同じ機能をすでに開始している。

（b）　成人でも脳下垂体後葉の障害によるある種の病気（尿崩症^{にょうほうしょう}）の際には，比重1.001〜1.004の尿が大量に排出される。

Ⅰ（**A**）　生物が進化の過程で水中から陸上に上陸したとき，乾燥にどう対処するのかというのは大きな問題でした。特に卵^{らん}（生物では「たまご」とは読みません）をどうやって乾燥から守るかは大きな問題になります。水中に産み落とされた魚類，両生類の卵は水中を漂っているだけで酸素を取り込んだり，排泄物を捨てたりできますしもちろん乾燥の心配をする必要はありません。しかし陸上に卵を産むハ虫類，鳥類，ホ乳類はそうはいきません。そこで，ハ虫類と鳥類は通気性をもつ殻をもつことで乾燥に耐え，その中に尿膜という排泄物を捨てる袋をもつ方向に進化しました。

　その後，子をより安全に育てるという点で胎生に進化したホ乳類が誕生したのです。卵に殻があるかどうか，卵生か胎生か，これは中学生が学ぶ内容ですが，そこをこの問題ではひとひねりして「発生のある段階を羊水の中で過ごすもの」という大学受験生向けの問いにしています。「羊水」というと

ホ乳類の胎児が母体内にいるとき浮いている液体をイメージすると思いますが、鶏卵を割ったときに黄身のまわりにある盛り上がった卵白も羊水です。羊水は陸上での乾燥に胚が耐えられるようにあるわけですから、この問題は陸上で子を生むものを聞いているのです。よって解答は「ハ虫類、鳥類、ホ乳類」となります。

（B）　この問題は、「胎児ってすごいんだよ」という出題者からのメッセージだと思います。胎児は胎盤を通して母体から栄養を受け取っている、これくらいは高校生なら知っていると思います。でも排泄はどうしているのでしょうか？　羊水中に尿はしているようですが、排便はしません。つまり、不要物質の排出も胎盤を通じて行なっているのです。どうしても排出できない不要物は生まれるまでため込んでいて、出生後しばらくすると黒緑色の胎便とよばれる便として排泄します。

　以上を60字にまとめて解答するとき、母体と胎児は血球の交換をしていないことに触れると理解がアピールできると思います。どうして血球は交換していないのに酸素や栄養は交換できるのかというと、母体の血液と胎児の血液の間は胎盤関門という半透性のある膜（小さい穴が開いていて、低分子の物質は通すが分子量の大きい物質は通さない）で区切られているからです。この膜のおかげで酸素や二酸化炭素などのガス、アミノ酸、グルコースなどの栄養分は母体と胎児でやり取りできますが、血球やウイルスなどの高分子物質はブロックしているのです。

　ちなみにお酒に含まれるエタノール、タバコに含まれるニコチンは低分子物質で胎盤関門を通過できるので、妊婦は飲酒や喫煙を禁止されています。以上を60字以内にまとめて「母体の血液と胎児の血液は胎盤で近接しており、そこで母体の血液から栄養物質を摂取し、胎児の血液から不要物質の排出を行なう。（60字）」となります。

　母体と胎児の酸素の交換については2014年にその仕組みをとり上げた問題が出題されたので、ちょっと寄り道をして見てみましょう。

〔文 1〕

　カモノハシなどの　 1 　類やコアラなどの　 2 　類を除く大部分
のほ乳類では，胎仔は胎盤を介して母体から供給される栄養分と酸素に
依存して発育する。そのため，胎盤に深刻な異常が生じると，胎仔の発
育は停止し死に至る。胎盤で母体の血液が胎仔血管に流れ込むことはな
く，赤血球が母体の肺から胎仔の末梢組織へ酸素を直接届けることはで
きない。胎盤で胎仔が酸素を受け取ることができるのは，(ア) 母体のも
つ成体型ヘモグロビンと胎仔赤血球に含まれる胎仔型ヘモグロビンの酸
素結合能が異なるおかげである。

〔問〕

I　文 1 について，以下の小問に答えよ。

A　空欄 1, 2 にそれぞれ適切な漢字二文字を入れよ。

B　下線部（ア）について。図 1−2 は，胎盤における二酸化炭素分圧
　のときの，成体型ヘモグロビンと胎仔型ヘモグロビンの酸素解離曲
　線である。胎盤では成体型ヘモグロビンの 40％ が酸素結合型（酸素
　ヘモグロビン）であり，胎仔末梢組織における酸素分圧が 10mmHg
　であるとすると，胎仔末梢組織では血液 100mL あたり何 mL の酸
　素が放出されるか答えよ。ただし，酸素ヘモグロビン 100％ の状態
　の血液がすべての酸素を放出した場合，血液 100mL から 20mL の
　酸素が放出されるものとする。また，胎盤と胎仔末梢組織における
　二酸化炭素分圧の差，胎盤から胎仔末梢組織に達するまでの酸素の
　放出，および血漿に溶解している酸素は無視できるものとする。

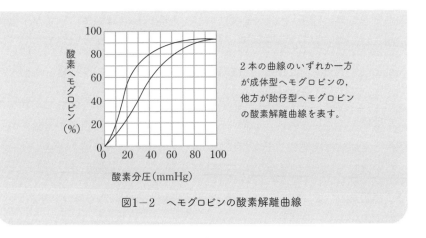

図1-2 ヘモグロビンの酸素解離曲線

グラフ内の注記:
酸素ヘモグロビン（%）、酸素分圧（mmHg）

2本の曲線のいずれか一方が成体型ヘモグロビンの，他方が胎仔型ヘモグロビンの酸素解離曲線を表す。

A ┃ 1 ┃類は単孔類、┃ 2 ┃類は有袋類ですね。このあたりは生物を好きな人なら常識といったところでしょうか。単孔類は卵生ですし、有袋類は未熟な状態（なんと1gくらい！）で子を産み、育児嚢という袋で育てるのでどちらも胎盤はありません。胎盤があるということは母体で胎児（この問題では胎仔、1991年の問題では胎児と異なる漢字を使っていますが、どちらも同じ意味です）をある程度の大きさまで育てられるというメリットがありますが、引き換えに出産までは母体と胎児が離れられないので、母体が危険にさらされたときに胎児を犠牲にして逃げられないというデメリットがあります（有袋類のカンガルーは母体が危険にさらされると、子供を捨てて逃げてしまいます。ひどい！ と感じてしまいますが、これは母体が犠牲になれば幼い子供も死んでしまうのに対して、母体が生き残れれば再び繁殖できるので、種の保存という観点からは理にかなった行動と言えるのです）。ただ、現在の地球では単孔類、有袋類よりも有胎盤類が繁栄していることを考えると、胎盤があるほうが生存に有利だったと言えるでしょう。この理由には諸説ありますが、有力なのは胎盤をもつほうが頭蓋骨を充分に成長させることができるから（有袋類は未熟な状態で産まれるので頭蓋骨が十分に成長できず、脳の容量が小さくなってしまう）という説です。

B 胎盤では母体から胎児にどんな仕組みで酸素を渡しているのか、それを

問う問題です。図1−2のヘモグロビンの酸素解離曲線の見方ですが、横軸の酸素分圧は血液中の酸素の割合と考えてください。酸素の分圧が下がっていくと酸素ヘモグロビンの割合も減っていく、つまりヘモグロビンがどんどん酸素を離していくのです。このグラフでは曲線は2本引かれており、どちらが成体でどちらが胎児かは書いてありませんが、母体から胎児に血液中の酸素を渡すには胎児のヘモグロビンのほうが酸素と結合する力が強くないといけない、つまり同じ酸素分圧で酸素ヘモグロビンの割合が多くなっているほうが胎児のヘモグロビンなので、胎児の曲線は左上にあるほうです。

以上を踏まえて考えていきましょう。問題によると、「胎盤では成体型ヘモグロビンの40％が酸素結合型」とありますので、グラフのA点から胎盤での酸素分圧は30mmHgと分かります。この酸素分圧ではグラフのB点から胎児のヘモグロビンは70％が酸素ヘモグロビンになる

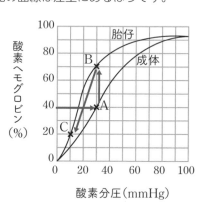

ため、母体の酸素ヘモグロビンが酸素を離して胎児のヘモグロビンに受け渡されるのです。これが胎盤を通して母体から胎児に酸素が受け渡される仕組みです。胎児の末梢組織では酸素分圧が10mmHgなので、グラフのC点から酸素ヘモグロビンは20％になっています。以上から70−20＝50（％）のヘモグロビンが酸素を離したことになり、問題文の「酸素ヘモグロビン100％の状態の血液がすべての酸素を放出した場合、血液100mLから20mLの酸素が放出されるものとする」という条件から解答は10mLとなります。

では1991年の問題に戻りましょう。

Ⅱ　医学部の先生が作りそうな問題ですね。胸腔や前腹壁なんて高校の生物の教科書にはのっていません。ただ、横隔膜を利用した呼吸の仕組みは中学

で学習するので、この問題も知識を応用して考える必要がありそうです。

　赤ん坊が上げるうぶごえも声ですから、うぶごえを上げるには息を吸わなければいけません。息を吸うためには肺をふくらませなければいけません。そこではじめに吸気（息を吸うこと）し、そのあとで「うぶごえ」として呼気（息を吐くこと）するのです。

　ところが胎児は羊水中にいるので、気管や気管支、肺胞は羊水で満たされており水浸しになっており、肺は機能していません。この水は胎児が生まれるときに狭い産道を通るため半分程度絞り出され、またホルモンのはたらきにより肺胞から体内に吸収されます。そして産道を絞り出されるように産み落とされると、その瞬間に強く空気を吸い、初めて空気が肺に入ります。これが「(ｲ) 前腹壁を一回大きく膨らませ」た状態です。これをイラストで表してみました。

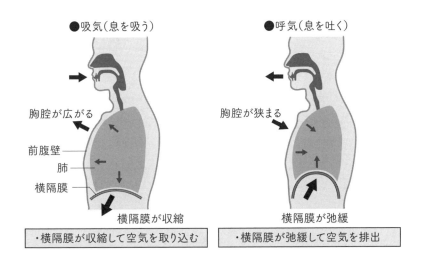

　そして「(ウ) うぶごえをあげる」際には、息を吐き出すのでイラストの右側のように横隔膜は上昇し、胸腔は縮小します。よって解答は（イ）－（d）、（ウ）－（a）となります。

Ⅲ　ヒトの体内環境は一定になるように維持されています。これを恒常性、かっこよく言うとホメオスタシスといいます。恒常性を維持するには自律神経系による調節と、ホルモンによる調節が組み合わさっています。200字の記述は結構大変ですが、自律神経とホルモンについて提示された語句を使いながらそれぞれ半分の100字ずつ触れて書けばいいでしょう。

自律神経系とは？

　自律神経には、交感神経と副交感神経の2種類があります。この二つは互いに反対の作用をつかさどっていて、意思とは無関係にはたらいている、つまり「自律的に」はたらいています。交感神経は活動状態や緊張状態で優位にはたらき、副交感神経はリラックスしているときに優位にはたらきます。二つの神経系のはたらきを表にまとめました。

ヒトの自律神経系のはたらきのまとめ

交感神経	器官	副交感神経
拡大する	瞳孔	縮小する
だ液が減少	だ液腺	だ液が増加
発汗を促進	汗腺	分布していない
血管、立毛筋が収縮	皮膚	分布していない
拡張	気管支	収縮
拍動促進	心臓	拍動抑制
消化抑制	胃腸	消化促進
グリコーゲン分解	肝臓	グリコーゲン合成
インスリン分泌減少	膵臓	インスリン分泌増加
活動抑制	膀胱	活動促進

　えっ？　これ全部覚えるのかって？　ハイ、受験生は全部覚えます。大変ですね。でもちょっと待ってください。ひとつひとつ覚えたら大変ですが、交感神経は活動状態で優位にはたらくので、例えばこれからケンカに行くぞ〜という状況を考えてみましょう（もちろん例えです。暴力はいけません）。

さあ、これから行くぞというときには目が座ってきて（瞳孔の拡大）、口の中がカラカラになり（だ液の減少）、手に汗を握ります（発汗の促進）。さらに血管が収縮して、心臓がドキドキすることで血圧を上げ、とっさの行動ができるようにします。そんなときはお腹がすいたり、トイレに行きたくなっては困るので消化は抑制され、血糖値は上がり（アドレナリンやグルカゴンが分泌されてグリコーゲンの分解が進み、同時にインスリンの分泌は減少する）、排泄の機能は抑制されます（膀胱の活動抑制）。ケンカはしたことがない人でも、緊張する大舞台が終わった時に、急に空腹を感じたり、トイレに行きたくなったりしたことはあると思いますが、これがまさに交感神経優位から副交感神経優位に変わった瞬間なのです。

　以上を応用すると、体温調節が必要になるときは寒かったり、熱かったりするときですから活動状態であり、交感神経優位であることが分かります。寒いときは血管、立毛筋が収縮して血液を体表から体幹に集め、鳥肌が立って体温が奪われるのを防ぎます。逆に暑いときは発汗を促進して体温を下げるのです。

ホルモンとは？

　ホルモンとは体内の内分泌腺から血液中に放出され、ホルモンを受け取る受容体（レセプター）をもつ標的細胞のある特定の器官にごくごく微量で作用する化学物質です。インスリンや、アドレナリンが有名ですね。ホルモンはごく微量でも有効にはたらくのが特徴です。例えば医療ドラマで、

　看護師：「先生！ この患者さん心停止しています！」

　医師：「アドレナリン1アンプル！ 早く持ってきて！」

というシーンを見かけたりします。アドレナリンは交感神経に作用し心臓の拍動を促進する効果があるので、心停止した患者さんに投与されますが、1アンプルにはアドレナリンは1mgしか含まれていないのです。でも、これで十分効果があるのです。

ホルモンにはインスリンをはじめ血糖値に関わるものが多いので、入試でも出題されるのは血糖調節に関するホルモンのほうが圧倒的に多いのですが、今回は体温調節ホルモンについての出題です。

　体温が低下したときの場合の恒常性維持をイラストにまとめました。

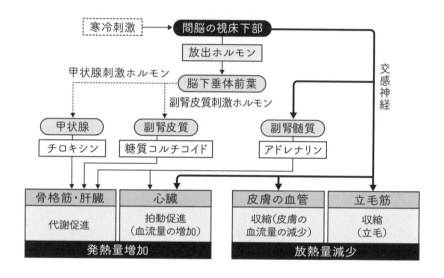

　ここまでに学んだ自律神経とホルモンの知識を利用して問題に取り組みましょう。でも200字というとかなりの記述量ですね……、難しい。ここはとりあえず、与えられた語句を順番に使ってまとめのイラストを見ながら文章を作ってみましょう。

　「寒気にさらされ<u>冷えた血液</u>を<u>間脳</u>の視床下部が感知すると、<u>骨格筋</u>と<u>肝臓</u>で物質の分解が促進されて発熱量を増加させる。これらは<u>チロキシンの増加</u>によってもたらされる。」

　これで78字です。ただし、チロキシンよりもアドレナリンのほうが即効性があるので、これを踏まえて追加で書けそうな文章は以下の通りです。

　●間脳視床下部を介して交感神経がはたらいて、皮膚の血管、立毛筋が収縮し、放熱量を減少させる。

●脳下垂体前葉からのホルモンで甲状腺が刺激されてチロキシンが分泌され、副腎皮質が刺激されて糖質コルチコイドが分泌される。

●副腎髄質からアドレナリンが分泌され、心臓に作用して血流量を増加させ、骨格筋と肝臓にも作用して代謝を促進する。

　これらの文章を詰め込んで、体裁を整えます。

　「寒気にさらされた冷えた血液を間脳の視床下部が感知すると交感神経がはたらき、皮膚の血管、立毛筋が収縮し、放熱量を減少させる。交感神経は副腎髄質にもはたらいてアドレナリンの分泌を促し、心臓の拍動を促進して発熱量を増加する。また、脳下垂体前葉から分泌される甲状腺刺激ホルモンがチロキシンの増加を促し、副腎皮質刺激ホルモンが糖質コルチコイドの増加を促し、骨格筋と肝臓で代謝が促進されて発熱量を増加させる。」

　これで198字になり、解答が完成しました。東大の生物は記述問題が多いのが特徴ですが長くても100字がほとんどです。200字というのはかなりの長さですので、実際の入試ではここで差がついたことと思います。

Ⅳ　腎臓に作用して尿の比重をコントロールしているホルモンに言及しないとダメそうですが、この問題には「脳下垂体後葉」というヒントがあります。脳下垂体後葉からはバソプレシンというホルモンが分泌されます。バソプレシンは腎臓の集合管にはたらいて、水分の再吸収を促進します。バソプレシンを念頭に置いて解答を考えていきましょう。

　（a）によると、脳下垂体後葉は成人の場合と同じ機能をすでに開始している、（b）によると尿崩症<ruby>尿崩症<rt>にょうほうしょう</rt></ruby>では、バソプレシンが分泌されないために、水分が再吸収されにくく低比重の尿が大量に排出される。とヒントがあります。

　ホルモンに関する疾患の原因には、①ホルモンが産出されない、もしくは異常なホルモンしか産出されない。②正常なホルモンはきちんと産出されるが、標的細胞の受容体（レセプターともいい、分泌されたホルモンが作用する器官の表面にあって流れてきたホルモンを受け取る役割をもつ）に異常がある。のどちらかが考えられます。（a）と（b）から新生児は②のパターン、

ただし標的細胞に異常があるのではなく未発達、もしくはホルモンを受容するだけの数が十分にそろっていないことに注意して、50字以内にまとめればOKです。「腎臓の集合管に存在しているバソプレシン受容体の未発達、もしくは数が不足していることが考えられる。」（49字）あたりでいいでしょう。

この問題を通じて生物の面白さを少しでも伝えられたら幸いです。

Column 1　東大の理科入試問題のページ数は？

東大の理科4科目の入試問題のページ数（計算用の白紙を除いたもの）をまとめてみました。

	物理	化学	生物	地学
2021 年	18	14	26	13
2020 年	16	12	23	14
2019 年	14	11	24	12
2018 年	13	9	21	11
2017 年	15	9	22	13
2016 年	11	19	26	12
2015 年	7	15	21	15
2010 年	6	14	19	13
2005 年	7	12	15	11

物理のページ数が最近増えていて、より工夫された複雑な問題が出題されていることが分かりますね。生物もページ数が増えていて地学や化学の約2倍になっています。生物は文章も長いので、読むだけでも大変です。生物で高得点を取るには国語力が必要なのは間違いないようですね。

第3章

生命に
まつわる問題

ヒトに限らず、すべての生物の体はアミノ酸が結合したタンパク質からできています。この章では、まず化学の問題を見てアミノ酸、タンパク質についてしっかり理解してもらいます。それから生物のDNA、RNA、バイオテクノロジーを扱った問題に入ります。理系の大学受験では化学と物理の選択がオーソドックスですが、化学と生物には強いつながりがあることを知ってもらえると幸いです。

第9節

我々の体内で行なわれている生命活動も化学反応であることを気づかせてくれる問題です

● 2013 年化学第 3 問

　有機化学の醍醐味は自然界でどのような反応がおきているのかを原子レベルで解明すること、そして自然界にある役に立つ物質を人工的に合成することです。ここではアドレナリンを題材にした問題を通して、その醍醐味を味わってもらえればと思います。

　アドレナリンは第8節で出てきたホルモンです。筆者は化学が専門なので、生物でホルモンなどの化学物質を目にすると、どんな構造をしているのかまで調べないと落ち着きません。この問題を解くとアドレナリンの構造だけでなくヒト体内での合成経路まで分かってしまうのです。

2013 年化学第 3 問 II より

〔文 2〕高峰譲吉と上中啓三は，血圧を上げるなどの強い生理作用を示すホルモンであるアドレナリンの結晶化に世界で初めて成功し，医薬品として世に出した。アドレナリンは L− チロシンから 4 段階の化学反応（反応 1 ～反応 4）を経て体内で合成され，副腎髄質から分泌される。これらの化学反応はそれぞれ酵素 E1 ～酵素 E4 によって促進され，図 3−5 に示すように，化合物 I，J，K を経てアドレナリンが合成される。なお，化合物 I，J，K のうち少なくとも 1 つは不斉炭素原子を持たない。また，酵素 E2 による反応 2 では，化合物 J に加えて　d　が生成する。

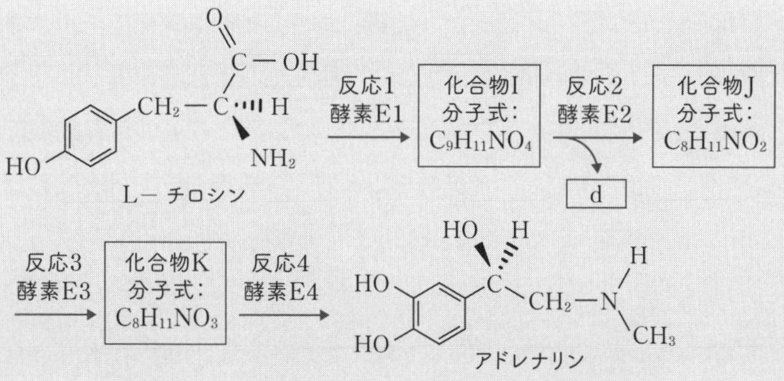

図3－5　生体内におけるアドレナリンの合成経路

〔問〕

サ　酵素 E1 および酵素 E3 の役割は何か。それぞれについて，下記の選択肢（1）～（6）の中から適切なものを選べ。

（1）　第二級アルコールを生成する。

（2）　エーテル結合を生成する。

（3）　カルボキシル基を還元する

（4）　カルボキシル基を酸化する

（5）　ベンゼン環を酸化する

（6）　アミノ酸を酸化する

シ　　d　　にあてはまる化合物名を記せ。

ス　化合物 I, J, K のうち不斉炭素原子を持たないものはどれか。該当する化合物について，記号とともに構造式を記せ。

第8節ではいろいろなホルモンをとり上げましたが、アドレナリンやチロキシン（図）はこのあと示す20種類のアミノ酸のうち、L－チロシンを原料とするアミノ酸誘導ホルモンです。バソプレシンやインスリンはアミノ酸が

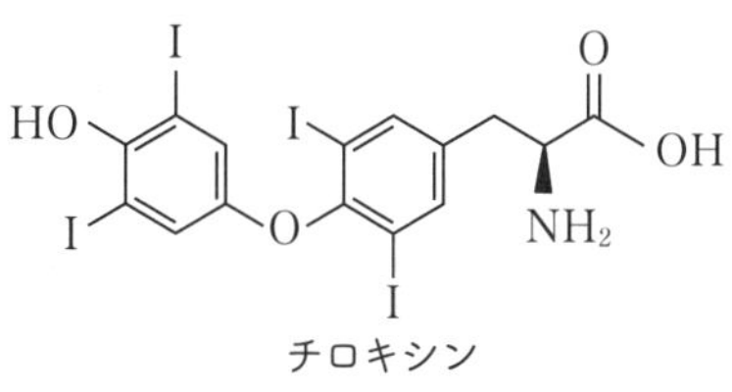

チロキシン

ヒトの体内で
L－チロシン2分子から合成される

複数つながったペプチドホルモン、糖質コルチコイドはステロイドという脂質を原料とするステロイドホルモンです。ホルモンは原料の違いに基づいてこの3種類に大別されます。コレステロールはステロイドのうち最も有名なものですが、コレステロールと糖質コルチコイドの構造式を見比べると、糖質コルチコイドがステロイドを原料としていることが一目瞭然ですね。

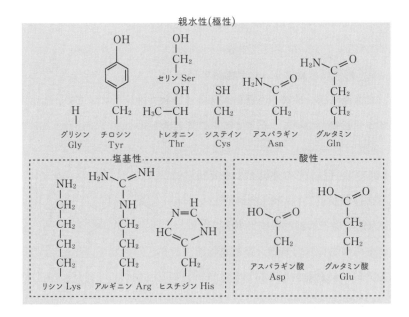

コレステロール　　　　　　　　糖質コルチコイド（コルチゾール）

　ではバソプレシンやインスリンなどのペプチドホルモンとはどんなものでしょうか。肉や魚に含まれる栄養素として出てくるタンパク質とは、実は次の20種類のアミノ酸が多数結合したものなのです。

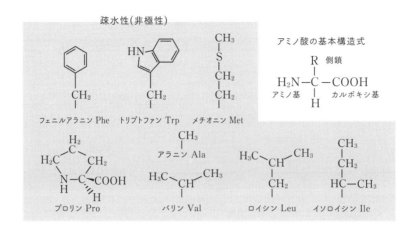

アミノ酸同士の結合にはペプチド結合という名前がついています。

ペプチド結合は1つのアミノ酸の −COOH と別のアミノ酸の −NH₂ が脱水縮合（水分子が取れて新たに結合ができる反応）して生じた結合で、ペプチド結合をもつ物質をペプチドといいます。2分子のアミノ酸の縮合でできたペプチドをジペプチド、3分子のアミノ酸ではトリペプチド、多数のアミノ酸が縮合重合してできたペプチドをポリペプチドといい、特に生命現象に密接な結びつきをもっているポリペプチドをタンパク質とよんでいるのです。ペプチドホルモンとは、多数のアミノ酸がペプチド結合してホルモンとしてはたらくものを指すのです。

ちなみにペプチドはH₂N− を左側に書き（一番左のアミノ酸をN末端のアミノ酸といいます）、−COOHを右側に書く（一番右のアミノ酸をC末端のアミノ酸といいます）決まりがあります。例えばグリシンとアラニンのジペ

プチドでは次の図のように二通りの可能性があります。アミノ酸はさきほど
の表のようにアルファベット3文字で略号表記するのが一般的です。

```
      H  O        CH₃                    CH₃O        H
      |  ‖         |                      |  ‖        |
H₂N－C－C－N－C－COOH          H₂N－C－C－N－C－COOH
      |     |  |                          |     |  |
      H     H  H                          H     H  H

      Gly-Ala                                Ala-Gly
```

　グリシンとアラニンとリシンのトリペプチドでは$3 \times 2 \times 1 = 6$通りがあり
ます。バソプレシンは9個のアミノ酸からなるペプチドホルモンですが、並
び方はN末端からCys－ Tyr － Phe － Gln － Asn － Cys － Pro － Arg
－ Gly とつながっていて、インスリンはなんと51個ものアミノ酸が決まっ
た配列でつながっているペプチドホルモンなのです。

　さて、20種類のアミノ酸の中でグリシンだけは基本構造式のC原子にH原
子が2つ結合していますが、それ以外のアミノ酸は基本構造式のC原子に4
種類の異なる官能基がついています。このような炭素原子を不斉炭素といい、
不斉炭素をもつ化合物は鏡像異性体をもちます。

　図はチロシンの鏡像異性体ですが、点線の結合は紙面の奥に、太い三角形
の結合は紙面の手前に出ていることを表しています。この2つのチロシンと
問題のL－チロシンを見比
べてください。図の2つの
チロシンのうち、どちらが
L－チロシンでしょうか？

　正解は左側です。右側は
D－チロシンといいますが、
パッと見てL体とD体を見分けるのは難しいですね。でも生物はきちんと両
者を区別していて、生物を構成するアミノ酸は原則的にすべてL体です。そ

の証拠に、アミノ酸のL－グルタミン酸のNa塩であるL－グルタミン酸ナトリウムは人間がうま味を感じるので、化学調味料として広く使われていますが、D－グルタミン酸ナトリウムは、口に入れてもうま味を感じないどころか苦味を感じるのです。

　では問題を解いていきましょう。L－チロシンの分子式は$C_9H_{11}NO_3$なので、反応1〜4で出入りしている原子を書き込み、L－チロシンとアドレナリンの構造を比較して、変化している場所を問題の図にW〜Zで区別した●印をつけ加えたのが次の図です。

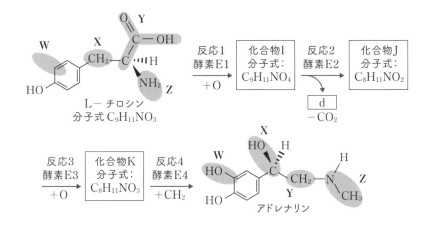

　この図を見ると、〔問〕**シ**の解答は二酸化炭素であることが分かりますね。反応2ではYの部分のカルボキシル基から二酸化炭素が抜け、反応4ではZのアミノ基の－Hが－CH_3に変化しています。WとXではどちらも－Hが－OHに変化していますので、その順番が問題になります。ここで問題文を見ると、「化合物I、J、Kのうち少なくとも1つは不斉炭素原子を持たない」と書いてあります。仮に反応1でXの部分が反応したとすると、XのC原子はアドレナリンができるまでずっと不斉炭素原子になってしまうので、題意を満たさなくなってしまいます。よって反応1はWの部分が反応しています。

　以上を踏まえて〔問〕**サ**を考えると、酵素E1はベンゼン環に－OHを導入

する反応なので（5）、酵素E3は−CH₂−にO原子を挿入して第二級アルコールにする反応なので（1）となります。問題にはなっていませんが、E2はカルボキシル基から二酸化炭素を取り除いて還元する反応なので（3）、E4はアミノ基がメチル化されていますので該当するとしたら（6）ですが、メチル化のことは酸化とは言いませんので該当なしといったところでしょうか。実はE1〜E4の酵素にはきちんと名前がついていて、化合物I〜Kにも名前がついています。次の図にまとめましたので見てください。

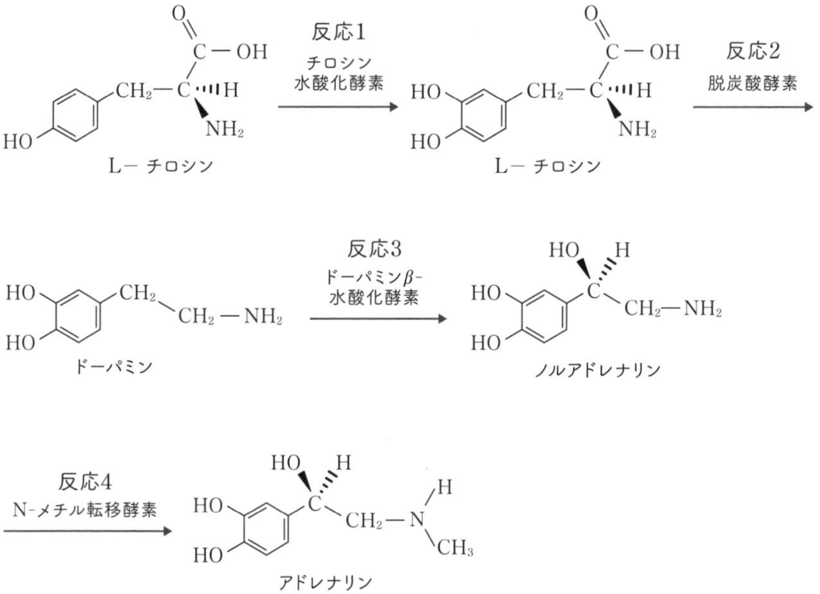

反応1
チロシン水酸化酵素

L−チロシン

反応2
脱炭酸酵素

L−チロシン

ドーパミン

反応3
ドーパミンβ−水酸化酵素

ノルアドレナリン

反応4
N−メチル転移酵素

アドレナリン

　L−ドーパやドーパミンは重要な神経伝達物質でパーキンソン病の治療に用いられます。ノルアドレナリンはアドレナリンよりもややマイナーなホルモンですが、医療の現場では例えばアナフィラキシーショックではアドレナリン、敗血症性ショックではノルアドレナリンなどと厳密に使い分けがされています。生体内での反応は合成の過程でできる中間物質も無駄なく利用されているのが特徴です。酵素E4はN−メチル転移酵素といいますが、ここで"転移"という名称を使用しているのは、別の分子（アミノ酸のメチオニン

からできていて、メチオニンの先端 $-S-CH_3$ のメチル基が転移に利用されます）からメチル基を転移させてノルアドレナリンのアミノ基をメチル化します。

　では薬剤として使われているアドレナリンは工場でどのようにして合成されているのでしょうか。紹介します。

　生体内と全く違いますね。実は生体内で行なわれているどの反応もフラスコの中で行なおうとすると高温が必要だったり、1段階の反応では不可能で何段階も反応させる必要があったりと難しいので、工業的にはL－チロシンからではなくカテコールからスタートします。しかしこの方法ではどの反応も100％で進むわけではありませんし、反応4でできたアドレナリンはL体とD体の混合物になってしまうので、これを分離するプロセスが必要になります。生体内ではどの反応もほぼ100％で進み、しかも一方の鏡像異性体しかできないわけですから、生体内の反応システムは本当にすごいですね。

DNAの複製メカニズムの本質を理解しているかを問いたいというこだわりを感じます

● 2004年生物第3問

　　今回から3回かけて生物学の本丸と言えるDNA、RNAなどの遺伝子に関する問題を攻略していきます。東大では特にこの分野に関する出題頻度が高く、大問3問すべてが遺伝子に関する出題だったこともありました（さすがにその時は偏った出題だと予備校から評価を受けていましたが…）。

　高校の生物の教科書ではDNAの構造→DNAの複製の仕組み→遺伝情報の発現（DNAからRNAを介してタンパク質までの流れ）→遺伝子の発現調節→バイオテクノロジーという順番で並んでいますので、この本でも教科書の順番通りに入試問題をとり上げて紹介していきたいと思います。

2004年生物第3問Ⅰより

［文1］

　ワトソンとクリックによりDNAの二重らせんモデルが提唱され，すでに50年が経過した。20世紀の中頃から21世紀初頭にかけてのこの50年間において，人類は生命現象に伴うさまざまな神秘を分子レベルで解き明かし，3×10^9対の塩基からなるヒトの巨大なゲノムDNAの化学構造すら明らかにした。DNAに書き込まれた遺伝情報（遺伝子の塩基配列）は，RNAの塩基配列に変換され，さらにタンパク質（アミノ酸配列）に変えられ，生じたタンパク質によりさまざまな生体反応が実行・制御

される。このような遺伝情報の流れをセントラルドグマという。したがっ
て，生命現象の最も基本的な仕組みは，設計図としてのDNA情報とそ
れを具現化するためのセントラルドグマであり，生命体は非常に複雑な
化学反応の"るつぼ"といえよう。

　細胞中では，通常，DNAは2本の分子がよりあわさり，二重らせん
構造を形成している。DNA分子の基本単位はヌクレオチドで，各ヌク
レオチドは　1　（Dと略す），リン酸（Pと略す），塩基という3つの
成分から成り立っている。　1　は図8のように2ヶ所でリン酸と結合
し，P−D−P−D−P−D−P−D−PというようなDNAのバックボー
ン構造を作っている。DNAのバックボーンには方向性があり，その一
端を5′末端，他端を3′末端という。二重らせん構造を形成する2本の
DNA分子は，5′末端，3′末端に関して逆向きである。二重らせんの内
側には塩基が位置している。塩基には，アデニン，グアニン，　2　，
　3　という4種類があり，それぞれA，G，C，Tという1文字で表
記する。　4　とT，　5　と　6　は水素結合を介して対合してお
り，この対合（塩基対）が遺伝の最も基本的な仕組みである。

　なお，水素結合は熱に弱いので，二本鎖DNAの水溶液を高温にすると，
2本の分子は解離する。逆に，解離したDNA分子の水溶液をゆっくり
と冷やすと，再び塩基対が形成されて二本鎖DNAが再生される。

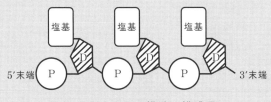

図8　DNA分子の構造の模式図

［問］

A　空欄1〜7に最も適当な語句を入れよ。解答は，1. タンパク質，2.
アミノ酸のように記せ。（※空欄7を含む文2は省略）

まずはこの分野に関わる重要なキーワードとして〔**文1**〕に出てくる「セントラルドグマ」を押さえましょう。われわれ生物の体はタンパク質でできています。タンパク質は20種類のアミノ酸がつながってできていますので、DNAの遺伝情報を何らかの方法でアミノ酸に変える必要があります。現在の生物はDNAをアミノ酸に変えるのにRNAという物質を介しています。このDNA→RNA→タンパク質という流れを「セントラルドグマ」（日本語で言うと中心教義、中心命題といったところでしょうか）といいます。今後もこのキーワードはよく出てきますのでしっかり頭の中に入れておいてください。

　まずDNAとはどんな物質でしょうか。〔**文1**〕の空欄を埋めながら考えていきましょう。DNAはヌクレオチドという基本単位がつながってできた高分子です。ヌクレオチドは図の構造をもっています。

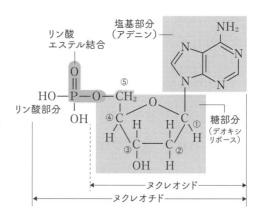

　DNAはDeoxyribonucleic acidの略称です。Dと略されている ｜ 1 ｜ は糖の部分なのでデオキシリボースです。DNAを構成しているヌクレオチドのつながり方は、デオキシリボースの −OH とリン酸部分の −OH が脱水縮合することでつながっています。DNAには問題の図8にあるように方向性があって、デオキシリボースの炭素にふられている5個の番号をもとにして、⑤の炭素に結合しているリン酸の部分を5′末端（ゴダッシュマッタン）、③の炭素に結合している −OH の部分を3′末端（サンダッシュマッタン）といいます。

　デオキシリボースの①の炭素には塩基というN原子を含む環状構造をもつ物質が結合しています。上の図にはたまたまアデニンが描いてありますが、

次の図のようにアデニン（略称A）、グアニン（略称G）、シトシン（略称C）、
チミン（略称T）の4種類があります。塩基はCにはG、AにはTが水素結
合でペアになる性質があり、この水素結合によりDNAは二重らせん構造を
とるのです。

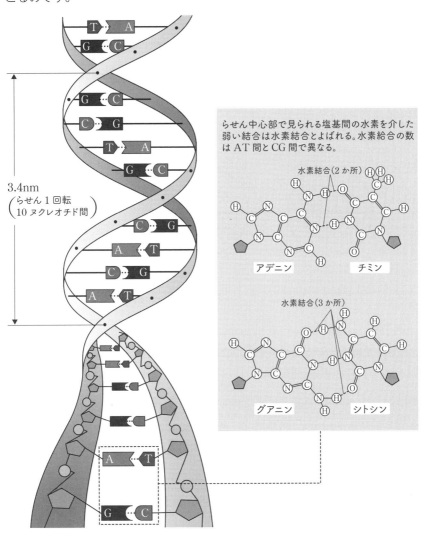

らせん中心部で見られる塩基間の水素を介した
弱い結合は水素結合とよばれる。水素給合の数
は AT 間と CG 間で異なる。

3.4nm
(らせん1回転
10 ヌクレオチド間)

水素結合(2か所)

アデニン　　　　チミン

水素結合(3か所)

グアニン　　　　シトシン

以上から ２ はシトシン、 ３ はチミン、 ４ はA、 ５ は
G、 ６ はCになります（ ５ 、 ６ は順不同）。

DNAが2本鎖をもつのにはメリットがあります。DNAは紫外線や化学物質などによって日々ダメージを受けています。AにはT、CにはGとペアを決めておくと、仮にダメージを受けて片方の塩基が壊れてしまっても、ペアの相手が無事ならば元通りに修復することが可能です。これが一つ目のメリットです。もう一つのメリットはDNAが複製されるときのことを考えると分かります。細胞分裂のときにはDNAも複製されますが、元の2本鎖のDNAが1本ずつ、新しく合成されたDNAが1本ずつ分裂後の細胞に入ります。これを半保存的複製といいます。

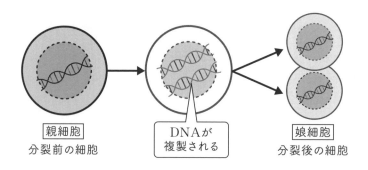

親細胞
分裂前の細胞

DNAが
複製される

娘細胞
分裂後の細胞

　DNAが2本鎖だと複製されるときに無駄がないのです。もしDNAが1本鎖なら、もとのDNA鎖からCはG、AはTという決まりに仕上がって写し取ったコピー用DNA鎖ができ、このコピー用DNA鎖からもとのDNAと同じ塩基配列をもつ新しいDNA鎖を合成することになります。しかしこの時作ったコピー用DNA鎖は無駄になってしまうので、これを分解するという余分なプロセスが必要になります。2本鎖であれば無駄なく複製できるのです。この二つのメリットがあるので、DNAは2本鎖になっているのです。
　次の問題ではこの複製のプロセスが問題になっています。

B 「DNAは複製され，遺伝情報は親細胞から娘細胞へ正しく伝えられる。」という文章について。DNAの複製に際し，新しいヌクレオチドは，常に合成されているDNA鎖の3′末端にしか付加されないことが知られている（図10参照）。図10（b）は図10（a）よりも複製が少し進んだときの未完成の模式図である。

(a) 6行程度のスペースを使って図10（b）を写し取り，図中の新生W鎖と新生C鎖の合成がどのように進行するかを示せ。新しく合成された部分を点線で表し，合成の方向がわかるように矢頭をつけること。

(b) 得られた図を参考にして，W鎖とC鎖のそれぞれに相補的な鎖（DNA分子）の合成における相違点を3行程度で述べよ。

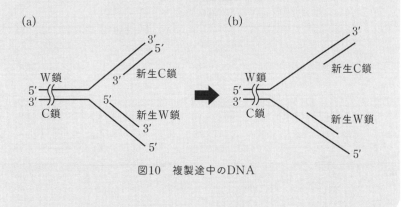

図10　複製途中のDNA

　この問題ではDNA複製のプロセスが設問になっています。図10には複製途中のDNAが模式図で示され、問題文にはDNAを複製する際には「常に合成されているDNAの3′末端にしか付加されないことが知られている。」というヒントがあります。このヒントによると、図10の（b）では新生C鎖のほうは鋳型のW鎖の5′の方向へヌクレオチドが付加されていけばいいのですが、問題は新生W鎖のほうです。新生W鎖は鋳型のC鎖の5′方向へ付加されていっても鋳型が開いていくのと逆方向なので、すぐに終点になってしま

います。これをどう生物は克服しているのかは大きな謎でした。この謎を解いたのが岡崎令治（1930〜1975）で1966年のことでした。岡崎氏は、「新生W鎖では開いた根元から合成が始まり短い新生W鎖ができ、しばらく合成が進むと新たに開いたDNA鎖のところからまた短い新生W鎖の合成が始まり、あとで短い新生W鎖同士をDNAリガーゼという酵素でつないでいる。（次の図）」というメカニズムを発見したのです。この功績から短い新生W鎖のことは岡崎フラグメントと世界でよばれています。

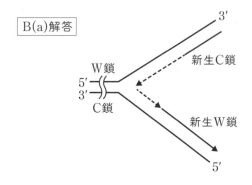

以上からB（b）の解答は「新生C鎖では、DNAが開く根元の方向にそのまま伸長されていく。これに対して新生W鎖では、部分的に短いDNA断片である岡崎フラグメントがC鎖の5′末端方向に合成され、あとからDNAリガーゼで連結される。（100字）」となります。

ところでこの問題に出てくるC鎖、W鎖の名称のCやWはDNAの二重らせんモデルを提唱したCrick氏とWatson氏からとっているわけですが、新生C鎖をリーディング（先行する）鎖、新生W鎖をラギング（遅れる）鎖とよぶほうが一般的なのでこの名称も覚えておいてください。

岡崎フラグメントやリーディング鎖などの名称をただ尋ねるのではなく、複製のメカニズムを問うところが東大らしいですね。DNA複製メカニズムの本質を理解しているかを問いたいというこだわりを感じます。

基本をベースにして
最先端の研究成果まで
学べる問題です

● 2018年生物第1問

　　東大の理科の入試問題は最新の研究成果を惜しげもなく投入してくるので、読むだけでとても勉強になります。2018年には、脊髄性筋萎縮症という難病の治療薬としてその前年に承認が出たばかりのヌシネルセン（問題文中では核酸分子Xとされています）という医薬品の作用メカニズムに関する出題がありました。

2018年生物第1問より

Ⅰ　次の文章を読み，問A〜Dに答えよ。

　真核細胞において，核内でDNAから (ア) 転写されたmRNA前駆体の多くはスプライシングを受ける。(イ) スプライシングが起きる位置や組み合わせは一意に決まっているわけではなく，細胞の種類や状態などによって変化する場合がある。これを選択的スプライシングと呼ぶ。選択的スプライシングは，mRNA前駆体に存在する様々な塩基配列に，近傍のスプライシングを促進したり阻害したりする作用を持つタンパク質が結合することによって，複雑かつ緻密に制御されている。例えば，(ウ) 哺乳類の α ートロポミオシン遺伝子は，1aから9dまで多くのエキソンを持つが，発現する部位によって様々なパターンの選択的スプライシングを受け（図1−1），これによって作られるタンパク質のポリペプ

チド鎖の長さやアミノ酸配列も変化する（表1−1）。

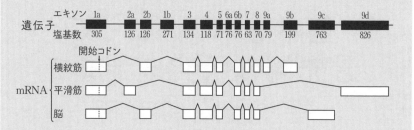

図1−1　α−トロポミオシン遺伝子の選択的スプライシングの例
白い四角部分はエキソンをあらわし，山形の実線はスプライシングにより除去される領域をあらわす。

表1−1　各発現部位における
α−トロポミオシンタンパク質のポリペプチド鎖の長さ

横紋筋	平滑筋	脳
284アミノ酸	284アミノ酸	281アミノ酸

〔問〕

A 下線部（ア）について。真核生物における転写の基本的なメカニズムについて，以下の語句をすべて用いて3行程度で説明せよ。同じ語句を繰り返し使用してもよい。

基本転写因子　　　プロモーター　　　RNA ポリメラーゼ
片方の DNA 鎖　　　5′→3′

B 下線部（イ）について。異なる塩基配列の6つのエキソン（エキソン1〜6と呼ぶ）を持つ遺伝子があるとする。スプライシングの際，エキソン1とエキソン6は必ず使用されるが，エキソン2〜5がそれぞれ使用されるかスキップされるかはランダムに決まるとすると，理論上，合計で何種類の mRNA が作られるか答えよ。ただし，スプラ

イシングの際にエキソンの順番は入れ替わらず，エキソンとイントロンの境目の位置は変わらないものとする。

C 下線部（ウ）について。α－トロポミオシン mRNA の開始コドンは，図1−1に点線で示すとおり，エキソン 1a の 192 〜 194 塩基目に存在する。図1−1および表1−1の情報から，平滑筋で発現している α－トロポミオシン mRNA 上の終止コドンは，どのエキソンの何塩基目から何塩基目に存在すると考えられるか答えよ。

解答例：エキソン 1b の 51 〜 53 塩基目

　問題はこれで半分ですが、キリがいいのでいったんここで切りましょう。1行目から難しい語句が満載ですので、順番に解説していきます。まず真核細胞とは核膜で囲まれた核をもつ細胞のことです。DNAはこの核の中に収容されています。真核細胞に対して原核細胞という細胞もありますが、こちらは核というものがなくてDNAは細胞質基質中に存在する簡単な構造です。原核細胞の生物は細菌類のみです。

　セントラルドグマは原核細胞でも同じように成立しますが、原核細胞ではこの問題のメインテーマであるスプライシングが基本的におこらないので「真核細胞において」と限定をかけています。スプライシングについて後ほど詳しく説明します。

　さて、DNAは前節で詳しく解説しましたが、RNAについては名前を紹介しただけでしたのでここで詳しく解説します。RNAはDNAによく似ています。違いは、次に示す3つです。

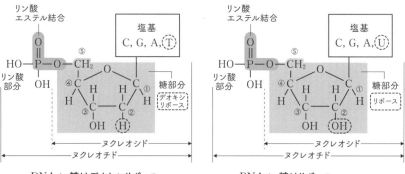

DNA: 糖はデオキシリボース、
塩基はチミン、2本鎖

RNA: 糖はリボース、
塩基はウラシル、1本鎖

　これら3つの違いは、DNA：遺伝情報を長期間保存する、RNA：遺伝情報を発現するために一時的に使われる、という役割の違いによるものだと考えられています。もう少し詳しく見ていきましょう。

違い1：糖がDNAではデオキシリボースなのに、RNAではリボースになっている。

　DNAを構成するヌクレオチドの糖はデオキシリボースですので、図の②の炭素原子に結合しているのは −Hですが、RNAではリボースなので −OHになっています。DNA（Deoxyribonucleic acid）とRNA（Ribonucleic acid）の名前の違いはここから来ているのです。リボースはデオキシリボースよりも −OHが1つ多いので、親水性が高く分解されやすいという特徴があります。DNAは遺伝情報を保存するために分解されにくいデオキシリボースを、RNAは遺伝情報を発現したあとは不要なので速やかに分解されやすいようにリボースを使用していると考えられています。

違い2：DNAのアデニン、チミン、グアニン、シトシンの4種類の塩基は、RNAではチミンがウラシルになる。

これはなぜでしょうか？ 主に二つの理由が考えられています。

①ウラシルはチミンに比べて −CH₃ がない分だけ少ないエネルギーで合成できる。RNAはすぐに分解され再生産されるので、なるべく少ないエネルギーで作り上げられるように簡単な構造のウラシルを使っている。

②CとUは構造がよく似ていて、DNAでは、CがUに変化する反応は高頻度におきている。DNAはUを構成塩基として使用していないために、この変化を随時認識してCに修復することができる。

違い3：DNAは2本鎖だが、RNAは1本鎖。

DNAは前節で説明した理由で2本鎖になっていますが、RNAは素早く合成、素早く分解されるために1本鎖です。

RNAとDNAの違いについてざっとつかめたでしょうか。忘れたらいつでも戻ってきてください。RNAのことを書いていると、大学時代に研究室でRNAの研究をしていた先輩から「いまRNAの実験しているからこっちに近づかないで、つばが飛ぶとその酵素でRNAが分解されちゃうからここでしゃべらないで」と言われたことを思い出します。そのときは、「なんてRNAはナイーブな奴なんだろう！」とRNAをよく知らなかった筆者は思ったわけですが、これもRNAがリボースを使っているから分解されやすいのが理由なんですね。

ここで一度問題に戻りましょう。問題文の1行目には「核内でDNAから(ア)転写されたmRNA前駆体の多くはスプライシングを受ける。」とあります。RNAの前に小文字の"m"がついていますね。実はRNAにはメッセンジャー messengerRNA（頭文字mをRNAの前につけてmRNAとしています）、transferRNA（tRNA）、ribosomalRNA（rRNA）の主に3種類があるのです。もちろんそれぞれ役割が違います。3種類のRNAの役割を1枚のイラストにまとめたものが次の図です。

図を見ながら読んでいってください。まずDNAの情報を写し取るの

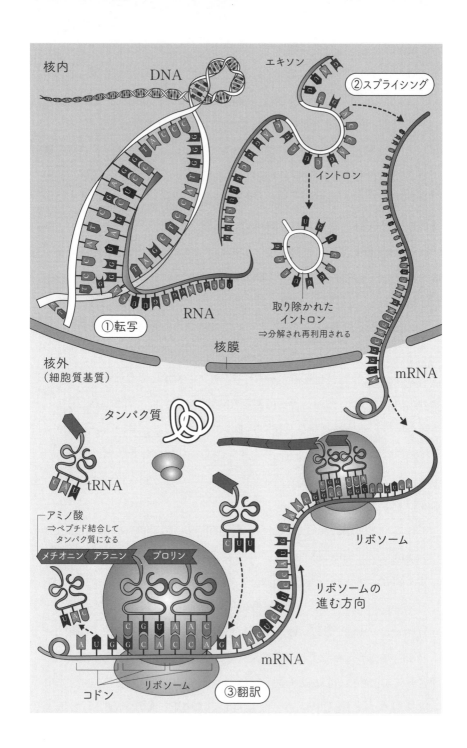

核内

DNA

エキソン

②スプライシング

イントロン

①転写

RNA

取り除かれた
イントロン
⇒分解され再利用される

核膜

核外
（細胞質基質）

タンパク質

mRNA

tRNA

アミノ酸
⇒ペプチド結合して
タンパク質になる

メチオニン　アラニン　プロリン

リボソーム

リボソームの
進む方向

mRNA

コドン　　リボソーム　③翻訳

がmRNAです。DNAの塩基の対応（CにはG、AにはT）と同じように mRNAはCにはG、AにはUという対応でDNAの遺伝子に当たる部分の塩 基配列をmRNAに写し取ります。このプロセスを「転写」といいます。転 写されるmRNAには遺伝子の情報がのっているエキソンという部分と、のっ ていないイントロンという部分があり、イントロンはスプライシングによっ て取り除かれます。ここまでが核の中で行なわれます。問題文の冒頭で「真 核細胞において」と断っているのは、原核細胞のDNAにはイントロンがない ため、スプライシングという加工を必要としないからなのです。スプライシン グはこの問題のメイントピックなので、〔問〕**B**でさらに詳しく見ていきます。

　さて、スプライシングを受けて核外に出てきたエキソンのみのmRNAは、 タンパク質とrRNAの複合体であるリボソームにとり込まれます。そしてリ ボソームにアミノ酸を背負っているtRNAが近づいてきて結合し、アミノ酸 がつながってタンパク質になるのです。

　では4種類の塩基で20種類のアミノ酸を指定するにはどうすればいいので しょうか？ 塩基1つではアミノ酸4種類しか指定できません。塩基2つでは 4×4で16種類しか指定できません。塩基が3つあると4×4×4で64種類指 定できるので、20種類をカバーできるのです。え？余った44種類はどうな るんですって？ いい質問ですね。この質問の答えは次の節で出てきますので 期待してください。とりあえずここでは、アミノ酸を指定するのにmRNA の塩基3つの配列（これをコドンといいます）が必要だとだけ覚えておいて ください。以上のmRNAのエキソン部分の塩基配列を読み取ってタンパク 質にするプロセスを「翻訳」といいます。

　RNAと翻訳のプロセスについてざっと見てきました。ここから問題に取 り組んでいきましょう。まず〔問〕**A**では転写の基本的メカニズムが聞かれ ていますので、転写についてもう少し詳しく見ていきましょう。次の図を見 ながら読んでいってください。

　DNAを鋳型としてmRNAを合成する酵素は**RNAポリメラーゼ**です。

RNAポリメラーゼはDNAポリメラーゼと同じように**5′→3′**の方向にのみヌクレオチドをつないでいきます。RNAポリメラーゼのすごいところは30億塩基対あるDNAのうち、生体内では遺伝子の場所だけを正確に認識し、さらに2本鎖DNAのうち遺伝子の乗っているほうの鎖（**片方のDNA鎖**）だけを読み取っていくところです。試験管内で鋳型DNAとRNAポリメラーゼを入れればRNA合成は始まりますが正確な位置からRNA合成を開始することはできません。いいかげんな位置からRNA合成を始めてしまいます。正確な位置からRNA合成を開始するには**基本転写因子**というタンパク質と

RNAポリメラーゼが複合体を形成する必要があるのです。この複合体が**プロモーター**という遺伝子の領域の少し前の部分に結合します。プロモーターといっても特殊なものではありません。ほとんどの生物は遺伝子の乗ったDNA配列の3′側の方向（この方向を川の流れに例えて上流側といいます）へ30塩基程度いったところにTATAAという配列があります。これをTATAボックスといいます。RNAポリメ

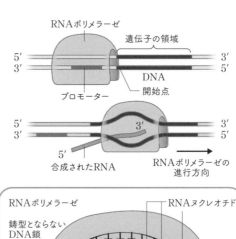

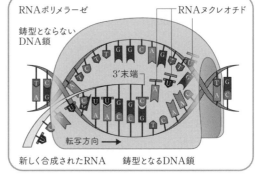

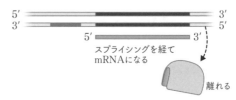

ラーゼはこのプロモーターをきちんと認識して結合します。DNAを複製するときにははじからはじまで複製するので単純ですが、RNAを転写するときにはDNAの遺伝子の場所を正確に認識しないといけないのでプロモーターが必要になるのです。転写の始まる塩基配列がTATAボックスなら、転写が終了する塩基配列も存在するはずで、いくつか見つかってはいるようですが生物の種間での統一性はあまりないようで、これからの研究の進展が期待されています。

　さて、DNAは2本鎖ですが、遺伝子は片方にしか載っていません。RNAポリメラーゼも片方のDNA鎖しか写し取りません。写し取られないほうのDNA鎖は塩基配列のTをUに変えればmRNAと全く同じ塩基配列になるのでセンス鎖といいます。sense（センス）とは意味のあるという意味ですが、あくまでmRNAと配列が同じであるだけで遺伝子として写し取られるわけではないので注意してください。逆に転写に使われるDNA鎖はセンス鎖の反対というという意味でアンチセンス鎖（＝鋳型鎖）とよばれています。

　以上の転写のメカニズムをまとめると〔問〕**A**の答えになりますので、「**基本転写因子**と複合体を形成した**RNAポリメラーゼ**が遺伝子の塩基配列を含む鋳型となる**片方のDNA鎖のプロモーター部分**に結合し、転写を開始する。合成されたmRNA前駆体は5′→3′の方向に伸長される。」という解答になります。

　つぎの〔問〕**B**はこの問題のメイントピックであるスプライシングに関するものです。転写で生じたmRNAは完成品ではなくあくまでmRNAの前駆体なので、遺伝情報が乗っていないイントロンを取り除く「スプライシング」という加工がおこなわれて完成したmRNAとなります。

　2003年に約60億あるヒトのDNAの全塩基配列を解析するヒトゲノムプロジェクトが終了し、ヒトの遺伝子の数は22000個であることが分かりましたが、これは予想よりもかなり少ない数でした。なぜならヒトのタンパク質を一つ一つ数えていくと22000種類をはるかに超えてしまうからです。これは

一つの遺伝子から複数のタンパク質が作られていることを意味します。その秘密が選択的スプライシングです。〔問〕**B**では6つのエキソンをもつ架空の遺伝子をもとに、できるmRNAの数を推定するという問題です。エキソン1と6は必ず使用されるということなので、残りのエキソン2〜5の組み合わせを求めればいいことになります。エキソ

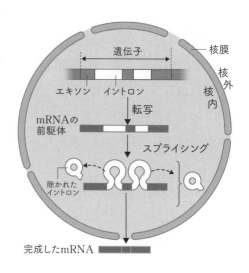

ン1とエキソン6のみのmRNAが1種類、エキソン2〜5のうち1つ選ばれるのが4種類、2つ選ばれるのが6種類、3つ選ばれるのが4種類、4つすべて選ばれるのが1種類なので、合計で16種類になります。

〔問〕**C**に行きましょう。コドンというのはアミノ酸に翻訳されるmRNAの3塩基の単位でしたね。問題の表1−1を見ると、平滑筋を構成するアミノ酸は284個であるとありますので、284×3＝852塩基読み取られて、その次の853〜855塩基が終止コドン（転写するのはこの手前までというコドン）になります。平滑筋のmRNAの使用するエキソン1aから塩基を数えていくと、エキソン8までで(305−191)＋126＋134＋118＋71＋76＋63＋70＝772塩基となります。この772という数字を853と855から引いた81塩基から83塩基目が終止コドンの存在する場所になります。

続いて、問題の後半を見ていきましょう。

　近年，スプライシングを補正してヒトの遺伝病の治療につなげようとする研究が精力的に行われている。ヒトの5番染色体に存在する*SMN1*（survival motor neuron 1）遺伝子とそのすぐ隣にある*SMN2*遺伝

子は，塩基配列がほとんど同じであるが，図1−2に示す通り，(ｴ)<u>エキソン7内部のある1つの塩基が，*SMN1*遺伝子ではCであるのに対し，*SMN2*遺伝子ではTになっているという違いがある。これにより，*SMN2*遺伝子から作られるmRNAの約9割では，スプライシングの際にエキソン7が使用されず，スキップされた状態となっている。</u>このようにエキソン7がスキップされたmRNAから作られるタンパク質（Δ7型SMNタンパク質と呼ぶ）は安定性が低く，すぐに分解されてしまう。一方，*SMN2*遺伝子から作られるmRNAの残りの約1割では，スプライシングの際にエキソン7が使用され，*SMN1*遺伝子由来のタンパク質と同じアミノ酸配列を持つタンパク質（全長型SMNタンパク質と呼ぶ）が作られる（図1−2）。ヒトにおいて，*SMN1*遺伝子の欠損を原因とする脊髄性筋萎縮症と呼ばれる遺伝病が知られている。最近，(ｵ)<u>脊髄性筋萎縮症の治療に，スプライシングを補正する作用を持つ人工的な核酸分子Xが有効である</u>ことが示され，注目を集めている。

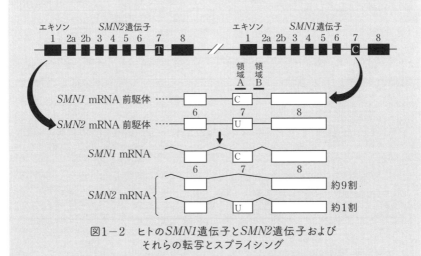

図1−2　ヒトの*SMN1*遺伝子と*SMN2*遺伝子および
それらの転写とスプライシング

白い四角部分はエキソンをあらわし，
山形の実線はスプライシングにより除去される領域をあらわす。

D 下線部（エ）および（オ）について。以下の文中の空欄a～eに当てはまるもっとも適切な語句を，以下の選択肢①～⑩から選べ。同じ選択肢を繰り返し使用してもよい。解答例：a－①，b－②

　SMN1 mRNA前駆体の領域A（図1－2）の塩基配列はCAGACAAであり，スプライシングの制御に関わるタンパク質Yは，この塩基配列を認識して結合する。しかし，*SMN2* mRNA前駆体の領域Aの塩基配列は　a　となっており，ここにはタンパク質Yは結合できない。これらのことから，タンパク質Yには，スプライシングの際にエキソン7が　b　されることを促進するはたらきがあると考えられる。

　一方，*SMN1* mRNA前駆体と*SMN2* mRNA前駆体で共通の領域B（図1－2）には，スプライシングの制御に関わるタンパク質Zが認識して結合する塩基配列が存在する。脊髄性筋萎縮症の治療に有効な人工核酸分子Xは，領域Bの塩基配列と相補的に結合し，タンパク質Zの領域Bへの結合を阻害すると考えられている。これらのことから，タンパク質Zには，スプライシングの際にエキソン7が　c　されることを促進するはたらきがあり，人工核酸分子Xは，　d　遺伝子のスプライシングを補正することによって，　e　型SMNタンパク質を増加させる作用を持つと考えられる。

① TAGACAA　　② CATACAA　　③ UAGACAA

④ CAUACAA　　⑤ 使　用　　　⑥ スキップ

⑦ *SMN1*　　　⑧ *SMN2*　　　⑨ *Δ7*

⑩ 全　長

　後半の問題は脊髄性筋萎縮症という難病の治療を、スプライシングを制御することで行なうというテーマです。脊髄性筋萎縮症は進行性の筋委縮、筋力低下を特徴とする死に至ることの多い難病です。この病気の患者の約95%

以上で*SMN1*遺伝子（全長型SMNタンパク質という正常なタンパク質をつくる）の機能が喪失してしまい、代わりに*SMN2*遺伝子（Δ7SMNタンパク質というすぐに分解されてしまう異常なタンパク質をつくる）が発現しています。全長型SMNタンパク質は筋肉を動かす神経細胞を維持するのに必要なので、このタンパク質が十分ないと神経細胞が死んでしまい筋肉が脳からの信号を受信できなくなってしまうのです。*SMN1*遺伝子と*SMN2*遺伝子は問題文にある通り1つの塩基が違うだけですが、それにより異常な*SMN2*遺伝子では、エキソン7がスキップされてしまうスプライシングが行なわれてしまうため全体の9割が異常なタンパク質になってしまうのです。ということは、エキソン7がスキップされてしまうのを防ぎ、正常なタンパク質の割合を1割から増やせれば病気の進行を少しでも遅らせることができるのではないかという考えで出てきたのが核酸分子Xです（核酸とはDNAとRNAの総称です）。実はこの核酸分子は実際に販売されています。ヌシネルセンナトリウムという薬ですが、スピンラザという商品名でバイオジェン社からこの病気の初めての承認薬として発売されました。ヌシネルセンナトリウムの構造は図の通りとても複雑です。

$$R = \text{\Large$\xi$}-O\diagup\diagdown O\diagup$$

よく見るとRNAの構造に似ていますが、リン酸のOのうちの一つをSに、リボースの−OHをRに変えることで体内にある核酸分解酵素に分解されにくくしています。このヌシネルセンがエキソン7をスキップしてしまうタンパク質よりも先にmRNAにくっついて、エキソン7をスキップしないようにするのがポイントです。これを頭に入れて〔問〕**D**を解いていけば難しくありません。

　SMN2 mRNA前駆体の領域Aの塩基配列はCAGACAAのうち一つのCがUに変わっている配列を探せばよいのでa−③（UAGACAA）ですね。この異常なmRNAの配列にはタンパク質Yは結合できないので、タンパク質Yは正常なタンパク質をつくる、つまりエキソン7を使用するのを促進するはたらきがあることが分かります。よって、b−⑤（使用）となります。

　ヌシネルセンナトリウムは、エキソン7のスキップを促進するタンパク質Zが結合することを阻害して、正常なタンパク質（全長型SMNタンパク質）を増加させる作用をもつので、c〜eの解答はc−⑥（スキップ）　d−⑧（*SMN2*）　e−⑩（全長）となります。

　基本をベースにして最先端の研究とその成果まで紹介するという問題でした。DNAとRNAの違いについて正しく理解してもらえたら幸いです。

第12節

がんになるメカニズム、がん治療の難しさに触れられます

● 2003年生物第3問

　いまや日本人の半分が何らかのがんにかかり、三分の一ががんで亡くなっているといわれていますが、がんとはいったいどんな病気でしょうか。この問題を解くと、がんになるメカニズム、がん治療の複雑さ、難しさについて触れることができます。

　まずはがんについて簡単に説明します。細胞は適切な時期に適切な場所で細胞分裂するようにプログラムされていますが、このプログラムが狂ってしまうと細胞は勝手な時期に勝手な場所で分裂を繰り返し、まわりの臓器を圧迫するようになって最終的には生物本体に死をもたらします。これががんです。細胞の中には細胞分裂にアクセルをかけるタンパク質とブレーキをかけるタンパク質があって、両者がバランスをとってはたらくことで適切な時期に細胞分裂する仕組みになっています。つまりがん細胞になるには、アクセルをかけるタンパク質の異常、もしくはブレーキをかけるタンパク質の異常のどちらかもしくは両方がおきていると考えられるのです。ヒトがなぜがんになるか、まだはっきりと答えが出たわけではありませんが、最近研究が加速的に進んでがんになるメカニズムがある程度まで分かってきました。2003年の問題を解くと、がんになるメカニズムについてよく分かり、かつがん治療の難しさ、複雑さについて触れることができます。問題の前半はアクセルをかける*ras*遺伝子とブレーキをかける*Rb*遺伝子について、後半はブレーキをかける*p53*遺伝子に関する実験についての問題です。

[文 1]

　がんは，遺伝子や染色体の異常によって細胞が無秩序に増殖して起こ
る病気で，がん原遺伝子やがん抑制遺伝子などに異常が積み重なって発症
する。遺伝子の異常としては（ア）1 塩基の変異（点突然変異）や数塩基
の欠失，（イ）染色体の異常としては一部分の欠失などがよく知られている。

　がん原遺伝子は，変異によって活性化してがん化を引き起こすように
はたらく遺伝子で，一対の遺伝子の一方に異常が起これば，がん化を引
き起こすことがある。がん化能を獲得したがん原遺伝子は，がん遺伝子
と呼ばれる。ras 遺伝子は代表的な例で，いろいろながんで点突然変異
が見つかっている。正常な ras 遺伝子産物には活性状態と不活性状態が
あり，活性状態では多くの場合，細胞の増殖を促進する役割を果たして
いる。（ウ）しかし，ras 遺伝子に点突然変異が起こると恒常的に活性化し
た遺伝子産物ができることがあり，細胞のがん化を引き起こす一因となる。

　がん抑制遺伝子は，変異によって失活することにより細胞のがん化が引
き起こされるような遺伝子である。正常な状態では細胞のがん化を抑制す
るようにはたらいていると考えることができるので，この名称がある。こ
のようながん抑制遺伝子の概念は，（エ）正常細胞とがん細胞を融合すると
融合細胞が正常細胞の表現形質を示すこと，（オ）遺伝性がん患者の細胞に
は特定の染色体の一部に欠失などの異常がみられることと良く符合する。

　がん抑制遺伝子には以上のようなはたらきがあるので，一対の遺伝子
の一方に異常が起きて失活した（第 1 ヒット）だけではがん化は引き起
こされず，もう一方にも異常が起きて（第 2 ヒット）両方失活したとき
に初めてがん化が引き起こされると考えられる。この考え方を 2 段階ヒッ
ト理論（two−hit theory）と呼ぶ。

　初めて実体が明らかになったがん抑制遺伝子は，眼の腫瘍である網膜

芽細胞腫の原因遺伝子 *Rb* である。網膜芽細胞腫には，片方の *Rb* 遺伝子の変異が親から遺伝している遺伝性のものと，非遺伝性のものが知られている。(カ)遺伝性の網膜芽細胞腫では，非遺伝性の場合と異なって早期に発症する頻度が高く，両眼に発症する場合があるが，このような発症の仕方も，two-hit theory により説明できる。

〔問〕 I 文1について，次の小問に答えよ。

A 下線部（ア）について。一般に点突然変異によって，遺伝子産物のアミノ酸配列にどのような変化が起こると考えられるか，2通りあげよ。

B 下線部（イ）について。染色体の一部の欠失以外で，染色体構造に異常が生じる例を3つあげよ。

C 下線部（ウ）について。*ras* 遺伝子の変異はいろいろながんで見出されるが，遺伝子産物の12番目のグリシンや61番目のグルタミンなどのアミノ酸が特定のアミノ酸に変化したものに限定されている。このような現象が観察される理由を述べた次の文（1）〜（5）の中から最も適切なものを1つ選び，番号で答えよ。

(1) これらの変異によって置き換わった特定のアミノ酸そのものに発がん性があるから。

(2) 12番目や61番目などのアミノ酸に対応するコドンは，突然変異の頻度が高いから。

(3) これらの変異が起こると，*ras* 遺伝子産物の活性が変化して，がん細胞の増殖に有利にはたらくから。

(4) これらの変異が起こると，*ras* 遺伝子産物の転写が活性化されて，大量に産生されてしまうから。

(5) これらの変異が起こって活性化した *ras* 遺伝子産物は，細胞の増殖を抑制できないから。

D ある膀胱<ruby>膀胱<rt>ぼうこう</rt></ruby>がん患者のがん細胞から取り出した DNA より *ras* 遺伝子

の塩基配列の一部を決定し，伝令RNAの配列に直したところ，(a) のようになった。また，ある肺がん患者のがん細胞の場合には伝令 RNA の異なる部分で，(c) のようになった。それぞれに対応する領域の正常型 *ras* 遺伝子の配列を (b) および (d) に示してある。ただし，遺伝情報は左から右へ翻訳されるものとする。

(a) 膀胱がんのがん細胞での配列　…GGUGGGCGCCGUCGGUGUGGGCA…

(b) 正常細胞での配列　　　　　　…GGUGGGCGCCGGCGGUGUGGGCA…

(c) 肺がんのがん細胞での配列　　…AUACCGCCGGCCGGGAGGAGUAC…

(d) 正常細胞での配列　　　　　　…AUACCGCCGGCCAGGAGGAGUAC…

それぞれ，*ras* 遺伝子産物の何番目のアミノ酸が，どのアミノ酸に変わったものか。遺伝暗号表（表2）を参考にして，膀胱がん：18番アラニン→リシンのように答えよ。なお，がん細胞における *ras* 遺伝子産物の変異は12番目のグリシンと61番目のグルタミンに限定されるものとする。

表2　遺伝子暗号表　　伝令RNAの塩基配列として表記されている。

コドン	アミノ酸	コドン	アミノ酸	コドン	アミノ酸	コドン	アミノ酸
UUU	フェニル	UCU		UAU	チロシン	UGU	システイン
UUC	アラニン	UCC	セリン	UAC		UGC	
UUA		UCA		UAA	停止	UGA	停止
UUG		UCG		UAG		UGG	トリプトファン
CUU		CCU		CAU	ヒスチジン	CGU	
CUC	ロイシン	CCC	プロリン	CAC		CGC	アルギニン
CUA		CCA		CAA	グルタミン	CGA	
CUG		CCG		CAG		CGG	
AUU		ACU		AAU	アスパラギン	AGU	セリン
AUC	イソロイシン	ACC	トレオニン	AAC		AGC	
AUA		ACA		AAA	リシン	AGA	アルギニン
AUG	メチオニン	ACG		AAG		AGG	
GUU		GCU		GAU	アスパラギン酸	GGU	
GUC	バリン	GCC	アラニン	GAC		GGC	グリシン
GUA		GCA		GAA	グルタミン酸	GGA	
GUG		GCG		GAG		GGG	

E　下線部（エ）および（オ）の現象を，文中のがん抑制遺伝子の概念を用いて，それぞれ1行程度で説明せよ。

F　下線部（カ）のような発症の仕方の違いが生じる理由を，前述の two−hit theory に基づいて1行程度で述べよ。

問題はまず遺伝子の異常、染色体の異常について聞いています。遺伝子が
DNAの塩基配列であることが分かっている現在では、染色体の異常もDNA
の塩基配列の異常と言えますが、それまでは染色体の数や形が変化している
など顕微鏡で調べて分かるものを染色体異常、分からないもの〔問〕**A**で問
われているDNAの1塩基の変異など）を遺伝子異常としていました。この
問題が出題された2003年当時には図の4種類の染色体異常はどの教科書にも
載っていましたが、現在では検査の技術が進んでDNAの1塩基の変異まで
簡単に分かるようになったため、ほとんどの教科書から次の図の染色体異常
の種類までは記載されなくなってしまいました。

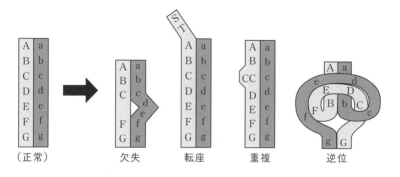

欠失：染色体の一部分が失われている

転座：染色体の一部が切れて、他の染色体に付着している

重複：染色体の一部で同じ部分が重複している

逆位：染色体の一部が切れて、方向が逆になってつながっている

　以上から〔問〕**B**は、欠失以外を答えるので「転座、重複、逆位」が解答
になります。

　次に〔問〕**A**ですが、前節でmRNAの塩基配列をアミノ酸に翻訳するに
は3個の塩基配列（これをコドンというのでしたね）が必要だという話をし
ました。RNAの塩基にはアデニン、シトシン、グアニン、ウラシルの4種
類があって、20種類のアミノ酸を指定するには3個の塩基配列があれば4×
4×4＝64で20種類をカバーできるということでしたね。この64種類のコド

ンがアミノ酸をどう指定しているのか？ という秘密がこの問題には出てきます。表2の遺伝暗号表を見てください。64種類のコドンがどのアミノ酸を指定しているのかが表になっています。

　この遺伝暗号表を見ながら、点突然変異が起きる場合について具体的に考えてみましょう。例えばUACというコドンは遺伝暗号表ではチロシンを指定しています。点突然変異がおきてUがAに変わってAACというコドンになると、指定しているアミノ酸はアスパラギンに変わります。同様にAがCに変わってUCCというコドンになるとセリンに、Uに変わってUUCというコドンになるとフェニルアラニンになります。しかしCがUに変わっても何も変わりません。アミノ酸はチロシンのままです。この「何も変わらない」というのは実は重要で、点突然変異がおきてもアミノ酸が変わらない仕組みがあることで生物を守っている考えることもできます（この仕組みが生物の進化にどんな影響を与えてきたかについては第23節で出てきます）。

　また、遺伝暗号表のUAA、UAG、UGAの3つのコドンにはアミノ酸が割り当てられる代わりに「停止」となっています。mRNAを翻訳していってこの3つのコドンのいずれかが現れるとタンパク質の伸長が停止します。このコドンを停止コドンまたは終止コドンといいます。例に挙げたUACというコドンのCがAに変わると「停止」になり、本来はまだ翻訳が続くはずだったのが止まってしまい、短いタンパク質になってしまいます。

　以上から点突然変異による遺伝子産物（タンパク質）のアミノ酸配列の変化は①アミノ酸が1つだけ変化する、②なにも変化しない、③停止コドンに変化して短いタンパク質になってしまう、の3通り考えられます。この問題では「どのような変化が起こると考えられるか」と聞いているので、①と③で解答します。なお、停止コドンがあるなら開始コドンもあるわけで、遺伝暗号表でメチオニンをコードしているAUGが開始コドンも兼ねています。つまり、翻訳されてできるタンパク質の1つ目のアミノ酸は必ずメチオニンなのです。もしこのAUGのコドンに点突然変異が起きたら、翻訳の開始位

置がずれてやはり異常なタンパク質ができてしまいます。もちろんこれを解答しても○になると思います（説明は大変ですが…）。

　次に〔問〕**C**です。*ras*遺伝子は細胞増殖のアクセルを踏む遺伝子で、がん原遺伝子と言われています。がんの"原"因となる遺伝子なんて物騒な名前ですね。*ras*遺伝子産物であるrasタンパク質は活性状態と不活性状態があって、活性状態では細胞の増殖を促進します。不活性状態のrasタンパク質にはGDP（グアノシン二リン酸）という物質が結合していて、このGDPがGTPに交換されると活性状態になって細胞の増殖を促進します。

GDP（左）とGTP（右）

　増殖を止めるときはGTPを分解してGDPに戻すのですが、12番目のグリシンや61番目のグルタミンはGTPが結合する部位にあり、これが変異するとGTPをGDPに戻せなくなって常にrasタンパク質を活性状態にしてしまうと考えられています。以上から解答は（3）になります。この問題では下線部（ウ）の前文をきちんと読めば容易に解答できると思いますが、実は（4）の理由でがんになってしまう遺伝子もあるのです。血液のがんである白血病の原因遺伝子である*myc*遺伝子がそれで、この遺伝子が過剰にはたらくとがんの原因になる遺伝子産物が大量に産生されてしまうのです。細胞増殖のアクセルを踏む遺伝子が暴走するとがんになるわけですが、暴走するケースにもいくつかのタイプがあるのですね。

　〔問〕**D**からはより具体的になってきます。膀胱がんのがん細胞での配列と正常細胞での配列を比べると、正常細胞では略号で表されている左から12番

目の塩基がGですが、膀胱がんのがん細胞ではUに変化しており、同様に肺がんのがん細胞では13番目の塩基がAからGに変化していることが分かります。この1塩基が変化しているのをグリシンとグルタミンになるようにあてはめて、がん細胞での配列で点突然変異したコドンから翻訳されるアミノ酸を答えます。

（a）膀胱がんのがん細胞での配列　…GGUGGGCGCGUCGGUGUGGGCA…
GUCなのでバリン

（b）正常細胞での配列　…GGUGGGCGCCGGCGGUGUGGGCA…

CGGなら　　GGCなら　　GCGなら
アルギニン　グリシン　　アラニン

（c）肺がんのがん細胞での配列　…AUACCGCCGGCGGGAGGAGUAC…
CGGなのでアルギニン

（d）正常細胞での配列　…AUACCGCCGGCCAGGAGGAGUAC…

CCAなら　　CAGなら　　AGGなら
プロリン　　グルタミン　アルギニン

　よって解答は「膀胱がん：12番グリシン→バリン、肺がん：61番グルタミン→アルギニン」となります。

　〔問〕E、Fを解説する前にポイントを説明しておきます。がん遺伝子によるがんは「優性」変異でがん抑制遺伝子は「劣性」変異です。これはどういうことかというと、父親と母親両方から1つずつもらったペアの遺伝子のうち、がん遺伝子は1つの遺伝子ががん遺伝子になっただけでがんになりますが、がん抑制遺伝子はペアの遺伝子が両方とも変異しないとがんにはならないことを意味しています。このポイントを押さえた上で〔問〕Eに取り組みましょう。まず下線部（エ）では、正常細胞が何らかの影響をがん細胞に与えてがん細胞の表原形質を示すのを抑えていると考えられます。これは、がん抑制遺伝子は変異のある物が「劣性」なので、「優性」な正常遺伝子があ

れば変異を抑えられることを表しています。よって解答は「融合細胞中で正常細胞由来のがん抑制遺伝子が発現していることを示す」となります。次に下線部（オ）ですが、正常ながん抑制遺伝子は「優性」なので、一対の染色体にあるがん抑制遺伝子のうち、一方が染色体の欠失などにより失われても、他方の染色体の遺伝子が正常であればがんにはなりません。ただ、ここでは「1行程度で」と書いてあるので「染色体の欠失した部分にがん抑制遺伝子がのっていたことを示す」と、もう一方の遺伝子のことには言及しなくてよいでしょう。

　前半最後の〔問〕Fに行きましょう。網膜芽細胞腫とは目の網膜にがん細胞ができてしまう病気です。考えただけで恐ろしくて目の奥がムズムズしてきますね。2段階ヒット理論（two−hit theory）というのは、正常ながん抑制遺伝子は「優性」なのでブレーキが2つ壊れないと細胞増殖は暴走してがんにはならないということです。よって「遺伝性の場合は、一方の*Rb*遺伝子がすでに変異している（第1ヒット）ので、もう一方の遺伝子に変異が起きた（第2ヒット）だけで発症してしまうから」が解答になります。

> **補足** 優性・劣性から顕性（けん）・潜性（せん）に変わりました。
>
> 　優性・劣性という語句は、現在の教科書では顕性（けん）・潜性（せん）という表記に改められています。そもそも優性・劣性は、子の代での形質の現れ方に基づいたことばで、「優（すぐ）」れている、「劣（おと）」っているという意味はなく、「顕（あらわ）」れるか、「潜（ひそ）」むかという違いでしかないため、差別につながる恐れがある表記を変更することになったのです。

　次に（Ⅱ）に行きましょう。*p53*遺伝子はがんに関係する遺伝子の中ではメジャー級に有名です。大学時代に近くの研究室がこの*p53*遺伝子を研究していましたが、当時は「なんだそれ？」といった反応しかできなかった私もこの問題を通じて*p53*遺伝子について理解（したつもりになること？）ができました。

〔文2〕

　がん抑制遺伝子の中で最も有名なものは*p53*遺伝子で，ほとんどの種類のがんで高頻度に変異が見出される。一般に，一対の遺伝子の一方は欠失し，他方は点突然変異を起こしている場合が多く，two−hit theoryがよくあてはまる。

　*p53*遺伝子の産物（p53と記す）は，他の遺伝子の転写を活性化するはたらきをもつタンパク質で，4分子が複合体を形成してはじめて機能することができる。がん細胞で見出される，変異を起こしたp53は，転写を活性化するはたらきを失っている。したがって，(キ)一方の*p53*遺伝子が正常で他方の*p53*遺伝子に点突然変異が起きて失活している場合には，変異を起こしたp53が正常なp53の機能を阻害する可能性もある。そこで，この仮説を検証し，さらにp53の機能を調べるために以下の実験を行った。

　実験　現在の技術では，任意の遺伝子を培養細胞に導入して発現させることが可能である。そこで，正常*p53*遺伝子が完全に欠失したあるがん細胞をシャーレで培養して，正常*p53*遺伝子や変異*p53*遺伝子を発現させて，生細胞数の変化を経時的に計測した（図6）。もとのがん細胞は，aのような曲線を描いて増殖したが，正常*p53*遺伝子を発現させた場合には細胞増殖の抑制が起きた（増殖曲線b）。(ク)さらに正常p53の発現量を増やしたところ，増殖曲線cのような生細胞数の変化がみられた。しかし，変異p53を大量に発現させても，このような現象は観察されなかった（増殖曲線d）。(ケ)一方，正常p53とこの変異p53を同時に発現させた時には，増殖曲線eのような生細胞数の変化が観察された。

　細胞が様々な要因によって遺伝子の傷害などのストレスを受けると，

p53の発現の増加と活性化が起こり，p53の作用によって細胞は間期で停止する。その間に傷害が修復されると，DNA複製・細胞分裂が再開される。一方，傷害が大きくて修復が不可能な場合には，(コ) 前述の実験の増殖曲線 c のような現象が起こる。このような p53 の活性を利用して，*p53* 遺伝子に異常のあるがん細胞に正常 *p53* 遺伝子を発現させることにより，がんを治療しようという試みも報告されている。また一方で，p53 の機能を阻害する薬剤が，放射線などによるがん治療の副作用軽減に有用である可能性もある。例えば，(サ) p53 の機能を一時的に阻害する薬剤を投与したマウスは，致死量の放射線を照射しても生存できたという実験結果が報告されている（なお，この実験では放射線や p53 の機能を阻害する薬剤による発がんは起こらなかった）。p53 の機能を阻害する薬剤を併用することにより，放射線などによるがんの治療をより効果的に進められる可能性もある。

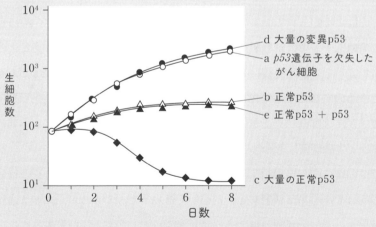

図6　p53を発現させたがん細胞の増殖曲線

Ⅱ　文2について，次の小問に答えよ。

A　なぜ下線部（キ）のような可能性があると考えられるのか。1つの考え方を1行程度で述べよ。

B 下線部（ク）について。p53 の作用によって細胞に何が起きたと考えられるか，1 行で述べよ。

C 下線部（ケ）の実験は，下線部（キ）の仮説の実験的検証と考えられる。この結果が何を意味するか，p53 の機能発現のしくみに着目して 2 行程度で述べよ。

D p53 のもつ下線部（コ）の機能は，がん抑制遺伝子としてのはたらきに最も重要であると考えられている。その理由を推測し，2 行程度で述べよ。

E 下線部（サ）について。なぜこのような結果が得られたのか，p53 の機能を阻害する薬剤の正常細胞に対する作用に注目して，1 行程度で説明せよ。

　がんを抑制するはたらきをもつ*p53* 遺伝子を自由に制御できればがんを克服できそうですが，まだそれはできません。ゾウがヒトよりもがんになりにくいのはよく知られていますが，それはなぜかは長い間謎でした。2015 年に，ゾウの遺伝子を解析すると*p53* 遺伝子をヒトの 20 倍近くもっていることが報告されました。これを聞いて*p53* 遺伝子の産物を大量に培養すればがんを治療できるのではと私も考えましたが，*p53* 遺伝子を通常より活性化したマウスではがんは抑制されたものの，老化がはやく寿命が短かったことも報告されていて生命現象はそんなに単純ではないようです。

　では問題に取り掛かりましょう。まず**A**ですが，p53 は「4 分子が複合体を形成してはじめて機能する」と書いてあります。つまり，正常*p53* 遺伝子と変異*p53* 遺伝子が両方はたらいて正常な p53 と変異 p53 が産生された場合，4 分子の複合体が異常なものになってしまう可能性があります。よって，「変異 p53 と正常 p53 で機能を失った複合体を形成することが考えられるから」が解答となります。この考え方は正しいのでしょうか。*p53* 遺伝子は一般的には two－hit theory に従う劣性遺伝子なので，問題**C**で図 6 の b と e を比較

したときにほぼ同じがん細胞の増殖の程度を示していることから分かるように、変異p53があろうとなかろうと正常なp53があればがん細胞の増殖には影響を与えない、つまり、下線部（キ）の考え方は否定されることが分かります。しかし、実はこの問題とは別の研究では*p53*遺伝子が優性遺伝子としてふるまい、できた4分子の複合体が正常に機能しないケースも報告されています。これをドミナントネガティブ（ネガティブな機能が優性になってしまうという意味）といいます。がんは複雑ですね。

　続いて図6を見ながら問題**B**と**D**を考えてみましょう。問題**B**も問題文中にヒントが書いてあります。図6から大量の正常p53を発現させるとがん細胞が減少していることが分かりますが、これはp53が、がん細胞をアポトーシスに誘導しているのです。アポトーシスとは細胞の自律的な死で、細胞が寿命を迎えたり、何らかの障害を負ったときにまわりにダメージを与えないように死ぬことで、身近な例ではオタマジャクシがカエルになるときに尾びれがなくなることが挙げられます。しかしp53はすぐにアポトーシスを誘導するわけではありません。問題文にあるようにまずは損傷を受けた遺伝子を修復するタンパク質を活性化したり、細胞の増殖を止めて何とか細胞を生かそうとします。それでもダメなときにアポトーシスに誘導するのです。よって解答は**B**が「がん細胞をアポトーシスに誘導したと考えられる」、**D**が「遺伝子の障害が大きく、修復が不可能な場合には細胞のがん化を防ぐためにアポトーシスを誘導するから」となります。

　最後の問題**E**です。がんに対する治療法に放射線治療がありますが、*p53*遺伝子に変異があると放射線治療の治療効果が芳しくない（がん細胞がうまく死んでくれない）ことが知られています。これは、がん細胞に放射線をあててそのDNAに損傷がおきても、*p53*遺伝子に変異があるためにうまくアポトーシス（がん細胞の死）が誘導されないからだと考えられています。そのためより強い放射線治療を行うとがん細胞周辺の放射線のあたった正常な細胞ががん化したり、死んだりしてしまうリスクが高まってしまいます。し

かしこの結果は、もしがん細胞周辺の正常な細胞の*p53*遺伝子のはたらきを阻害できればより強い放射線を当てることができる可能性を示唆しているのです。よって解答は「本来は放射線によるDNA損傷を起因としてp53により誘導されるはずのアポトーシスが起きなかったため」となります。

　この問題はがんの複雑さ、治療の難しさが分かる問題でしたね。

Column 2　東大の学費の今昔

　2021年度の東京大学の初年度納入金は81万7800円でした。文科でも理科でも変わらないので、コスパという点からいえば理系のほうがお得ですね。ちなみに私立大学では文系が平均約130万円、理系が平均約160万円でした。

　では今から70年前はどうだったのでしょうか。旺文社の「全国大学入試問題正解」昭和29年（1954年）には各大学の初年度納入金ものっていて、当時の東大（に限らずすべての国立大学）は6400円でした。ちなみに当時の私立大学では文系がだいたい3万円前後で理系が4万円前後でした。この時代と現代を比べると、東大がなんと約120倍、私立大学も約40倍になっています。もちろん当時より物価も上昇していますが、物価は約20倍にしかなっていないので，東大の初年度納入金は物価を考慮してもだいたい6倍になったと言えます。現在では奨学金もありますが、もっと国が補助を出して学費を安くするべきだと思うのは私だけではないでしょう。

第 4 章

電気に
まつわる問題

この章では、電気に関わる問題をとり上げます。電気とい

えば物理のイメージがあると思いますが、化学でも酸化還

元のところで電池が出てきます。苦手な人も多い分野です

が、一から丁寧に解説していきます。色々な角度から一緒

に電気について学んでいきましょう。

● 1984年化学第3問 ● 2003年化学第1問

　　乾電池、車のバッテリー、スマートフォンの充電池……私たち
の身のまわりには電池があふれています。この節では、まず酸化
還元の基本的な問題で電池が電気エネルギーを生み出せるメカ
ニズムを学びます。現代の私たちの生活に欠かせない電池の仕
組みをマスターしましょう。

1984年化学第3問より

（Ⅰ）鉄がさびるのは，鉄板上で性質がわずかに異なった部分が電解質
　　　水溶液に覆われて，それぞれ正極または負極となり，一種の電池を
　　　形成して反応するためである。次の実験（a）〜（c）に関連して下
　　　の問（1）〜（4）に答えよ。

　（a）　表面をよく磨いた鉄板に，少量のヘキサシアノ鉄（Ⅲ）酸カリウム
　　　　とフェノールフタレインを含む4%食塩水を，図3のように1滴滴下し
　　　　た。

　（b）　しばらくすると鉄板上のある部分に青色物質を生じ，次第に青
　　　　色の部分が増えるとともに液滴は赤くなっていった。この間に気
　　　　体は発生しなかった。

　（c）　亜鉛引き鉄板の一部から亜鉛を除き，図4のようにその境界部

分に（a）で用いた溶液を滴下したところ，液滴は（b）の場合よりも速やかに赤くなったが，青色物質は生じなかった。このときも気体は発生しなかった。

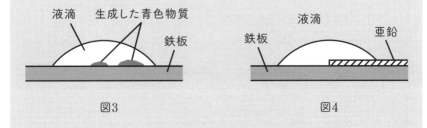

液滴　生成した青色物質　鉄板

図3

液滴　鉄板　亜鉛

図4

(1) （b）において鉄板の青色物質を生じた部分は，正負いずれの電極として働いているか。理由とともに一行で記せ。

(2) （b）で起こるもう一方の電極反応は，酸素と水とが反応して液滴を赤く変える原因となるイオンを生成する反応である。これを電子を含む化学反応式で記せ。

(3) （b）における酸素の作用は，通常の乾電池のいかなる物質の作用に相当するか。その物質の化学式を記せ。

(4) （c）において青色物質を生じなかった理由を二行以内で記せ。

　日常生活で「鉄がさびる」というと、鉄が酸素と結合して酸化鉄になることですね。「さびる」とか、「酸化」というとなんだか悪いイメージがありますね。本当のところはどうなのでしょうか。問題に入る前にまず酸化と還元の定義について押さえましょう。

　中学校では「酸化反応」というと $2Cu + O_2 \rightarrow 2CuO$ の反応のように「酸素と結合する反応」のことで、「還元反応」というと酸化反応の逆で $CuO + H_2 \rightarrow Cu + H_2O$ の反応のように「結合している酸素原子が離れる反応」だと学びます。しかし、高校の化学では酸化と還元は電子のやり取りとして定義します。ある原子が電子を失ったときに「その原子は酸化された」、

電子を受け取ったときに「その原子は還元された」と定義するのです。こう定義すると、$2Cu + O_2 \rightarrow 2CuO$ の反応では CuO は Cu^{2+} と O^{2-} のイオン結合なので、Cu が酸化されたと同時に O 原子は電子を受け取って還元されていることになります。Cu は酸化されたのと同時に、O 原子を還元しているのです。このときの Cu は自分は酸化されて相手を還元したので還元剤、O_2 は自分は還元されて相手を酸化したので酸化剤といいます。「する」、「される」という日本語の使い方に注意しましょう。

　そして、先ほど出てきた $CuO + H_2 \rightarrow Cu + H_2O$ の反応では、Cu が還元されたと同時に H 原子は酸化されているのです。つまり、酸化される反応と還元される反応は必ず同時に起き、どちらか一方だけの反応がおこることはありません。だから高校では「酸化反応」、「還元反応」と分けずに「酸化還元反応」というのです。これはとても大切なことですので、ぜひ覚えておいてください。

　次に電池の正極と負極の役割について確認しておきましょう。電流は正極（＋極）から負極（－極）に流れることは大丈夫ですね。実は電流の流れと電子の流れは逆なので、電子は負極から正極に流れます。これを身近にあるマンガン乾電池を例にして見ていきましょう。マンガン乾電池の負極は亜鉛 Zn で、負極で実際に反応する物質である負極活物質も Zn です。正極は炭素棒 C で、正極で実際に反応する正極活物質は酸化マンガン（IV）MnO_2 です。負極では $Zn \rightarrow Zn^{2+} + 2e^-$ と Zn が酸化される反応がおきていて、放出された電子が正極に向かって流れるのです。正極では流れてきた電子を受け取って、MnO_4 に含まれる Mn^{4+} が $Mn^{4+} + e^- \rightarrow Mn^{3+}$ と還元されます（実際の反応式はもっと複雑ですが、ここでは Mn の変化のみに注目しています）。

　つまり、Zn と MnO_4 を混ぜれば、その場で酸化還元反応がおきるわけですが、あえて離した場所において導線でつなぐことで、やりとりされる電子を導線中に流しているのです。そして電子が移動する導線の途中に豆電球などを置けば電気エネルギーを取り出せます。これが電池の基本的な仕組みです。

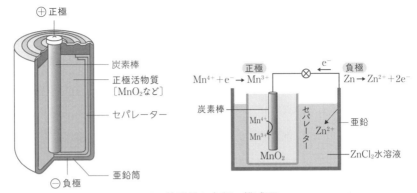

マンガン乾電池と内部の模式図

　では問題に取り掛かりましょう。まず問題を解く上で必要な前提知識として、フェノールフタレインは塩基性（アルカリ性）のOH^-に反応して赤色になること、ヘキサシアノ鉄（Ⅲ）酸カリウムは水溶液中のFe^{2+}と反応して青色物質を生じることを知っている必要があります。問題文（b）の記述からはFeとH_2Oの接触面で青色物質が生じ、液滴が赤く変化したことからFe^{2+}とOH^-が生じたことが分かります。よって問題（1）は「青色物質を生じたことから、$Fe \rightarrow Fe^{2+}+2e^-$という反応がおきていることが分かるため、負極としてはたらいている」という解答になります。電子を失う反応、つまり酸化される反応がおきるのが負極の特徴です。

　次の（2）は、少し難易度が上がります。ここで答える反応式は覚えるものではありません。問題を読んで自分で作るものです。問題文から

　◎酸素と水が反応している。

　◎液滴を赤く変える原因とするイオン（OH^-）が生成する。

　◎「もう一方の電極反応」つまり正極での反応なので、電子を受け取る反応がおきている。

というヒントが得られます。これらのヒントから$O_2+H_2O+e^- \rightarrow OH^-$の反応式を作り、係数を合わせて$O_2+2H_2O+4e^- \rightarrow 4OH^-$が解答になります。酸化還元反応では全体の反応ではなく、酸化反応、還元反応を「電子を含む

化学反応式」で表すことがよくあります。これを半反応式といいます。

　（3）ですが、酸素はO_2からOH^-へと変化しています。OH^-はO^{2-}とH^+の合体したものと考えられるので、O原子は還元されています。還元される反応がおきるのは正極なので、前述の通りマンガン乾電池で正極活物質として作用するMnO_2が解答です。

　最後に（4）です。亜鉛引きの鉄板（亜鉛がメッキされた鉄板）をトタンといいます。トタンは簡易住宅の屋根などに使われますが、亜鉛をメッキすると鉄だけのときより鉄がさびにくくなって長持ちするようになります。これはなぜですか？　というのがこの問題では問われています。「青色物質は生じなかった」つまり、Feはイオン化していないのに、「速やかに赤くなった」ので$O_2+2H_2O+4e^- \rightarrow 4OH^-$の反応は起きているわけです。では何が陽イオンになったのでしょうか？　そうです、亜鉛Znですね。ZnはFeよりもイオンになりやすいので、Feが仮に$Fe \rightarrow Fe^{2+}+2e^-$という反応で$Fe^{2+}$になっても、近くに亜鉛があれば$Fe^{2+}+Zn \rightarrow Fe+Zn^{2+}$の反応がおきて、ZnがFeの身代わりにイオンになります。このときFe^{2+}はもとのFeに戻るため、Znが近くにある限り内部のFeはイオンになりません。つまり、トタンはFeをZnでメッキすることでFeがさびないように保護しているのです。

　ちなみにFeにスズSnをメッキしたものをブリキといいます。SnはFeよりもイオンになりにくいために、傷さえつかなければFeを保護する効果があ

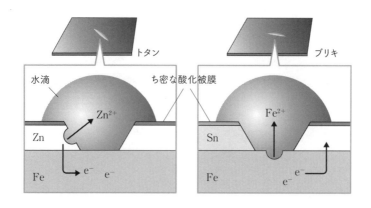

りますが、傷がつくとFeはFeだけのときより速くイオンになってしまいます。そのためブリキは傷のつきにくい缶詰の缶などに使われています。

　ブリキとトタンは金属のイオンのなりやすさの違いを利用しています。金属がどれくらい「イオンになりやすいか」をイオン化傾向といい、イオン化傾向が大きい順番に金属を並べたものをイオン化列といいます。イオン化傾向の覚え方である「貸そうかな〜」のフレーズは聞いたことがある人も多いのではありませんか？

　以上から解答は「亜鉛は鉄よりイオンになりやすいため、鉄がイオン化してもすぐに亜鉛から電子を奪い元の鉄に戻るため、青色物質が生じる原因のFe^{2+} が生じないため。」となります。

　次の問題は、通常では熱や光のエネルギーとして取り出される水素の化学エネルギーを電気エネルギーとして取り出す燃料電池がテーマです。

　最近、燃料電池自動車（FCV：Fuel Cell Vehicle）が話題に上ることが多くなりました。トヨタからは2014年にMIRAIが、ホンダからは2016年にクラリティという燃料電池自動車が発売されました。燃料電池の発電メカニズム自体は19世紀半ばにはすでに考えられていて、1960年代にはアポロ計画に使用された宇宙船に電源として搭載されていましたが、車に搭載されるまでには水素タンクの強度やガソリンスタンドに相当する水素ステーションの整備など様々な課題をクリアする必要があったのです。燃料電池の基本的なメカニズムを次の問題で学習しましょう。

Ⅱ 最近，水素のもつ化学エネルギーを電極反応によって直接電気エネルギーに変える燃料電池の開発が進められている。ここでは，図1−3に示すような水素 − 酸素燃料電池を考えてみよう。この電池では電解質に水酸化カリウム水溶液を用いており，負極では水素の酸化反応

$$H_2 + 2OH^- \rightarrow 2H_2O + 2e^- \qquad (5)$$

が起こり，正極では酸素の還元反応が起こる。この酸化還元反応のエネルギーが電気エネルギーとして取り出される。

以下の問カ，キに答えよ。解答は有効数字2桁とする。また，結果だけでなく，途中の考え方や式も示せ。必要があれば以下の数値を用いよ。 ファラデー定数 $9.6 \times 10^4 \mathrm{C \cdot mol^{-1}}$

〔問〕

カ 正極における還元反応を，反応式 (5) にならって示せ。

キ 水素の燃焼反応の熱化学方程式は

$$H_2 \,(気体) + \frac{1}{2} O_2 \,(気体) = H_2O \,(液体) + 286kJ \qquad (6)$$

である。水素 − 酸素燃料電池で取り出すことのできる電気エネルギーが式 (6) の反応熱と等しいと仮定したとき，この電池の起電力は何Vになるか。なお，1Vの起電力で1Cの電気量を取り出したときのエネルギーは1Jである。

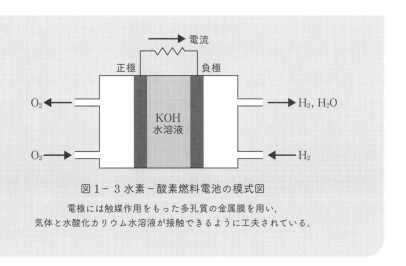

図1-3 水素-酸素燃料電池の模式図

電極には触媒作用をもった多孔質の金属膜を用い、
気体と水酸化カリウム水溶液が接触できるように工夫されている。

H_2に火をつけると爆発的に燃焼します。このとき出る熱がH_2 1molあたり286kJですよ、というのが熱化学方程式です。H_2の燃焼はH_2が酸化され、O_2が還元される酸化還元反応です。そこでH_2が酸化される反応と、O_2が還元される反応を離れたところでおこして導線でつなげれば、移動する電子による電気エネルギーを取り出すことができます。これが燃料電池の発電原理です。正極と負極の間の電解液にアルカリ性のKOH水溶液を使うのがアルカリ水溶液型ですが、このタイプは水素や酸素に不純物として含まれる二酸化炭素と電解液が中和反応をおこしてしまうのが弱点です。そこで、現在は酸性の電解液を利用したリン酸型燃料電池やイオン交換膜をH^+が移動する固体高分子型燃料電池が主流です。

まず**カ**の問題ですが、(5)式と足したときに水素の燃焼と同じ反応式になればよいので、$O_2 + 2H_2O + 4e^- \rightarrow 4OH^-$が解答です。アルカリ水溶液型では電解質中を移動するのがOH^-なのが特徴です。リン酸型燃料電池や固体高分子型燃料電池では電解質中を移動するのがH^+になるので、負極でおきる酸化反応は$H_2 \rightarrow 2H^+ + 2e^-$、正極でおきる還元反応は$O_2 + 4e^- + 4H^+ \rightarrow 2H_2O$と少し変わりますが、2つの式を足したときに水素の燃焼と同じ反応式になるのはアルカリ水溶液型と同じです。

次に**キ**の問題です。この問題で使用するファラデー定数（9.6×10^4C・mol^{-1}）とは電子1molがもつ電気量 [C] を表しています。「電気量」とは分かりにくい言葉ですが、どれくらい強く帯電しているかを数値で表したものです。例えば冬にプラスチック製の下敷きを頭にこすりつけると、髪の毛が静電気で立ちます。このとき下敷きはマイナスに帯電していて、その電気量は1.0×10^{-8}Cくらいです。

　電子1個は1.60×10^{-19}Cの電気量をもっていて、1molは6.02×10^{23}個の集団ですので、電子1mol あたりがもつ電気量は計算すると9.65×10^4Cとなり、これをファラデー定数とよんでいるのです。1.0Aの電流が1.0秒流れたときに運ばれた電気量が1.0Cなので、Q [C] $= I$ [A] $\times t$ [秒] という式が成り立ち、さらに問題文の「なお、1Vの起電力で1Cの電気量を取り出したときのエネルギーは1Jである。」という定義から W [J] $= Q$ [C] $\times V$ [V] という式も成り立ちます。

　では問題を考えていきましょう。（5）式から、H_2が1mol酸化されると電子が2mol移動することが分かります。電子2molのもつ電気量はファラデー定数から$9.6 \times 10^4 \times 2 = 19.2 \times 10^4$Cと求められますね。ここで$W$[J] $= Q$[C] $\times V$[V] の式に19.2×10^4Cと水素の燃焼エネルギー 286×10^3Jを代入して1.49Vが得られます。よって解答は有効数字2桁で答えて1.5Vになります。ただしこの値はあくまで理想的な数値ですので、理論的な最大電圧は1.23V、実用的には0.9V程度で使用されています。

スマホに欠かせない リチウムイオン電池。 どんなメカニズムで充電と 放電をしているのでしょうか

● 2010年化学第2問

　2019年のノーベル化学賞はリチウムイオン電池の開発に寄与した米テキサス大学のジョン・B・グッドイナフ教授、ニューヨーク州立大学のM・スタンリー・ウィッティンガム教授、そして日本の名城大学教授の吉野彰氏が受賞しました。2010年の化学第2問はリチウムイオン電池に関する出題でしたが、この問題を解けばリチウムと電池の関係について詳しくなれます。

2010年化学第2問より

Ⅰ　次の文章を読み、問ア〜オに答えよ。（※問オは省略）

　一度放電したら、充電して再び用いるのが困難な電池を一次電池という。リチウムの単体が一次電池の負極として広く用いられるのは、高い電圧を取り出すのに有利なためである。アルカリ金属である①リチウムの単体は水と激しく反応するため、電解質には有機溶媒やポリマーが用いられる。

　一方、繰り返し充電と放電が可能な電池を二次電池といい、中でもリチウムイオン二次電池は携帯機器の電源として急速に普及した。リチウムの単体からなる電極は充電と放電の繰り返しには適していないため、負極には②黒鉛を電極の表面に接着したものが用いられる。また、正極に

は電極表面にコバルト酸リチウム$LiCoO_2$を接着したものが用いられる。

　充電のときには，図2−1のように電解質中で正極側をプラス，負極側をマイナスとする電圧を加える。負極では③黒鉛が電解質中のリチウムイオンと反応し，炭素とリチウムからなる化合物が形成される（反応1）。この反応と同時に④正極の$LiCoO_2$は，電解質へリチウムイオンが引き抜かれて$Li_{(1-x)}CoO_2 (0<x≦1)$（*注）へ変化する（反応2）。一方，放電のときには，負極では炭素とリチウムの化合物がリチウムイオンを放出して黒鉛へ戻る反応（反応3）が起こるのと同時に，正極では$Li_{(1-x)}CoO_2$が電解質からリチウムイオンを受け取って$LiCoO_2$へと戻る反応（反応4）が起こり，外部回路に電流が発生する。

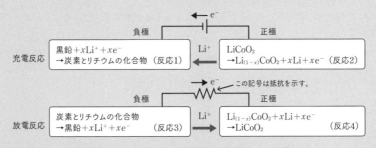

図2−1　リチウムイオン電池の充電反応と放電反応

(1)化合物Xの炭素平面を斜めから見た図　　(2)化合物Xの1つの炭素平面を上から見た図

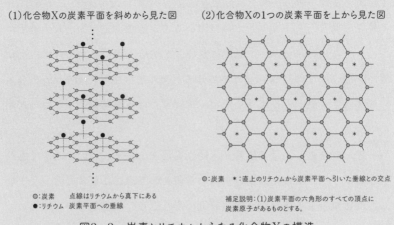

◎:炭素　　点線はリチウムから真下にある
●:リチウム　炭素平面への垂線

◎:炭素　*:直上のリチウムから炭素平面へ引いた垂線との交点

補足説明:(1)炭素平面の六角形のすべての頂点に
　炭素原子があるものとする。

図2−2　炭素とリチウムからなる化合物Xの構造

（＊注）化合物の中には，各元素の構成比を整数で表現することが困難なものがあり，その場合は小数を用いて化学式を表現することがある。例えば本文中の化合物 $Li_{(1-x)}CoO_2$ （0＜$x \leq 1$）は，充電反応の進行に伴って $LiCoO_2$ 中の Li がところどころ失われている。失われた Li の量が充電前に存在した Li のうちの割合 x に相当するとき，化合物全体で平均した組成は $Li：Co：O＝1-x：1：2$ となっている。

〔問〕

ア　下線①の反応式を書け。

イ　下線②の黒鉛は炭素の単体であり，ダイヤモンドなどの同素体が存在する。炭素以外の元素の単体のうち，互いに同素体となる物質が存在するものの組み合わせを1つ挙げ，以下の例にならって物質名で答えよ。なお，化学式は使わないこと。

　　　（例）　黒鉛とダイヤモンド

ウ　充電後のリチウムイオン電池の負極の表面には，下線③の反応によって化合物 X が生成した。化合物 X は炭素とリチウムだけで構成されており，以下の2つの特徴を持つ。化合物 X に含まれる炭素とリチウムの原子数の比を求めよ。

> **特徴（1）**　黒鉛は、炭素が正六角形の網目状に結合した平面（これを炭素平面とよぶ）をつくり、その平面がいくつも積み重なっている。一方、化合物 X は図2−2の（1）のように、黒鉛の各炭素平面の間にリチウムが挿入された構造になっている。
>
> **特徴（2）**　図2−2の（2）に示すとおり、リチウムからその直下にある炭素平面へ垂線を引くと、垂線は炭素のつくる正六角形の中心で炭素平面と交わっている。この垂線と交わる正六角形が互いに隣り合うことなく最密となるように、リチウムが配置されている。

エ　0.60g の化合物 X をリチウムイオン電池の負極に用いて 20mA の電流値で放電するとき，放電が可能な最大の時間［秒］を有効数字2桁で計算せよ。ただし，負極においては図2−1の反応3以外の反応は起こらないものとする。なお，途中の計算過程も記すこと。

まず、問題は電池にリチウムが用いられているのは、高い電圧を取り出すのに有利なためだと紹介します。電池の電圧は正極活物質と負極活物質に使われる物質によって自動的に決まります。例えば、ZnとCuで電池を作るよりも、ZnとAgで電池を作るほうがイオン化傾向の差が大きいので電池の電圧は大きくなるのです。前節で出てきたイオン化列は「貸（K）そうかな〜」とKから始まっていますが、実はLiのほうがKよりもイオン化傾向は大きいので、もしイオン化列にLiも入れると一番左側にLiが来るのです。現在の高校の教科書では一番左にLiがあるイオン化列を掲載しているものも増えてきています。

リチウム電池とリチウムイオン二次電池の違い

　単体のリチウムを利用した一次電池（充電のできない使い捨ての電池）がリチウム電池です。リチウムの単体は水と反応して（ア）の解答である$2Li+2H_2O \rightarrow 2LiOH+H_2$ という反応をおこして発熱し、可燃性のH_2も発生して大変危険なので、リチウム電池の電解質には水溶液ではなく有機溶媒やポリマーが使われています。

　リチウムを使うと高い電圧が得られるので、リチウムを負極に利用して繰り返し充電できる二次電池を作りたいという発想はリチウム一次電池が実用化された当初からありました。冒頭に紹介した2019年のノーベル化学賞を受賞したウィッティンガム氏は負極に単体のリチウム、正極に二硫化チタンTiS_2を使用したリチウムイオン二次電池を1970年代に世界で初めて開発したのです。しかし問題文にあるように「リチウムの単体からなる電極は充電と放電の繰り返しには適していない」ため、研究室レベルでの開発成功にとどまりました。なぜ適していないのかというと、放電時に電子を放出したLi^+は充電すると再び単体の金属リチウムに戻りますが、戻るときにリチウムが樹の枝状に広がって析出してしまい、正極と触れてショートして爆発してしまうという問題が解決できなかったからです。

しかし実用化ができなくてもウィッティンガム氏の功績には少しの陰りもありませんでした。というのは、このとき正極に使用されたTiS_2は層状構造をもつため、放電時に負極から放出されたLi^+をそのすき間に取り込み、充電時にはまた放出するという特性をもっているのですが、この「インターカレーション」は、現在のリチウムイオン電池にまで続く正極と負極の基本的な開発コンセプトになったからです。

そして正極と負極の材料探しが始まった

　ウィッティンガム氏の発明の後、世界中の研究者がこの「インターカレーション」というコンセプトに基づいて、正極と負極の材料探しに奔走します。第1のブレークスルーが正極の材料のコバルト酸リチウム$LiCoO_2$の発見で、グッドイナフ教授はこの功績でノーベル化学賞を受賞しました。$LiCoO_2$にはLiがLi^+の形で含まれており、Li^+が電子とともに抜けると$LiCoO_2$の一部がCoO_2となって、CoがCo^{3+}からCo^{4+}に変化します。$LiCoO_2$はインターカレーションに適した安定性の高い理想的な正極材料だったのです。

ついに吉野彰氏が負極材料を発見した

　これで正極は見つかったのですが、この論文が発表された1980年の時点で負極はいいものが見つかっていませんでした。その後、この$LiCoO_2$についての論文を見た吉野彰氏が負極材料として最適な黒鉛を発見し、リチウムイオン二次電池が完成したのです。ここで「最適な黒鉛」と言ったのは、黒鉛と一言で言っても備長炭も黒鉛ですし、石炭を焼いたコークスも黒鉛です。備長炭やコークスも蒸し焼きにする時間や温度でわずかに電極としての性能は異なってきますので、吉野氏が負極として求められる性能を満足する黒鉛を見つけるまでには大変な苦労があったようです。この正極：$LiCoO_2$、負極：黒鉛という構造なら、充放電時にリチウムイオンが正極と負極の間を移動するだけなので単体の金属Liは生成せずに安全なのです。

では問題を見ていきましょう。（イ）は負極材料の黒鉛に関する問題です。黒鉛とダイヤモンドはどちらもC原子のみからなる、つながり方の違う物質です。この関係を同素体といいます。炭素には次の表のような同素体があります。

炭素の同素体

同素体	ダイヤモンド	黒鉛	フラーレン（C_{60}、C_{70}など）	カーボンナノチューブ
構造	立体網目構造	平面層状構造	球状（サッカーボール形など）	チューブ状（黒鉛の1層を丸めて筒状にした形）
性質	無色透明 八面体結晶 電気伝導性なし $3.5g/cm^3$	黒色不透明 板状結晶 電気伝導性あり $2.3g/cm^3$	黒色不透明の粉末 電気伝導性なし $1.7g/cm^3$	黒色不透明の粉末 電気伝導性あり 約$1.4g/cm^3$
用途	宝石、研磨剤	電極、鉛筆の芯	（現在研究中）	（現在研究中）

ダイヤモンドは絶縁体なので、リチウムイオン二次電池の負極としては使えませんが、カーボンナノチューブは電気をよく通すので、将来研究が進めば負極として使われるようになるかもしれません。

同素体は炭素以外にも硫黄、酸素、リンで存在します。硫黄S、炭素C、酸素O、リンP なので、SCOP（スコップ）と覚えます（スコップは英語で言うとscoop、語源とされるオランダ語ではschopなのでどちらにしてもスペルミスですね）。

硫黄の単体には斜方硫黄、単斜硫黄、ゴム状硫黄の3種類の同素体が存在します。室温では斜方硫黄が安定ですが、加熱して温度を上げると斜方硫黄→単斜硫黄→黒い液体上の硫黄と変

斜方硫黄
（八面体）　単斜硫黄
（針状）

ゴム状硫黄

化していき、黒い液体の状態から急冷するとゴム状硫黄になります。単斜硫黄もゴム状硫黄も、室温に放置しておくと斜方硫黄に変化します。

　酸素には酸素O_2とオゾンO_3の同素体が、リンには黄リンと赤リンの同素体が存在します。黄リンは空気中で発火してしまう不安定な物質で、水中で保存しますが、赤リンは空気中で安定です。この問題ではSCOPのうち、S、O、Pの同素体から一組答えられればOKです。

　次の（**ウ**）に行きましょう。問題の図2−2を見ると、負極の層状の黒鉛のすき間にLi^+が収納されるというインターカレーションの様子がよく分かりますね。この炭素とリチウムの化合物はどのように表せばよいのでしょうか。図2−2の（2）に点線を書き入れて次の図のように考えてみると、点線で示した六角形が繰り返し単位となっている化合物だと分かります。つまり、この化合物はLiC_6という化学式で表されるのです。

　では次に（**エ**）の問題です。実際に0.60gのLiC_6があるときに20mAの電流はどれくらいの時間取り出せるかという問題です。この問題を解くにはmolという数のまとまりを表す単位とA（アンペア）という電流を表す単位を結び付けなければいけませんが、このとき使われるのが96500 [C/mol]（クーロン）

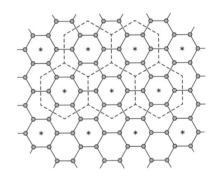

で表されるファラデー定数です。もう忘れちゃったよ、という人は前節の最後に出てきたので戻ってくださいね。例えばLi^+が1mol負極から正極に移動すると、電子も1mol負極から正極に移動し、$96500 \div 3600 = 26.8\cdots$で約27時間1Aの電流を流すことができるのでした。問題では、LiC_6の式量は78.9なので、0.60gでは0.60/78.9 [mol] です。放電が可能な最大の時間をt [秒] とすると、

$$\frac{0.60\,[\text{g}]}{78.9\left[\dfrac{\text{g}}{\text{mol}}\right]} = \frac{20 \times 10^{-3}\,[\text{A}] \times t\,[秒]}{96500\left[\dfrac{\text{C}}{\text{mol}}\right]}$$

という式が成り立つので、この式を解いて $t = 3.67 \times 10^4$ より、解答は 3.7×10^4 [秒] となります。

ここでちょっとわき道にそれますが、実際のスマートフォンには何gの Li^+ が搭載されているのかを計算してみましょう。最近のスマートフォンのバッテリー容量は3000mAh程度です。これは3000mAの電流を1時間（"h"は1時間を表す英語のhourの頭文字です）流すことができるという意味です。このデータで先ほどの式を使って今度は Li^+ の質量を x [g] として計算してみます。

$$\frac{x\,[\text{g}]}{6.9\left[\dfrac{\text{g}}{\text{mol}}\right]} = \frac{3000 \times 10^{-3}\,[\text{A}] \times 3600\,[秒]}{96500\left[\dfrac{\text{C}}{\text{mol}}\right]}$$

$x = 0.77$g になりました。ただし、充電の際にコバルト酸リチウム $LiCoO_2$ から完全に Li^+ を抜いてしまって酸化コバルト CoO_2 にしてしまうと構造が不安定になって壊れてしまうため、$LiCoO_2$ は $Li_{0.5}CoO_2$ 程度で止めておくのが通常です。つまり Li^+ は、理論値0.77gの2倍程度搭載されているのです。案外少ないですが、Liは原子量が小さいので少ない量でたくさんの電気エネルギーが取り出せるのです。これもリチウムが電極の材料として有利な理由です。

電気回路の基礎を しっかり学んでほしいと いうメッセージを感じます

● 1961年物理第3問 ● 2008年物理第2問

　電気や磁気を扱う電磁気学は目に見えないものを扱うので、力学に比べると難しいイメージがありますよね。私もこの分野は苦手で、高校生のときはテストで8点をとったこともあります（しかも140点満点中の8点…）。一応授業でやった公式は覚えて（いたつもりで）臨んだ試験でしたが、意味を全く分かっていなかったので、全部不正解でした。そんな高校生時代の私にも理解できる内容を目指します。

　まずは中学生のレベルから、電圧、電流、抵抗という語句を押さえましょう。もう分かっているよという人は、ここは読み飛ばしてかまいません。

電圧、電流、抵抗とオームの法則

　乾電池はどの大きさでも1.5Vの電圧をもち、10Ωの抵抗をつなぐと、電流が0.15A流れます。つまり、電圧［V］＝電流［A］×抵抗［Ω］の関係があります。これをオームの法則といいます。水を高くまでくみ上げれば（電圧が大きければ）、水流が勢いよく（大きな電流で）流れる。また、大きな水車（抵抗が大きい）を使えば、水流の勢いはその分弱まる（電流が小さくなる）という関係があります。

　この水の流れの考え方を使えば、複数の抵抗を直列につないだとき、並列

につないだときの違いも簡単に理解することができます。抵抗を直列につないだときを次の上図、並列につないだときを下図にまとめました。

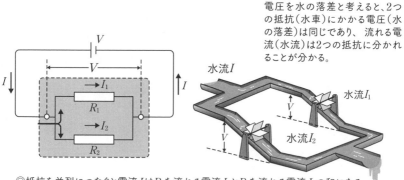

電圧を水の落差と考えると、2つの抵抗（水車）にかかる電圧（水の落差）の和は電源電圧になり、流れる電流（水流）は2つの抵抗で等しいことが分かる。

◎抵抗を直列につなぐと、どの抵抗にも等しい電流Iが流れる。
◎合成抵抗は$R_1 + R_2$
◎電源の電圧Vは、R_1にかかる電圧V_1とR_2にかかる電圧V_2の和になる。

電圧を水の落差と考えると、2つの抵抗（水車）にかかる電圧（水の落差）は同じであり、流れる電流（水流）は2つの抵抗に分かれることが分かる。

◎抵抗を並列につなぐと電流IはR_1を流れる電流I_1とR_2を流れる電流I_2の和になる。
◎合成抵抗Rは$\dfrac{1}{R} = \dfrac{1}{R_1} + \dfrac{1}{R_2}$で表される。
◎どの抵抗にも電源の電圧Vと等しい電圧がかかる。

　オームの法則について理解できたでしょうか？ オームの法則は中学校で学ぶ内容なので、覚えている人も多いと思います。このオームの法則を踏まえて、今回は代表的な電子部品であるコンデンサーをとり上げましょう。コンデンサーという名前の由来ですが、英語で「濃縮する」という意味の動詞のcondenseに由来しています。英語は動詞の語尾に－erをつけることで「〜する人」、「〜するもの」という意味に変わります。身近な例では、challenge

（挑戦する）→challenger（挑戦する人、挑戦者）がありますね。つまり、コンデンサーとは「濃縮するもの」という意味になるのです。では何を濃縮するのでしょうか？　実は「電荷」を濃縮しています。次の図でコンデンサーの仕組みを紹介します。

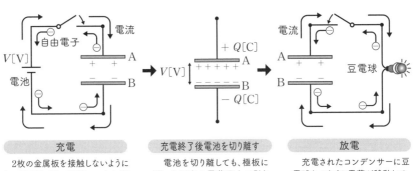

充電	充電終了後電池を切り離す	放電
2枚の金属板を接触しないようにある程度近づけて回路につなぐ。電池に接続すると負極につないだ極板には負電荷がたまり、正極につないだ極板には正電荷がたまる。	電池を切り離しても、極板に残った正負の電荷同士で引き合っているので電荷を蓄えたまま保持できる。	充電されたコンデンサーに豆電球をつなぐと電荷が移動して、豆電球はしばらくの間点灯する。

　ここで出てくる電荷とは、プラスもしくはマイナスに帯電したものがもっている電気の量のことで、記号はQ、単位は [C]（クーロン）で表します。[C]は前節のファラデー定数のところでも出てきましたね。電荷はプラスとマイナスをつける、電気量は絶対値として扱うのでプラスやマイナスの符号はつけないという違いはありますが、ほとんど同じ意味で使われています。

　充電したコンデンサーに豆電球をつなぐことは、電荷という水をためため池に水車をつないで、ため池の水がなくなるまで水車を回すことを意味します。コンデンサーは電池と似ていますが、電池はポンプなので一定の電流を保つことができる、コンデンサーはため池なので電流を一気に流して電荷がなくなったらおしまい、という違いがあるのです。

　コンデンサーが活躍する分かりやすい例がカメラのフラッシュです。フラッシュを点灯させるためにカメラには小指くらいの大きなコンデンサーが

搭載されていて、電荷を大量にためて一度に放電してフラッシュを光らせています。フラッシュを一度光らせると次に光らせるまでに時間がかかるのは、コンデンサーに電荷をためるための時間が必要だからなのです。ただし、先ほどの図の回路でコンデンサーを充電すると、コンデンサーは電池と同じ電圧にしかなりません。そのため、使い捨てカメラは1.5Vの乾電池1本で数百Vの電圧を得るための昇圧回路も使用しています。

　かなり昔の問題ですが、コンデンサーの仕組みを理解するには最適な問題を見つけたので紹介します。

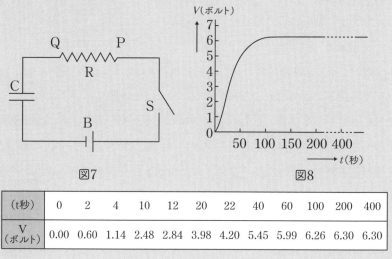

1961年物理第3問より

(1)　つぎの文章の ☐ を埋めるのにもっとも適した数値を，答案用紙に1から10まで番号をつけて記せ。

　図7のような回路をつくり，電池Bにより抵抗Rを通してコンデンサーCを充電した。Cの容量は1.00×10^{-5}ファラッドである。時刻t（スイッチSを閉じた瞬間を$t = 0$秒とする）と，Cの両極間の電位差Vとの関係は測定の結果，次の表のとおりであった。またこの結果を図示すると図8のようになった。

図7

図8

t（秒）	0	2	4	10	12	20	22	40	60	100	200	400
V（ボルト）	0.00	0.60	1.14	2.48	2.84	3.98	4.20	5.45	5.99	6.26	6.30	6.30

Bの起電力Eは^1 [   ] ボルトである。（注意。この値は有効数字3桁
まkeでかけ）

Cに流れ込んだ電気量は

$t=0$秒から2秒までの間では　　　^{2} [   ] クーロン

$t=10$秒から12秒までの間では　　^{3} [   ] クーロン

$t=20$秒から22秒までの間では　　^{4} [   ] クーロン

である。

Rを流れる電流およびRの両端P，Qの間の電位差は，電池の内部抵
抗が無視できるとすれば，

$t=1$秒のとき　　$I_1=$ ^{5} [   ] アンペア，　$V'_1=$ ^{8} [   ] ボルト，

$t=11$秒のとき　$I_2=$ ^{6} [   ] アンペア，　$V'_2=$ ^{9} [   ] ボルト，

$t=21$秒のとき　$I_3=$ ^{7} [   ] アンペア，　$V'_3=$ ^{10} [   ] ボルト

と計算される。

(2)　上の結果を用いて，P，Qの間でオームの法則が成り立っている
　　ことを示せ。

　電池、抵抗、コンデンサーを直列につないでコンデンサーを充電していく
という問題です。コンデンサーを充電する前はコンデンサーの両端の電圧は
0Vですが、200秒以降は6.30Vになっています。この問題の回路では200秒
でコンデンサー（ため池）に電荷（水）がいっぱいにたまると考えることが
できます。

　この問題を解くためには$Q=CV$という公式が必要です。Qは電荷 クーロン[C]、
Vは電圧 ボルト[V]、Cは各コンデンサー固有の電気容量で単位はFです。ため池
に例えるとVがため池の深さ、Qがたまった水の量で、電気容量Cがため池
の直径になります。Vが小さくても、直径が大きい、つまり大きなコンデン
サーを使えばたくさん電荷をためられるのです。コンデンサーには様々な電
気容量のものがあります。この問題では1.00×10^{-5} ファラッド[F]（普通、コンデンサー

の容量はなるべく指数を使わないように 10^{-6} を表す μ を使って μ F の単位
で表します。そのため、このコンデンサーには通常 10μF と記載されていま
す）のコンデンサーを使用していますが、カメラのフラッシュにはその10倍
の容量をもつコンデンサーが使われています。

問題（1）1 コンデンサーを充電していくと、電池の起電力と同じ電圧にな
るまで電流は流れ続けます。コンデンサーの電圧が電池の起電力と同じにな
ると電流は流れない絶縁状態になり、充電完了です。つまり、電圧が変化し
なくなった200秒以降の 6.30V が電池の起電力になります。

2～4 この問題で使用しているコンデンサーの電気容量は 1.00×10^{-5} [F]、
$Q=CV$ ですので、

$^2\boxed{}$ $Q = 1.00 \times 10^{-5}$ [F] $\times (0.60-0)$ [V] $= 6.00 \times 10^{-6}$ [C]

$^3\boxed{}$ $Q = 1.00 \times 10^{-5}$ [F] $\times (2.84-2.48)$ [V] $= 3.60 \times 10^{-6}$ [C]

$^4\boxed{}$ $Q = 1.00 \times 10^{-5}$ [F] $\times (4.20-3.98)$ [V] $= 2.20 \times 10^{-6}$ [C]

と計算できます。

5～10 この回路において抵抗 R とコンデンサーは直列につながれている
ため、電流は抵抗とコンデンサーに同じ量が流れていて、抵抗 R にかかる電
圧 V' とコンデンサーにかかる電圧 V の和が電池の電圧 6.30 V になります。
例えば $t=1$ 秒の時のコンデンサーにかかる電圧 V を求めるには、0 秒の時
と 2 秒の時の数値の和を 2 で割ればよいのです。

以上から、$Q=It$ という公式を利用して以下の解答が得られます。

$^5\boxed{}$ $I_1 = Q/t = 6.00 \times 10^{-6}$ [C] $\div 2$ [秒] $= 3.00 \times 10^{-6}$ [A]

$^6\boxed{}$ $V'_1 = 6.30 - (0.60+0.00) \div 2 = 6.00$ [V]

$^7\boxed{}$ $I_2 = Q/t = 3.60 \times 10^{-6}$ [C] $\div 2$ [秒] $= 1.80 \times 10^{-6}$ [A]

$^8\boxed{}$ $V'_2 = 6.30 - (2.48+2.84) \div 2 = 3.64$ [V]

$^9\boxed{}$ $I_3 = Q/t = 2.20 \times 10^{-6}$ [C] $\div 2$ [秒] $= 1.10 \times 10^{-6}$ [A]

$^{10}\boxed{}$ $V'_3 = 6.30 - (4.20+3.98) \div 2 = 2.21$ [V]

問題（2） $t=1$ 秒のときはオームの法則を用いると、6.00 ［V］$=3.00 \times$ 10^{-6} ［A］ ×抵抗 ［Ω］ より、抵抗の値は 2.00×10^6 ［Ω］ になります。 $t=11$ 秒の時も、21 秒の時も抵抗の値は同じ値になるため、オームの法則が 成り立つことが分かります。

　せっかくですのでコンデンサーの充電過程をもう少し詳しく見ていきま しょう。問題（1）5 〜 10 の解答を見ると、電流が徐々に減っていること が分かります。図8は電圧 V と経過時間 t の関係のグラフですが、$Q=CV$、 $Q=It$ より $CV=It$ なので、$V=\dfrac{It}{C}$ となります。C はコンデンサーの静電容 量で定数なので、このグラフの傾きが I、つまり電流になります。コンデンサー を充電していくと、はじめは大きな電流が流れますが充電が進んでいくと電 流は少なく（傾きは小さく）なっていき、最後は0になります。これを図で 表すと次の図になります。

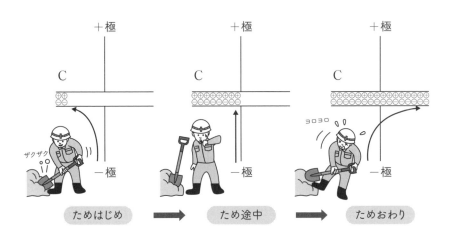

　はじめにコンデンサーが放電しきっていて電荷がゼロのときは電荷を移動 させることは簡単です。しかし、充電が進んでくるとコンデンサーには電荷 がたまっているので、さらに電荷をためようとすると電荷同士の反発がおき て大変です。電荷をためればためるほど反発も大きくなるので、電流はどん

どんどんどん小さくなって最後は0になるのです。

　この問題のようにコンデンサーの充電の過程が出題されることは実は稀で、通常は充電前か充電後が出題されます。そこで、次の2008年の問題を見てみましょう。

2008年物理第2問より

　図2−1のように，電圧を自由に変えられる直流電源とコンデンサー A およびコンデンサー B を直列につなぎ，コンデンサー A と並列にネオンランプをつなぐ。このネオンランプは図2−2に示す電圧 − 電流特性を持ち，端子間にかかる電圧が V_{on} に達すると点灯する。点灯したネオンランプは，電圧が V_{on} を下回っても発光を続けるが，電圧が V_{off} まで下がると消灯する。なお，ネオンランプの電気容量は無視できるものとし，コンデンサー A，B の電気容量をそれぞれ C_A，C_B で表す。

Ⅰ　すべてのコンデンサーを放電させた後，電源電圧 V を 0 から少しずつ上げていくと，ある電圧 V_1 でネオンランプが点灯し，その後，消灯した。以下の問に答えよ。ただし，答は C_A，C_B，V_{on}，V_{off} を用いて表せ。また，ネオンランプが点灯してから消灯するまでの間，電源電圧は一定であるものとしてよい。

(1)　このときの電源電圧 V_1 を求めよ。

(2)　点灯直前にコンデンサー A，B に蓄えられていた静電エネルギーをそれぞれ W_A，W_B とおき，消灯直後にコンデンサー A，B に蓄えられている静電エネルギーをそれぞれ W'_A，W'_B とおく。この間の静電エネルギーの変化 $\Delta W_A = W'_A - W_A$ および $\Delta W_B = W'_B - W_B$ を求めよ。

(3)　電源は，電源内で負極から正極へ電荷を運ぶことにより，ネオンランプおよびコンデンサーにエネルギーを供給している。また，ネ

オンランプが点灯してから消灯するまでの間に電源が運んだ電荷の量は，この間にコンデンサー B に新たに蓄えられた電荷の量と等しい。ネオンランプが点灯してから消灯するまでの間に電源が供給したエネルギー W_E を求めよ。

(4)　点灯してから消灯するまでの間にネオンランプから光や熱として失われたエネルギー W_N を求めよ。

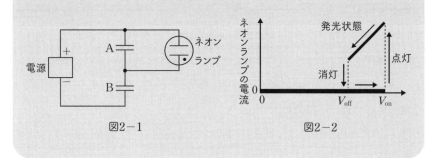

図2−1　　　　　　　　　　図2−2

　ネオンランプですが、最近はLEDライトに押されてお目にかかる機会がすっかり減ってしまいました。LEDは低い電圧で発光させることができる上に指向性（光をまっすぐ決まった方向に放射する性質）も高く、好きな色を出せるので便利ですが、ネオンランプのぼんやりと広がる光は温かみも感じられてファンも多くいます。

　先ほどの1961年の問題を見た後だとなんだか複雑な問題のように感じると思いますが、1961年の問題のコンデンサーの部分に並列にネオンランプをつなげばネオンランプを点滅させる回路を作ることができます。

　この回路は、問題中の図2−2のようにネオンランプは一定の電圧を超えたときに点灯し、その後電圧が低下していっても下限電圧を下回るまでは点灯し続けるという性質を利用してい

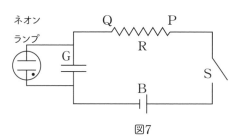

図7

ます。まずスイッチ S を閉じるとコンデンサー C に電荷がたまっていきます。コンデンサーにかかる電圧 V がネオンランプの点灯する電圧 V_{on} を超えるとネオンランプに電流が流れはじめてネオンランプが点灯します。点灯すると、ネオンランプにかかる電圧が下がっていき、V_{off} を下回るとネオンランプは消灯します。その後は再びコンデンサー C が充電されて、V_{on} を超えたところでまたネオンランプがつくために、点滅回路ができるのです。点滅の周期は抵抗値やコンデンサーの容量を変えることで変化させることができます。IC チップやトランジスタを使わなくても、コンデンサーと並列につなぐだけでネオンランプを点滅させることができるのです。ただし、ネオンランプの V_{on} は通常 70V 程度なので、1961 年の問題で使用された 6.30V の電源では点灯させることはできません。

　この 2008 年の問題では、抵抗 R の代わりに別のコンデンサーを入れた回路の問題になっています。この回路を点滅させるには 1 回目の消灯後、電源電圧 V_1 を少し上げなくてはいけなくなりますが、先ほどのコンデンサー 1 つとネオンランプ 1 つを並列につないだ回路では簡単すぎるために、コンデンサーを 2 つ直列につないだ問題にしたのかもしれません。回路図は一見複雑ですが、問題文をよく読んで、いくつかの公式を丁寧に当てはめていけば正解にたどり着くことができます。この問題で求めたいことはずばり（4）ですが、いきなり（4）を求めるのはハードルが高いのでその誘導として（1）〜（3）があるのです。

問題（1）　ネオンランプが点灯するまでは電源の電圧は上昇しているので、コンデンサー A には電荷がたまっていきます。点灯時までにコンデンサー A にたまった電荷を Q_A、コンデンサー B にたまった電荷を Q_B とします。点灯する瞬間まではネオンランプに電流が流れることはないので、問題の図 2−1 は次のように書き換えられます。

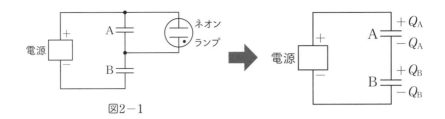

図2-1

　点灯時にネオンランプにかかっている電圧 V_{on} は並列につないであるコンデンサー A にも等しくかかっているので、$Q＝CV$ の公式から $V_{on}＝\dfrac{Q_A}{C_A}$ と表せます。コンデンサー A とコンデンサー B は直列につながっているので、コンデンサー B にかかる電圧を V_B とすると $V_{on}＋V_B＝V_1$ の関係があります。ここまでは大丈夫ですか？　すると、$V_B＝\dfrac{Q_B}{C_B}$ なので、V_1 を求めるには、コンデンサー B が蓄えた電荷 Q_B が分かればよいのです。

　放電された2つのコンデンサー A、B を直列につないで充電したときに蓄えられた電荷 Q_A と Q_B の関係はどうなるのでしょうか。実はこの時は $Q_A＝Q_B$ になってコンデンサー A にも B にも等しい電荷が蓄えられるのです。これはどう考えればいいのでしょうか。コンデンサー A の上の極板に $＋Q$ の電荷が蓄えられたときに下の極板には $－Q$ の電荷が蓄えられています。このときコンデンサー A とコンデンサー B の間のエの形をした金属部分には、もとからプラスの電荷もマイナスの電荷も等しく含まれていて合計が0なので、コンデンサー A の下の極板に蓄えられた $－Q$ の電荷の分だけ $＋Q$ の電荷が発生します。この $＋Q$ の電荷は下の極板にある $－Q$ と反発してなるべく離れようと移動するのでコンデンサー B の上の極板に集まります。以上から $Q_A＝Q_B＝Q$ として、

$$V_{on}＋V_B＝V_1$$
$$V_{on}＋\frac{Q}{C_B}＝V_1$$

さらに $V_{on}＝\dfrac{Q}{C_A}$ より $Q＝V_{on}\times C_A$ なので、これを上の式に代入して

$$V_{on} + V_{on} \times \frac{C_A}{C_B} = V_1 \quad \text{より} \quad V_1 = (1 + \frac{C_A}{C_B}) \ V_{on}$$

が得られます。

問題（2） コンデンサーが蓄えたエネ
ルギーについてはどう考えればいいので
しょうか？ 図の一番単純なコンデンサー
を含む回路で考えてみましょう。

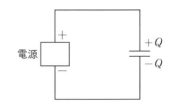

　この回路でコンデンサーが電荷 Q を蓄
えたときに電源がした仕事（＝電源が電荷 Q を送り出したときにした仕事）
とコンデンサーが蓄えたエネルギーを考えてみましょう。ここで「仕事」と「エ
ネルギー」は名前は違いますが、どちらも単位は J なので、本質的には同じ
ものを指していることを思い出してください。第2節で「物体が重力に逆らっ
て持ち上げられると、その物体は位置エネルギーを得た」という言い方をし
ましたね。エネルギーとは仕事をする能力ですので同じ J という単位を使う
のでした。ここは大切なところですのでしっかり押さえましょう。

　では電圧 V の電源が電荷 Q を送り出したときにした仕事について考えてい
きます。電圧の別名は電位差です。例えば冬の乾燥した日にプラスチックの
下敷きで頭をこすると静電気が発生して髪の毛が立ちますよね。プラスチッ
クはマイナスに帯電しやすい素材なので、下敷きはマイナスに帯電し、髪の
毛はプラスに帯電したのです。このとき、髪の毛に近ければ近いほどプラス
の影響を受けます。この影響を受ける場所のことを「電場（電界）」といい、
髪の毛に近いほど「電位が高い」という言い方をします。この知識をもとに
力学分野と電磁気分野での位置エネルギーを比較してみます。

　力学分野では「mg [N] という重さの物体を高さ h [m] まで引き上げたとき、
その物体は mgh [J] という仕事をされて、された仕事の分だけ位置エネルギー
を蓄えた」という言い方をしましたね。これと同じように、電磁気の分野で

も「Q〔C〕の電荷を電位差V〔V〕まで引き上げたとき、その電荷はQV〔J〕という仕事をされて、された仕事の分だけ位置エネルギーを蓄えた」という言い方をします。

　先ほどの静電気で髪の毛が立った例では、プラスに帯電した髪の毛に同じプラスに帯電したものを近づけると、近づければ近づけるほど反発する力も強くなります。近づけるには反発力に逆らって近づけなくてはいけないので、仕事をする必要があるのです。以上から電源が電圧Vで電荷Qを送り出したときの仕事WはQVで表されます。

　では電源がQVの仕事をした（エネルギーを放出した）ときに、コンデンサーはどれくらいのエネルギーを蓄えたのでしょうか。エネルギー保存則から考えると、電源がした仕事と同じQVのエネルギーをコンデンサーは蓄えたように思えますが、これは誤りで、正しくはその半分の$\dfrac{1}{2}QV$です。

　なぜでしょうか。だいぶ前になってしまいますが、175ページの図を見てください。コンデンサーに電荷をくみ上げようと奮闘している人がいますが、この人がした仕事がコンデンサーの蓄えたエネルギーになります。はじめは電圧がかかっていないので楽に電荷を運べますが、最後のほうは電圧がかかっている中で電荷を運ぶので大変です。この最後のほうの仕事ΔWはΔQVとなりますが、はじめの仕事はゼロですので、トータルでは次の図の$V-Q$グラフにおける△OABの面積に等しくなるために$W=\dfrac{1}{2}QV$となるのです。

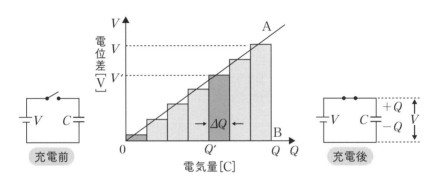

え？ これじゃあエネルギー保存則が成り立ってないって？ 残り半分の $\frac{1}{2}QV$ はどこにいったんだって？ 不思議ですよね。私も不思議だと思って調べましたが、この半分のエネルギーは回路の導線などから熱として失われたそうです。

前置きが長くなってしまいました。問題に行きましょう。コンデンサー A についてネオンランプがつく瞬間にたまっているエネルギーを W_A、消灯した瞬間にたまっているエネルギーを W'_A とすると $W=\frac{1}{2}QV$ ですが、この問題では Q は使えないので $Q=CV$ より、$W=\frac{1}{2}QV$ の Q に CV を代入して

$$W_A = \frac{1}{2}C_A V_{on}^2 \qquad W'_A = \frac{1}{2}C_A V_{off}^2$$

となるので、この差である ΔW_A を求めます。

$$\Delta W_A = W'_A - W_A = -\frac{1}{2}C_A\left(V_{on}^2 - V_{off}^2\right)$$

同様にコンデンサー B についてネオンランプがつく瞬間にたまっているエネルギーを W_B、消灯した瞬間にたまっているエネルギーを W'_B とすると、

$$W_B = \frac{1}{2}C_B(V_1 - V_{on})^2 \qquad W'_B = \frac{1}{2}C_B(V_1 - V_{off})^2$$

となるので、この差である ΔW_B を求めます。

$$\Delta W_B = W'_B - W_B = \frac{1}{2}C_B\{(V_1 - V_{off})^2 - (V_1 - V_{on})^2\}$$

$$= \frac{1}{2}C_B\{(V_1 - V_{off} + V_1 - V_{on}) \times (V_1 - V_{off} - V_1 + V_{on})\}$$

$$= \frac{1}{2}C_B(2V_1 - V_{on} - V_{off}) \times (V_{on} - V_{off})$$

(1) の解答から $V_1 = (1 + \dfrac{C_A}{C_B})V_{on}$ なので、

これも V_1 に代入して

$$= \frac{1}{2} C_\mathrm{B} \{ 2 \; (1 + \frac{C_\mathrm{A}}{C_\mathrm{B}}) \; V_\mathrm{on} - V_\mathrm{on} - V_\mathrm{off} \} \times (V_\mathrm{on} - V_\mathrm{off})$$

$$= \frac{1}{2} C_\mathrm{B} \{ (1 + \frac{2C_\mathrm{A}}{C_\mathrm{B}}) \; V_\mathrm{on} - V_\mathrm{off}) \times (V_\mathrm{on} - V_\mathrm{off})$$

$$= \frac{1}{2} \{ 2C_\mathrm{A} \; V_\mathrm{on} + C_\mathrm{B} \; (V_\mathrm{on} - V_\mathrm{off}) \} \times (V_\mathrm{on} - V_\mathrm{off})$$

問題（3） 電源の負極はコンデンサー B の下側の電極とつながっているので、ネオンランプが点灯から消灯までに電源が供給した分の電荷をコンデンサー B が新たにためたことになります。これを ΔQ_B とすると、

$$\Delta Q_\mathrm{B} = C_\mathrm{B} (V_1 - V_\mathrm{off}) - C_\mathrm{B} (V_1 - V_\mathrm{on})$$
$$= C_\mathrm{B} (V_\mathrm{on} - V_\mathrm{off})$$

となります。この間に電源が供給したエネルギーは $W_\mathrm{E} = \Delta Q_\mathrm{B} V_1$ で表され、ΔQ_B に $C_\mathrm{B} (V_\mathrm{on} - V_\mathrm{off})$、$V_1$ に問題（1）で求めた $(1 + \frac{C_\mathrm{A}}{C_\mathrm{B}}) V_\mathrm{on}$ を代入すると解答が求められます。

$$W_\mathrm{E} = \Delta Q_\mathrm{B} V_1 = C_\mathrm{B} (V_\mathrm{on} - V_\mathrm{off}) \times (1 + \frac{C_\mathrm{A}}{C_\mathrm{B}}) V_\mathrm{on}$$
$$= (C_\mathrm{A} + C_\mathrm{B}) (V_\mathrm{on} - V_\mathrm{off}) V_\mathrm{on}$$

問題（4） この問題はこれを求めるために（1）〜（3）まで計算をしたと言えます。（3）で求めた W_E が電源が供給したエネルギー、ΔW_A と ΔW_B が点灯前後のコンデンサーの静電エネルギーの差なので、$W_\mathrm{E} - (\Delta W_\mathrm{A} + \Delta W_\mathrm{B})$ の計算をすれば W_N が求められます。これらは（2）と（3）で求めたので代入するだけで解答が得られます。

$$W_\mathrm{N} = W_\mathrm{E} - (\Delta W_\mathrm{A} + \Delta W_\mathrm{B})$$
$$= \frac{1}{2} (C_\mathrm{A} + C_\mathrm{B}) (V_\mathrm{on}^2 - V_\mathrm{off}^2)$$

この時点でネオンランプは消灯したわけですが、さらに電圧を上げていくと再びネオンランプは点灯し、また消灯します。そしてまた電圧を上げていくとネオンランプは点灯し、消灯します。つまり、ネオンランプは点滅するのです。ただし、この方法では電源の電圧がどんどん上がるので回路にも負担をかけますし、コンデンサーにかけられる電圧には限界があるので、コンデンサー B が壊れてしまいます。そこでコンデンサー B を抵抗に変えた 177 ページのような回路を組めば一定電圧でネオンランプを点滅させることできるのです。

　今回みなさんに紹介した問題は 2008 年の問題でしたが、2 年前の 2006 年には 9V の角型乾電池を使ってネオンランプを点灯させる問題が出題されました。すでに説明した通り、ネオンランプを点灯させるには最低でも 70V 程度の電圧が必要なので、ただ乾電池につないでもネオンランプは点灯しません。しかし、ネオンランプと並列にコイルをつなぐと、回路に電流を流して、切る瞬間にネオンランプが一瞬点灯するのです。回路中にコイルが組み込まれていると、スイッチを入れたり切ったりするときにコイルには自己誘導が生じます。自己誘導とは、コイルにおきた変化をコイル自身で妨げる現象のことで、流れている電流を切る瞬間には電流が流れなくなる変化を妨げようとしてほんの一瞬だけ大きな電圧が得られるためにネオンランプが点灯するのです。2008 年の問題では、コイルのはたらきや流れる電流、ネオンランプにはたらく電圧（問題で与えられた条件で計算すると、ネオンランプにかかる電圧は 103V となって点灯させることができる）などをスイッチ操作に沿って答えていく内容でした。ネオンランプは教科書には出てこないので、2006 年の受験生は戸惑ったと思いますが、2008 年の受験生は過去問を解いていれば落ち着いて対応できたのではないでしょうか。

身近な IH クッキングヒーターの発熱メカニズムはこうなっているんだ、というメッセージです

● 1985年物理第3問

　みなさんのうちの台所はガスですか？ IHですか？ 現在IHの普及率は20％くらいなのでほとんどの人はガスだと思います。ですが、IHは火を使わないのでまわりのものに引火する恐れがないというメリットがあります。でもなぜIHは火を使わないのに加熱することができるのでしょうか。そのメカニズムを1から学べるのがこの問題です。

1985年物理第3問より

　質量 M [kg] の銅の塊がある。これを針金や円板にして電気的性質その他を調べた。以下の設問に答えよ。ただし銅の密度を D [kg/m³]，電気抵抗率を ρ [Ω・m] とする。

Ⅰ　与えられた銅の塊全部を延ばして，長さ l [m] の一様な太さの細い針金にした。この針金に I [A] の電流を流すとき，両端に現れる電位差を求めよ。

Ⅱ　設問Ⅰの針金を丸く曲げて両端を接続し，均一な円形の輪を作る（図3−1）。この輪の面に垂直に一様な磁界を加え，この磁界の磁束密度 B [Wb/m²] を時間的に一定の割合 K [Wb/m²・s] で増加させる。こ

のとき，輪に流れる電流の向きとこの電流による磁力線の様子を簡単に図示せよ。また，この電流の大きさを求めよ。

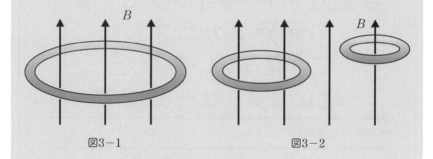

図3−1　　　　　　　　図3−2

III 設問 I の針金を質量 m_1 [kg] と m_2 [kg] の 2 本の針金に切断し，設問 II の場合と同じようにして円形の輪を 2 個作る（図3−2）。$m_1 + m_2 = M$ である。一様な磁界の中に 2 個の輪を輪の面が磁界に垂直になるようにおき，設問 II と同様にこの磁界の強さを変化させる。このときそれぞれの輪に流れる電流の大きさの和を求めよ。また質量 m_1 の輪に，単位時間，単位長さあたりに発生するジュール熱 Q_1 [J/m・s] と，同じく質量 m_2 の輪に発生する熱 Q_2 [J/m・s] との比を求めよ。

IV 最初の銅の塊全部を使って厚さ d [m] の薄い円板を作り，設問 II，III と同様に一様な磁界を円板に垂直にかけその強さをやはり一定の割合 K で変化させる（図3−3）。このとき円板内に流れる電流および熱の流れの様子を図示せよ。ま

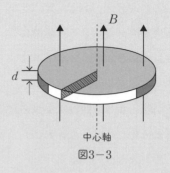

中心軸
図3−3

た，円板の中心軸を含む断面（図3−3に斜線で示した部分）を通過する全電流の大きさを求めよ。

Ⅰ　与えられた銅の質量 M [kg]、密度 D [kg/m³]、電気抵抗率 ρ [Ω・m]、長さ l [m]、電流 I [A] を使って電位差 V [V] を求める問題です。電気抵抗率は初見ですので解説します。物質の電気抵抗は材質の違いに大きく影響を受けますが、形によっても大きく影響を受けます。次の式①を見てください。

$$R = \rho \frac{l}{S} \qquad \cdots ①$$

　R が抵抗 [Ω] を表していて、ρ [Ω・m] が電気抵抗率です。電気抵抗率は材質によって決まっています。

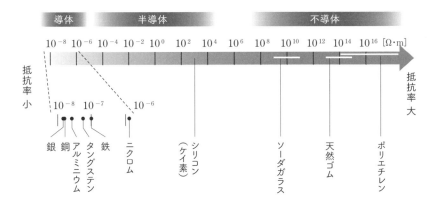

　この式に出てくる l [m] は抵抗の長さで、S [m²] は抵抗の断面積です。抵抗の大きさは、長さ l [m] に比例し、断面積 S [m²] に反比例することがこの式から分かります。これは電流を水道の流れに例えて、導線を水道管に例えると、水道管が長くなると水は流れにくくなり（抵抗が大きくなって電流が流れにくくなる）、水道管が太くなると水は流れやすくなる（抵抗が小さくなって電流が流れやすくなる）と考えるとよいですね。

　抵抗率が大きいほど電流が流れにくい物質、いわゆる絶縁体です。この問題では銅がとり上げられていますが、銅の電気抵抗率は 1.55×10^{-8} [Ω・m] で電気をよく通す導体です。一般的に金属は導体ですが、中でも一番電気を通しやすい、つまり小さな電気伝導率をもつ金属は銀です。ただ銀は身のま

わりの導線に使うには高価すぎるので銅が使われています。

　では問題Ⅰを考えていきましょう。オームの法則から、電圧 V [V] ＝電流 I [A] ×抵抗 R [Ω] の関係があるので電位差（＝電圧）を求めるにはこの細い針金の抵抗を求めればOKです。

　与えられたデータは質量 M [kg]、密度 D [kg/m³]、電気抵抗率 ρ [Ω・m]、長さ l [m] ですが、①式と比べると針金の断面積 S [m²] が与えられていませんので、まずはここを考えます。長さ l [m]、断面積 S [m²] の針金の体積は Sl [m³] で、これに密度をかけたものが質量になります（Sl [m³] × D [kg/m³] ＝ M [kg]）。つまり断面積 S [m²] ＝ M/Dl になりますね。式①に与えられたデータを代入すると、抵抗 R [Ω] が表せます。

$$R= \rho \frac{1}{S}$$

$$R= \rho \frac{l}{\dfrac{M}{lD}} = \rho \frac{Dl^2}{M}$$

　この R をオームの法則に代入すると、電位差 V [V] が以下の式で表せます。これが解答です。

$$V=IR= \rho \frac{IDl^2}{M}$$

Ⅱ　この問題から物理らしくなってきます。まず磁束密度 B [Wb/m²] について解説が必要ですね。私たちは普段「この磁石はネオジム磁石なので磁力が強い」などと磁力について強い、弱いで表現しますが、これを定量的に表すのに物理では Wb（ウェーバー）という単位を使った磁束密度 [Wb/m²] で表します（[Wb/m²] を1文字で表した [T]（テスラ）もよく使われます）。例えば方位磁針を用いると、N極が北、S極が南を指します。これは地球が北極を S極、南極を N極とした一つの磁石になっているからですが、このときの地磁気の強さ（＝磁束密度の大きさ）は東京付近では 4.6×10^{-5} [Wb/m²]（＝46000 nT（ナノテスラ））です。かなり小さいですね。では1cm のサイコロ型のネオジム磁石の磁力の強さは

どれくらいでしょうか。このネオジム磁石表面の磁束密度は$0.490\,[\mathrm{Wb/m^2}]$（＝490mT）ですので、磁石にピッタリ鉄をくっつけたときには3.6kgまでの鉄を持ち上げることができます。かなり強力な磁力をもっていることが分かりますね。

　さて、磁力が発生している場所のことを磁場あるいは磁界といいますが、磁石がなくても電流を流せば磁場を得ることができます。このことにはじめて気づいたのは1820年、デンマークの科学者エルステッドでした。彼は電流が流れる導線の近くに置かれた方位磁針が大きく振れるのを偶然発見しました。それまでは電気と磁気は独立していると考えられていましたので、この発見は電気と磁気をつなげる重要なものでした。みなさんも中学生のときに図のような、教科書のイラストを見たことがありませんか？　これは、直線電流が作る磁場や、コイルに流れる電流が作る磁場についてのものでした。ポイントはその場所での磁力の大きさを磁力線の密度で表し、磁場にN極を置いたときにN極が受ける力の方向を磁場の向きと定義して磁力線の矢印の向きで表すことでした。

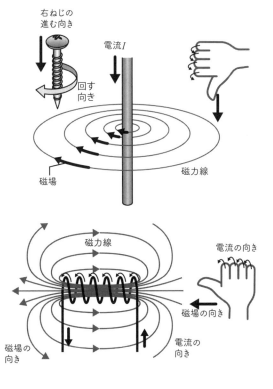

上の図のように1本の導線に電流を流したときにできる磁場の向き、下の図のようにコイルに電流を流したときにできる磁場の方向はどちらも右手を使うと間違いなく表せます。これを右ねじの法則といいます。電気と磁気の関係の学習ではよく出てきますので覚えておいて損はないでしょう。

　さて、エルステッドの実験を知ったファラデーは「電流が磁場を発生させて近くに置いた磁石に力を及ぼすなら、逆に磁場が電流に力を及ぼすのではないか」と考えました。今では誰でも知っていることでも、はじめに考えつくのがファラデーのすごいところです。まさにコロンブスの卵ですね。みなさんが中学で学ぶフレミング左手の法則（次の図の左）、モーター（図の右）はエルステッドとファラデーの成果に基づいたものなのです。

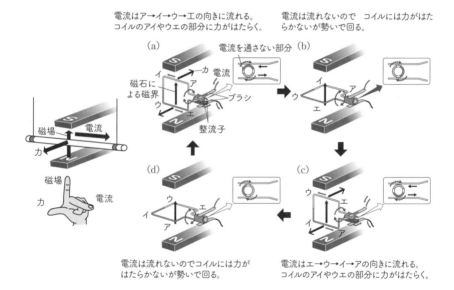

電流はア→イ→ウ→エの向きに流れる。
コイルのアイやウエの部分に力がはたらく。

電流は流れないので　コイルには力がはたらかないが勢いで回る。

電流は流れないのでコイルには力がはたらかないが勢いで回る。

電流はエ→ウ→イ→アの向きに流れる。
コイルのアイやウエの部分に力がはたらく。

　そして1831年に、ファラデーはこの問題で使用する電磁誘導の法則を発表します。導線に流す電流の大きさを変化させると磁場の強さも変わるのだから、導線のまわりの磁場の強さを変化させたら導線を流れる電流の大きさも変わるのではないか。そう言われればその通りですが、それを思いつき、実

験で証明したファラデーはやはり非凡だと言えます。電磁誘導の法則は次の図のように、磁石をコイルに近づけたり遠ざけたりするとコイルに電流が流れるという法則です。

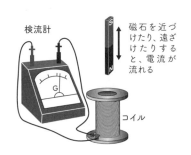

電磁誘導によって生じる起電力を誘導起電力、その起電力によって流れる電流を誘導電流といいます。この問題で聞かれている電流とは、誘導電流のことですね。

この問題では誘導電流の向きも答えなくてはいけません。次の左の図のコイルに発生する誘導電流の向きは「磁界の変化を妨げる方向の磁界を作る誘導電流が流れる」というレンツの法則をもとに考えます。レンツの法則を図に示しました。

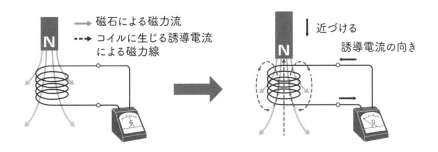

コイルに生じる誘導起電力の大きさは、磁石を速く動かすほど大きくなります。つまり、誘導起電力の大きさ V [V] はコイルを貫く磁束 Φ [Wb] の単位時間当たりの変化 $\dfrac{\Delta \Phi}{\Delta t}$ に比例します。さらに N 回巻いたコイルでは誘導起電力は N 倍になるので、次の式で表されます。この式をファラデーの電磁誘導の法則といいます。

$$V = N \frac{\Delta \Phi}{\Delta t}$$

では問題Ⅱを考えていきます。図3−1を見ると磁束密度は上向きに増加し

ていることが分かります。このとき流れる誘導電流の向きは、磁束密度の増加を妨げる方向、つまり下向きに磁束ができる方向になるので、図のように誘導電流は上から見て時計回りに流れます。

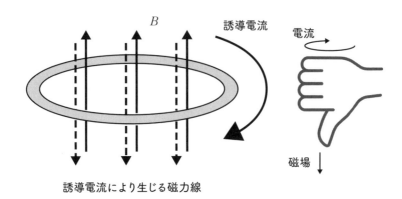

誘導電流により生じる磁力線

　このときの電流の大きさが問われています。問題Ⅰで、このコイルの抵抗を $R = \rho \dfrac{Dl^2}{M}$ と求めましたので、誘導起電力 V が分かれば電流が求められます。ファラデーの電磁誘導の法則の式から V を求めるには $N=1$、$\dfrac{\Delta \Phi}{\Delta t}$ [Wb/s] は磁束密度の単位時間当たりの増加量 K [Wb/m²・s] にコイルの面積をかければ求められます。円周が l [m] のコイルの面積は半径を r [m] とすると $2\pi r = l$、$r = \dfrac{l}{2\pi}$ となるので、その面積は $\pi r^2 = \pi \left(\dfrac{l}{2\pi} \right)^2 = \dfrac{l^2}{4\pi}$ [m²] になります。よって誘導起電力 V [V] は $\dfrac{Kl^2}{4\pi}$ [V] になります。

　これをオームの法則 I [A] $= V$ [V] $/R$ [Ω] に当てはめて、誘導電流 I [A] は以下のように求められます。

$$I = \frac{\dfrac{Kl^2}{4\pi}}{\rho \dfrac{Dl^2}{M}} = \frac{KM}{4\pi\rho D}$$

Ⅲ　問題**Ⅱ**から誘導電流の大きさはコイルの質量に比例し、直径は関係ない

ということが分かりました。つまり、2個の輪に流れる誘導電流 i_1、i_2 はそれぞれ以下のようになります。

$$i_1 = \frac{Km_1}{4\pi\rho D}、i_2 = \frac{Km_2}{4\pi\rho D}$$

よって、電流の和は $i_1 + i_2 = \frac{Km_1}{4\pi\rho D} + \frac{Km_2}{4\pi\rho D} = \frac{KM}{4\pi\rho D}$ になって**Ⅱ**の解答と変わらないという結果になります。

次は、電流による発熱について問われています。まず基本的な式として、$R\,[\Omega]$ の抵抗に電圧 $V\,[\mathrm{V}]$ をかけて $I\,[\mathrm{A}]$ の電流を $t\,[\mathrm{s}]$ の間流したときに発生する熱量 $Q\,[\mathrm{J}]$ は、

$$Q = VIt = RI^2\,t = \frac{V^2}{R}\,t$$

と表されます。これをジュールの法則といいます。この式の $RI^2 t$ に着目しましょう。発生する熱量は抵抗 R と時間 t が同じなら、電流の2乗に影響を受けるということですね。この問題では「単位時間、単位長さあたりに発生するジュール熱」を比較しています。同じ導線を使っている以上、抵抗はどちらのコイルも同じです。すると発熱量は電流の2乗に比例することになります。よって、以下の式のように発熱量は各コイルの質量の2乗の比になります。

$$Q_1 : Q_2 = i_1{}^2 : i_2{}^2 = \left(\frac{Km_1}{4\pi\rho D}\right)^2 : \left(\frac{Km_2}{4\pi\rho D}\right)^2 = m_1{}^2 : m_2{}^2$$

Ⅳ この問題は銅のかたまりを針金型ではなく、円盤型にして電流を流すというものです。円盤は同心円状のリングが多数集まったものと考えることができるので、**Ⅱ**を参考にするとそれぞれのリングに流れる電流は各リングの質量に比例するので、その和は結局**Ⅱ**の解答と同じ $\frac{KM}{4\pi\rho D}$ となり、その向きは円盤の上から見て時計回りになります（次の図左）。そして発熱量は各コイルの質量の2乗に比例するので、外側のほうが大きくなり、熱は円盤の外側から内側に向かって流れます（次の図右）。

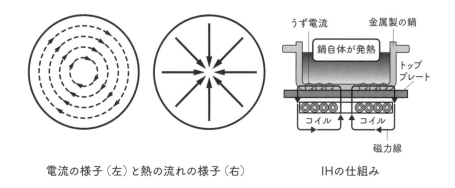

電流の様子（左）と熱の流れの様子（右）　　　IHの仕組み

　IHクッキングヒーターの中にも大きなコイルが入っていて、このコイルに
高周波の電流を流すことで鍋底を流れる電流を変化させて鍋を加熱する仕組
みです。高周波というのは電流を流したり、切ったりするのをすごい速さで
行なうことです。鍋に電流を流すには鍋を貫く磁場を変化させなければいけ
ないので、IHクッキングヒーターのコイルに流す電流も高頻度で変化させ
なければいけません。そのために電流を高頻度で切ったり流したりする高周
波の電流が必要になります。もともとコンセントから流れてくる電流は交流
で、東日本では50Hz（1秒間に50回電流の流れる向きが変わる）、西日本で
は60Hz（1秒間に60回電流が流れる向きが変わる）ですが、鍋を加熱する
にはそれでは足りないためにインバーターという装置を使って20000Hz程度
の高周波の電流を取り出しています。ただ、これでは鉄製の鍋は加熱できて
も抵抗率の小さい銅やアルミの鍋は加熱できませんでした。そこで周波数を
60000Hz程度にまで高めたIHクッキングヒーターが開発され、すべての金
属製の調理器具に使用できるようになりました。
　この問題が出題された1985年はIHの普及率は0でしたので日常生活との
つながりを意識するのは難しかったと思いますが、今になって改めて解いて
みるとIHの原理がよく分かって感慨深いですね。

第 5 章

地球科学に
まつわる問題

地震や火山の噴火は日本列島に住んでいる私たちにとっ

て避けられない災害ですが、世界には地震や火山が一

切存在しない国もたくさんあります。その理由について知る

ことは、実は地球の歴史を知ることにつながります。地学の

知識だけではなく、物理や化学の知識も動員して地球の

歴史を学ぶことで、地球科学に興味をもってもらえればう

れしいです。

入試では出題頻度の低い原子核と放射線ですが、こんなに面白い問題があるのです

● 1995年物理第3問 ● 2013年化学第2問 ● 1978年地学第2問

物理は力学、電磁気、波（光、音）、熱力学、原子が5大学習分野です。東大の入試では力学と電磁気から一問ずつ必ず出題され、もう一問は波か熱力学からが普通ですが、たまに原子から出題されると静かにしなければいけない入試会場でどよめきがおこるそうです。最近では2005年、1995年、1989年に出題されましたが、ここでは、1995年の出題を見てみます。放射性同位体に関しては、2013年の化学、1978年の地学にも出題されていますので、併せて見ていきましょう。

1995年物理第3問より

炭素の原子番号は6であるが、自然界には質量数が12の$^{12}_{6}$Cと質量数が13の$^{13}_{6}$Cの2種類の安定な同位体が存在する。このほかに質量数の14の$^{14}_{6}$Cがごく微量あるが、これは放射性の同位体で半減期5730年でβ崩壊をする。$^{14}_{6}$Cは宇宙線によって作られるが、作られる量とβ崩壊によって失われる量がつりあっていて、大気中に場所によらず一定の割合で含まれている。この割合は全炭素原子数の10^{-12}程度であり、大気中の炭素1g当り毎分15.3個のβ崩壊が起こる量に相当する。この割合は昔も今も同じであると考えられている。生きている植物は光合成により大気から常に炭素を取り込んでいる。この炭素は食物連鎖によって動物に

も取り込まれる。したがって，$^{14}_{6}$C は生きている生物体にも大気中と同じ割合で常に存在することになる。生物が死ぬと，その時点から $^{14}_{6}$C を新しく取り込めなくなるので，生物体内における $^{14}_{6}$C の割合は $^{14}_{6}$C の半減期に従って減少する。以下の設問に答えよ。（※問題Ⅳ、Ⅴは省略した）

とてもよくできた問題文で補足の必要はないかもしれませんが、問題文を図にまとめると次のようになります。

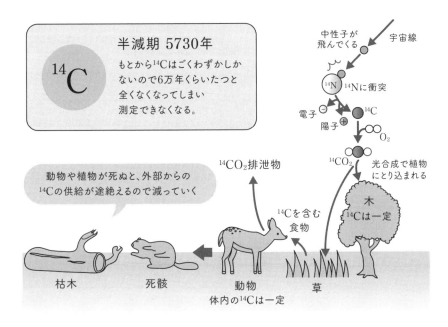

地中から生物の遺骸が発見されたときに、どれくらい $^{14}_{6}$C が減っているかを調べると、その生物がいつ死んだのかが分かるのです。この方法が開発されたことで、従来は地層の層序や文献から推定するしかなかった年代の測定精度が飛躍的に上がったのです。この方法を開発したアメリカのウィラード・リビーは1960年にノーベル化学賞を受賞しています。ノーベル賞受賞も納得ですね。

さて、$^{14}_{6}$C などの放射性同位体の原子核が崩壊するときには放射線を出し

ます。放射線には α 線、 β 線、 γ 線の3種類があって、簡単にまとめると表のようになります。

表 α 線、 β 線、 γ 線の違い

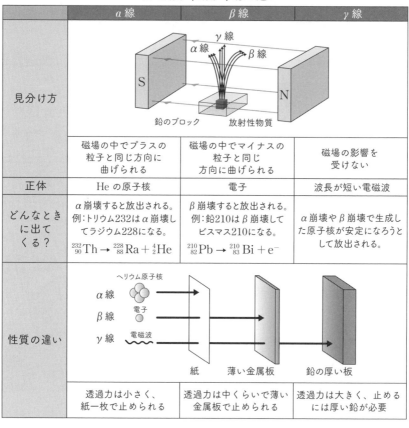

	α 線	β 線	γ 線
見分け方	磁場の中でプラスの粒子と同じ方向に曲げられる	磁場の中でマイナスの粒子と同じ方向に曲げられる	磁場の影響を受けない
正体	He の原子核	電子	波長が短い電磁波
どんなときに出てくる？	α 崩壊すると放出される。例：トリウム232は α 崩壊してラジウム228になる。 $^{232}_{90}\text{Th} \rightarrow {}^{228}_{88}\text{Ra} + {}^{4}_{2}\text{He}$	β 崩壊すると放出される。例：鉛210は β 崩壊してビスマス210になる。 $^{210}_{82}\text{Pb} \rightarrow {}^{210}_{83}\text{Bi} + \text{e}^-$	α 崩壊や β 崩壊で生成した原子核が安定になろうとして放出される。
性質の違い	透過力は小さく、紙一枚で止められる	透過力は中くらいで薄い金属板で止められる	透過力は大きく、止めるには厚い鉛が必要

> **I** $^{14}_{6}\text{C}$ が β 崩壊してできる原子核の原子番号と質量数はそれぞれいくらか。

　表から解答は、 $^{14}_{6}\text{C} \rightarrow {}^{14}_{7}\text{N} + \text{e}^-$ より、窒素ができるので原子番号が7、質量数が14になります。 β 崩壊では原子核中の中性子1個が陽子と電子に変わるので、質量数は変わらず、原子番号は1つ増えることがポイントです。

　続いて、実際に半減期を使って年代の計算をする問題が続きます。

Ⅱ　ある古い生物の死体に含まれる炭素を調べてみると，炭素1g当り毎分 1.7 個の ${}^{14}_{6}\mathrm{C}$ の β 崩壊が起きている。この生物体中の総炭素原子核数に占める ${}^{14}_{6}\mathrm{C}$ の数の割合は，大気中での割合と比べて何％になっているか。

Ⅲ　この生物はおよそ何年前に死んだものか。図 3 に関数 $y=\left(\dfrac{1}{2}\right)^{x}$ のグラフを示す。このグラフから必要に応じて数値を読み取ってよい。

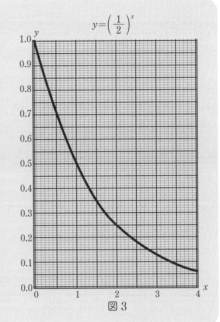

$$y=\left(\frac{1}{2}\right)^{x}$$

図 3

Ⅱは簡単ですね。単なる割り算です。大気中では 1 g あたり毎分 15.3 個の β 崩壊がおきていて，古い生物の死体中では 1.7 個の β 崩壊が起きているので，$1.7 \div 15.3 = 0.11111\cdots$ より，この死体中では ${}^{14}_{6}\mathrm{C}$ は大気中の 11.1％になっています。これが解答です。

次の Ⅲ で ${}^{14}_{6}\mathrm{C}$ が β 崩壊していって大気中の 11.1％になる時間を求めるわけですが，その前に半減期という言葉の意味について確認しておきましょう。半減期が 5730 年の ${}^{14}_{6}\mathrm{C}$ は大気中では 1 g あたり，15.3 個の β 崩壊をおこしているということは，新しい ${}^{14}_{6}\mathrm{C}$ の供給がない場合，5730 年後は ${}^{14}_{6}\mathrm{C}$ はもとの数の半分になっているので，β 崩壊する原子の数も半分になり，$15.3 \div 2$ で 7.65 個になっているということです。では，5730 年の 2 倍の 11460 年後はどうでしょうか。このときは $15.3 \div 2 \div 2$ で 3.83 個が β 崩壊しています。つまり，スタートから 5730 年経つたびに ${}^{14}_{6}\mathrm{C}$ は半分ずつになっていくので β 崩壊する ${}^{14}_{6}\mathrm{C}$ の数も半分になるのです。5730 年の 10 倍の 57300 年経つと，${}^{14}_{6}\mathrm{C}$ ははじ

めの1/1024まで減少してしまい、もとからごく微量しか含まれていない$^{14}_{6}$C
のβ崩壊で放出される放射線を測定することが困難になってしまうため、こ
れくらいの古さがこの方法で年代を決められる限界になります。

以上を踏まえて**Ⅲ**を解いてみましょう。**Ⅲ**は、**Ⅱ**で求めた$^{14}_{6}$Cがスタートの
11.1％になるのは何年後かという問題です。5730×3＝17190年後で（1/2）³
＝1/8、つまりスタートの12.5％になり、さらに5730年経った22920年後に
はその半分の6.25％になります。解答はこの間にありそうですので、ここで
図3のグラフを使います。yが0.11になるxを読み取ると、約3.2ですので、
5730×3.2＝18336となり、有効数字を2桁にして$1.8×10^4$年前に死んだと
いう解答が出てくるのです。

半減期の問題は物理以外でも化学と地学で出題されています。化学では
2013年に色々な元素について問う問題の一部として出題されました。

2013 年化学第 2 問より

生物や化石燃料の主要構成元素である炭素の同位体のうち，質量数
　　f　　の同位体は，半減期（半分が放射壊変して別の同位体に変化する
のに要する時間）が5730年の放射性同位体で，考古学試料などの年代測
定に用いられている。大気中の二酸化炭素に含まれる放射性炭素の比率
はほぼ一定であるが，④地球に到達する宇宙線強度の変化，化石燃料の
使用，1945年以降の核実験の影響などによって変動してきた。

サ　下線部④の影響により，大気中の二酸化炭素に含まれる放射性炭素
の比率は変動してきた。宇宙線強度の増加，および化石燃料の使用は，
放射性炭素の比率を増加させるか，減少させるか。それぞれについて
記せ。

この節に最初に出てきた$^{14}_{6}$Cがどのようにして生成するかを示した図を見

てください。宇宙線強度が増加すると、飛んでくる中性子の量が増えるため、$^{14}_{6}C$の比率も増加します。化石燃料を使用するとどうでしょうか。化石燃料は太古の生物の遺骸からできていると考えられており、そこに含まれる炭素原子中の$^{14}_{6}C$はすでに崩壊しつくしていると推定されます。すると化石燃料を使用して$^{14}_{6}C$が含まれないCO_2を放出すると、大気中の$^{14}_{6}C$の比率は減少することになります。

　なお、この問題では下線部から外れていて問われていませんが、第二次世界大戦後に各国が行なった核実験の影響はとても大きく、核爆発で生成した大量の$^{14}_{6}C$が大気中にばらまかれて、それまでに一定だった$^{14}_{6}C$濃度を2倍に押し上げたと言われています。以上のように、大気中の$^{14}_{6}C$濃度は変動しているため、$^{14}_{6}C$を用いた年代測定ではこれらの影響を補正して行なわれています。

　かなり前になりますが、地学でも放射性同位体の問題が出題されています。このときは、半減期が45.1億年ととても長い放射性同位体の^{238}Uがテーマでした。^{238}Uはα崩壊を8回、β崩壊を6回行なって最終的に^{206}Pbになります。問題を見てみましょう。

1978 年地学第 2 問 II より

　ウランの同位元素^{238}Uは45.1億年の半減期で崩壊し、鉛の同位元素のひとつ^{206}Pbに変わっていく。これに対し鉛の別の同位元素^{204}Pbは崩壊によって増減することはない。したがって岩石・鉱物の中におけるこれらの原子数比である$^{238}U/^{204}Pb$や$^{206}Pb/^{204}Pb$は、地球や地殻の年齢決定に重要な手がかりとなる。

（注）半減期が45.1億年の同位元素は、時間の経過につれて下表のfのように減っていく。

時間(億年)	0	20	40	60	80
f	1.00	0.74	0.54	0.40	0.29

以上に基づき、次の問い（a）から（d）に答えよ。

(a) 時間 $t = 0$ において，$^{238}U/^{204}Pb = 30$，$^{206}Pb/^{204}Pb = 0$ の均質な試料があったとする。それから $t = 80$ 億年にいたる間，原子数比 $^{206}Pb/^{204}Pb$ はどのように変化していくか。その様子をグラフで示せ。ただし，縦軸に原子数比，横軸に時間をとれ。

(b) この試料の $^{206}Pb/^{204}Pb$ が 20 になる時間はおよそ何億年であるか。上記グラフにおいて曲線上のその位置を○印で囲み，記号 t_A とともにその年数値を付記せよ。

(c) 時間経過の途中 t_B において，試料の一部はある作用を受けて，ウランを含まない鉛鉱物が形成されたものとする。その後，時間 t_A にいたる間，この鉱物における原子数比 $^{206}Pb/^{204}Pb$ はどうなっていくか。時間 t_A においてはその比が $^{206}Pb/^{204}Pb = 10$ となっているものとして，そのようすを上記グラフに描き加えよ。さらに，上記の鉱物形成の時期に対応する曲線上の位置を○印で囲み，記号 t_B とともにその年数値を付記せよ。

（a）の問題は単なる作業ですが、$^{238}U/^{204}Pb$ の減少していくグラフではなく、わざわざひと手間の計算をして $^{206}Pb/^{204}Pb$ の増加していくグラフにしているのは理由があります。地球ができてから岩石や鉱物は熱や圧力の影響を大きく受けています。そのため、U と Pb という異なる元素のグラフにすると、外部の影響を受けたときの流出や流入の挙動が異なるために、誤差が大きくなってしまう可能性があるのです。しかし、^{206}Pb と ^{204}Pb は質量数がわずかに異なるだけの同位体で、同じ元素ですので挙動も同じとみなせます。これが問題（a）で $^{238}U/^{204}Pb$ ではなく、$^{206}Pb/^{204}Pb$ をグラフにする理由なのです。

問題文の表で与えられた f の数値を用いて、$^{206}Pb/^{204}Pb = 30 \times (1 - f)$ で計算した値を縦軸にとり、時間を横軸にとるとグラフは以下のようになります。グラフさえ描ければ（b）と（c）は簡単ですね、グラフに（b）と（c）の解答を示しておきました。

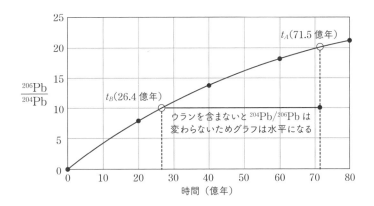

このグラフを描くにあたっては、各数値を電卓で計算しましたが、入試で
は電卓は持ち込めません。そのため手描きのグラフから求めることになりま
すので、71±2億年、26±2億年くらいは許容範囲なのではないでしょうか。

以上を踏まえたまとめの問題が（d）です。

（d）　以上の考えを地球や地殻の年齢決定に応用する場合，$t=0$ および
t_B はどのような地学的意味をもつかを，100字以内で説明せよ。ただし，
現在は t_A にあたるものとする。

地球の年齢は大体45億歳くらいだと考えられていますが、t_A-t_B は71.5−
26.4＝45.1［億年］なので、だいたい地球の年齢になっています。これがポ
イントです。だとすると、$t=0$は宇宙のどこかで^{238}Uが形成された時期を表
すことになりますね。超新星爆発（詳しくは第26節で）で^{238}Uが形成されて
から地球ができるまで、^{238}Uは宇宙を26.4億年漂っていたことになります。

次にt_Bの地学的意味をt_Aと併せて考えていきましょう。現在地球の各地で
採集した岩石や鉱物の試料中の^{206}Pb/^{204}Pbを分析して、形成された年代を推
定すると問題文の通りだいたいt_Aの数値になっています。そして宇宙から飛
来する隕石の^{206}Pb/^{204}Pbを分析すると同様に形成年代はだいたいt_Bになって

いるのです。隕石中の^{206}Pb/^{204}Pbは地球誕生時の数値と考えられるので、地球の年齢も$t_A - t_B$で求められるのです。え？ なんで隕石中の^{206}Pb/^{204}Pbが地球誕生時の数値かって？ いい質問ですね。私も疑問に思って調べました。まず隕石は地球ができた（どろどろのマグマが固まって固体の地球になった）ときほぼ同じ時期に固まったと考えられています。そして隕石中の鉱物にはUを含まず、Pbのみを含むものがあるので、その鉱物中の鉛の^{206}Pb/^{204}Pbは、地球に限らず太陽系自体が形成されたときから不変であると考えられているのです。これを始源鉛の同位体比といい、^{206}Pb/^{204}Pb＝9.307という値が得られています。これが隕石中の^{206}Pb/^{204}Pbが地球誕生時の数値だと考えられる理由です。問題（c）の「ウランを含まない鉛鉱物が形成された」というのは、隕石、特に鉄隕石中のトロイライトとよばれるごくわずかに鉛を含む硫化鉄（FeS）の鉱物のことだと思われます。

　以上から解答は「$t = 0$は宇宙のどこかで超新星爆発により^{238}Uが形成された時期を表し、t_Bはウランを含まない鉛鉱物が鉱床として地殻中に生成した年代、もしくは太陽系が原始小惑星から形成された年代を示す。」（92字）で良いでしょう。実際にこの^{206}Pb/^{204}Pbは世界各地の鉛鉱床で異なるので、古代の遺物に含まれる鉛の^{206}Pb/^{204}Pbを測定することで、その産地を推定する研究も行なわれています（もちろんこのときの^{206}Pb/^{204}Pbの数値はその鉛鉱床を含む地殻が固まった時期ですので、17.4 〜 20の間のごくわずかな違いで産地を推定しています）。

　放射能や放射線というとなんだか怖いイメージがありますが、うまく使うと昔のことを知ることができる天然の古文書にもなるのですね。

原子力発電所で出てくる放射性廃棄物はどう処分すればいいのかが分かります

● 1987年地学第3問

日本では放射性廃棄物の地層処分の研究が1976年に開始され、1992年に第1次、1999年に第2次の研究成果が取りまとめられて、「放射性廃棄物を適切な技術を用いて適切な場所に処分すれば、日本国内でも地層処分は可能だ」という結論が得られました。しかし未だに地層処分の場所は決まっていません。

1999年に第2次の研究成果が取りまとめられてから岐阜の瑞浪市と北海道の天塩郡幌延町に地層処分の研究施設が建設され、処分候補地の公募が開始されました。しかし応募した自治体があっても住民の反対にあうということが繰り返されるうちに東日本大震災が起きてしまい、計画はなかなか進んでいないのが現状です。

1987年地学第3問より

（問A）　次の文中の空欄に入れるのに最も適当と思われる語を、語群a〜eから選び文を完成せよ。解答は、空欄の符号と語の符号とを並べ、（ケ）mのように記せ。同じ語を何回使ってもよい。

原子炉の中で、核燃料物質が分裂してできる核種は多種多様であり、不安定な放射性同位元素も多く、それらが生物の居住圏に拡散すると危険である。放射性廃棄物を安全な場所に隔離する技術について考えてみる。

隔離に際し，まず，揮発や流出の恐れがないような固体にしておく。つまり人工の岩石を作る。（　（ア）　）のように単一の鉱物でできている岩石の化学組成は比較的単純になってしまうので，1種類の結晶だけでは廃棄物に含まれる多様な核種を取り込むことができない。天然における（　（イ）　）や（　（ウ）　）などのように，数種の鉱物の組合せからなる人工の岩石をうまくつくってすべての放射性核種を結晶中に固定する研究が行われている。一方，（　（エ）　）のような非晶質の固体には原子の配列に周期性がないので，さまざまな元素がまざって存在することができる。多くの核種を単一のガラス固体中に入れることは可能である。安山岩や（　（オ）　）などでしばしばみられるように，結晶とガラスの両方を含む固化体も研究されている。

　固化体を適当な容器に入れ，それを安定な地層深く埋めることが考えられている。例えば，北アメリカ，ヨーロッパの楯状地の（　（カ）　）の岩体中への処分などである。しかし，岩盤が安定していても地下水が流れてくると，化学的にかなり強い容器でも長い期間には溶解してしまう。固化体の性状も水に成分が溶け出しにくいようにしておかなければならない。また，容器を収納した区域の周囲の水の流れを止めることも肝要である。

語　群

a. 石灰岩　　　　　b. かこう岩　　　　　c. はんれい岩

d. こくよう石　　　e. りゅうもん岩

　この問題を解くには、岩石に関する正しい知識が必要です。マグマが冷えて固まってできた岩石である火成岩の種類を図にまとめました。

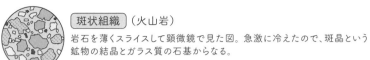

斑状組織（火山岩）

岩石を薄くスライスして顕微鏡で見た図。急激に冷えたので、斑晶という鉱物の結晶とガラス質の石基からなる。

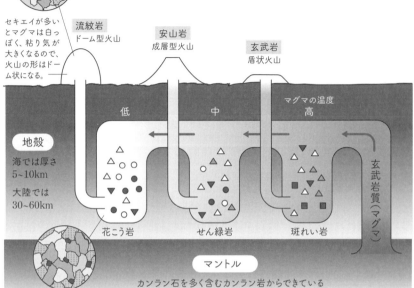

セキエイが多いとマグマは白っぽく、粘り気が大きくなるので、火山の形はドーム状になる。

流紋岩
ドーム型火山

安山岩
成層型火山

玄武岩
盾状火山

マグマの温度
低　中　高

地殻
海では厚さ
5〜10km
大陸では
30〜60km

玄武岩質（マグマ）

花こう岩　　せん緑岩　　斑れい岩

マントル
カンラン石を多く含むカンラン岩からできている

等粒状組織（深成岩）

深いところでゆっくり冷えたので
鉱物の結晶が大きく成長し、斑晶だけからなる。

カンラン石 ■　　角閃石 ▼　　石英 ○
輝石 △　　黒雲母 ●　　長石 △

火成岩の分類

火山岩 斑状組織	流紋岩	安山岩	玄武岩
	マグマが地表、地表付近で急に冷えて固まった		
深成岩 等粒状組織	花こう岩	せん緑岩	斑れい岩
	マグマが地下でゆっくり冷えて固まった		
全体の色	白っぽい ←		→ 黒っぽい
密度	小さい ←		→ 大きい

造岩鉱物とその割合

無色鉱物	石英	長石	
			輝石
有色鉱物	黒雲母	角閃石	カンラン石

選択肢の「こくよう石」について補足しておきます。こくよう石はほぼ非晶質（結晶のように原子やイオンが規則正しく並んでいない）の石基だけからなるガラス質の岩石です。割るとガラス（ガラスは身近にある非晶質の物質です）のように切断面が非常に鋭くなるので、先史時代には石器として使われていました。こくよう石は天然のガラスともいえるのです。

使用済み核燃料と放射性廃棄物の違いは？

この問題を素直に読むと原子炉で使い終わった使用済核燃料＝放射性廃棄物と読みとってしまいがちですが、それは間違いです。日本では、すべての使用済核燃料は再処理してウランとプルトニウムを取り出し、新たな核燃料へと再利用しています。ここで「再利用しています」と書きましたが、取り出したプルトニウムを使う予定の高速増殖炉もんじゅを廃炉とすることが2016年に決定されたためにプルトニウムの行き場がなくなってしまい、MOX燃料（通常の核燃料に再処理して取り出したプルトニウムを混ぜたもの）として今ある原子力発電所で少しずつ消費しているのが現状です。あまりプルトニウムがたまりすぎると、世界の国から「日本は核兵器を作るつもりじゃないの？」と疑いの目をもたれてしまうので、何とかプルトニウムを消費したいと考えているのです。この再処理から再利用までの過程で出てくるのが放射性廃棄物なのです。ちなみに再処理に固執している国は日本のほか、フランス、イギリス、ロシアなど少数派で、アメリカ、台湾、スウェーデン他ほとんどの国は使用済核燃料を再処理せずに地下に処分する方法を採用しています。

放射性廃棄物をどんな固体にすればいいのか？

問題文の第2段落を読むと、（ア）が単一の鉱物の結晶でできている岩石、（イ）や（ウ）は結晶になっている数種類の鉱物でできている岩石、（エ）は非晶質の固体（「岩石」と言っていないのがヒントですね）、そして（オ）

が安山岩と同様に結晶とガラスの両方を含む岩石ということが分かります。

（ア）は単一の鉱物、つまり炭酸カルシウムのみからなる a.石灰岩です。石灰岩は鍾乳洞の例でも分かるように地下水の影響で侵されやすく、容器の材料としてはもちろん、地層処分の際の周囲の環境としても不適切です。（イ）、（ウ）ですが、前出の火成岩をスライスした図を見ると、火山岩は「石基」というガラス質の部分と「斑晶」という結晶質の部分からできていますが、深成岩は「斑晶」という結晶の部分しかありません。つまり、（イ）、（ウ）は選択肢の中から深成岩を選べばよいのです。よって解答は順不同で（イ）、（ウ）b.かこう岩、c.はんれい岩となります。（エ）は非晶質の固体なので d.こくよう石、（オ）は安山岩と同じ火山岩を選べばよいので e.りゅうもん岩が解答です。

　ここまで放射性廃棄物を固めるときに混ぜるものについて検討してきました。非晶質のことをガラス質ともいうので、できた固体をガラス固化体といいます。現在では不要な核分裂生成物をホウケイ酸ガラス（ガラスにホウ酸を混ぜて強度を高めたガラス）に溶融して混ぜ合わせてから、ステンレス製の容器（キャニスター）に入れるというガラス固化体の作成方法は既に確立されています。ホウケイ酸ガラスを用いるメリットは、①非晶質なのですき間がいろいろな形をしており、様々な放射性元素をそのすき間に取り込みやすいこと、②放射線に耐久性があり、③地下水への溶解度が低いことがあげられます。

放射性廃棄物はどんな場所に埋めればいいのか？

　ガラス固化体の地層処分の方法も研究が進んでいます。どうするのかというと、ガラス固化体をオーバーパックとよばれる厚さ20cmの鋼鉄製の容器に入れ、これを粘土鉱物を主成分とする充填剤でさらに70cmほど覆って地下300m以深の地層に処分するのです。鋼鉄製の容器を使う理由はガラス固化体からの放射線を遮断するとともに、さびることで周辺を還元状態にする

役割を（放射性元素は還元状態ではイオンになりにくいため、地下水に溶解しにくいことが分かっています）、充填剤は地下水を吸収して膨張し周辺の空間を埋めるとともに、万が一放射性元素が漏れたときに吸着する役割をもっています。

　ではどれくらい長い間経てば生物に無害になるのでしょうか。再処理工場で作ったばかりのガラス固化体は温度が200℃ほどもあり、近づくと数十秒で生命に危機が及ぶほどの強い放射能をもっています。その後30年くらいたつと放射線量は数十分の1に、温度も100℃くらいまで下がりますが、生物学的に影響のないレベルに減少するまでには数万年以上の時間が必要です。このレベルになるまで長時間保存できる地層を探すことが重要なのです。

　問題文は次に地層処分する場所について言及しています。日本には火山もあり、地震もありますから処分場所の選定には細心の注意を払わなくてはいけません。しかし北アメリカ、ヨーロッパなどの楯状地は地震も火山もなく、ガラス固化体が無害になるまで安定して存在していると考えられています。これらの楯状地はb.かこう岩でできているので、かこう岩中に地層処分しようという考え方が出てくるのです。2020年4月現在、すでに処分場が完成しているフィンランドのオンカロ処分場もかこう岩の安定な地層中に建設されました。もうすぐ地層処分が開始される計画です。日本でも地層処分は可能とされ、最初に述べたように処分候補地の公募が開始されましたが、応募した自治体があっても処分に適さない土地だったり、住民の反対にあったりしてなかなか処分を始められないのが現状です。本当に難しい問題ですね。

　この年は、後半に天然原子炉の問題が出題されました。

（**問B**）　次の文中の空欄（キ）に入れる数値として，語群 f ～ h の中から最も適当なものを一つ選び，（コ）n のように記せ。

　アフリカ，ガボン共和国のオクロー地区にある天然原子炉の遺跡の研究は，放射性廃棄物の処理法に重要な示唆を与える。ピッチブレンド

（U_3O_8）を燃料とし，水（H_2O）を減速材とする原子炉は，ウランの同位体で核分裂を起こす核種の^{235}Uが一定量以上なければ運転できない。現在のウラン鉱石中のウランは大部分が^{238}Uで，燃料になる^{235}Uが0.7％しか含まれないので，ピッチブレンドと水をどのように配置しても連鎖反応は起こらない。しかし，^{235}Uの半減期は約7億年で短く，^{238}Uの半減期は約45億年と長いので，時間の経過につれて存在比が変わってゆく。今から（　（キ）　）前には，^{235}Uが約3％もあったので，ピッチブレンドと水との原子炉が実現されていた。

語　群

f. 11億年　　　　g. 18億年　　　　h. 30億年

　今から（　（キ）　年）前には天然の原子炉があったという話です。原子炉でウランの核分裂の連鎖反応を維持するには、天然のウランには0.7％しか含まれていない^{235}Uを3％以上に濃縮する必要があります。そのため天然の原子炉は現在では存在しませんが、1956年にアメリカの研究者黒田和夫氏が過去に存在したことを予想し、実際に1972年にオクロー地区で天然原子炉の遺跡が発見されました。通常は0.7％含まれている^{235}Uがオクロー地区では有意に低いことが天然原子炉が存在したことの証明となったのです。

　では実際の計算に取り掛かりましょう。t億年前のX［mol］中のピッチブレンド中の^{235}Uは$X \times 0.03$なので、現在の^{235}Uの量N_{235}は次の式で表されます。

$$N_{235} = X \times 0.03 \times \left(\frac{1}{2}\right)^{\frac{t}{7}}$$

　一方t億年前のすべてのウランX［mol］中の^{238}Uは$X \times 0.97$なので、現在の^{238}Uの量N_{238}は次の式で表されます。

$$N_{238} = \mathrm{X} \times 0.97 \times \left(\frac{1}{2} \right)^{\frac{t}{45}}$$

現在、$^{235}\mathrm{U}$ は全体の0.7%なので、N_{235} と N_{238} を使って以下の式からtを求めます。

$$\frac{N_{235}}{N_{235} + N_{238}} \times 100 = 0.7$$

$$\frac{\mathrm{X} \times 0.03 \times \left(\frac{1}{2} \right)^{\frac{t}{7}}}{\mathrm{X} \times 0.03 \times \left(\frac{1}{2} \right)^{\frac{t}{7}} + \mathrm{X} \times 0.97 \times \left(\frac{1}{2} \right)^{\frac{t}{45}}} \times 100 = 0.7$$

$$\frac{3 \times \left(\frac{1}{2} \right)^{\frac{t}{7}}}{3 \times \left(\frac{1}{2} \right)^{\frac{t}{7}} + 97 \times \left(\frac{1}{2} \right)^{\frac{t}{45}}} \times 100 = 0.7$$

$$297.9 \times \left(\frac{1}{2} \right)^{\frac{t}{7}} = 67.9 \times \left(\frac{1}{2} \right)^{\frac{t}{45}}$$

$$\frac{297.9}{67.9} = \frac{2^{\frac{t}{7}}}{2^{\frac{t}{45}}}$$

$$4.39 = 2^{\frac{38}{315} t}$$

この式を解くと$t = 17.7$億年が得られます。よって解答はg.18億年です。試験では電卓が持ち込み不可なので対数計算はできませんが、11、18、30の3択ならtに順番に代入すれば解答までたどり着けるはずです。

内容は岩石や放射性同位体の問題ですが、出題から30年以上経っても解決していない放射性廃棄物や、教科書にも載っていないマニアックな天然原子炉をテーマとしてとり上げるなんて興味深い問題でしたね。

東大の受験生は理科4科目のうち
何を選択しているのか

　昭和35年（1960年）に発行された旺文社の「東大の全貌　付：
最近五カ年全科入試問題研究」によると、「入試のしおり　理科」と
いう読み物に以下のように書いてあります。

　理科の中の二科目選ぶにはどれを選ぶのが最も有利であろうか。
生物などは、なにも勉強をしていなくても常識で何とか解けると考えて
いる人が多いようである。そのためかどうか生物の選択者は比較的に
多い。しかしそんなことで選択科目を決めるのは少なくとも東大の受験
生としては浅はかである。簡単にいい点が取れるからという理由だけ
である科目を選ぶのはいかにも大人気がない。反対に物理といえば頭
から毛嫌いをしている人が多いが、理科四科目中では計算は面倒でも
結果が比較的はっきりしているので、自信さえあればきわめて答えやす
い科目のはずである。〜中略〜さすがに東大では生物偏重の傾向は
なく、物化生地の選択者数はだいたい文科で物：化：生：地＝2：
4：3：1、理科で物：化：生：地＝4：5：2：0.2の割合になっている。
合格率も物化がよく生地がやや落ちる。ともあれ、科目の選択は点の
取りやすさよりもやはり将来の進路や自己の特質によって決めるほう
が、本筋でもあり、有利でもあろう。

　さてみなさんはどう思いますか？ 現在でも物理を毛嫌いする人は多
いので、言われていることは現代も60年前も変わらないようです。ち
なみに現在では、文科は共通テストの物理基礎、化学基礎、生物基
礎、地学基礎から2科目選択、理科は共通テストの物理、化学、生物、
地学から2科目選択した上で本番の東大入試二次試験を同じ科目で
2科目選択します。物化生地の選択者数は公開されていないのであく
まで私の感覚的な予想ですが、現在の東大二次試験の比率は物：化：
生：地＝15：16：1：0.1くらいでしょう。60年前から地学はごくわ
ずかであるのは変わらないけれども、王道の物理・化学の選択者は
増えたのではないかと予想しています。

地震の仕組みが分かる
と地球の内部の構造も
分かるのです

● 1999年地学第2問 ● 2001年地学第2問

　「地震」は地学を学習する上で大きな一つのテーマです。日本に住んでいる以上は地震の脅威から逃れることはできません。我々は地震について学ぶことで、サイエンスに関するたくさんの知識を得ることができるのです。

　まずは小手調べとして東大としては簡単だといわれている地震の問題を見てください。

1999年地学第2問より

Ｉ　地震が起きたときに蒸気機関車を走らせていた機関士の体験記を読み，設問に答えよ。

　機関助士が，かまの中をのぞきこみ，さも満足そうにうなずきながらデッキに立っていった。その時だった。ゆるく，しかも大きく，車体がグラっと傾いた。(ァ)地中に吸いこまれるような感じだった。ハッとした一瞬彼と目が合う。大きく見開いた眼が不安を訴えているようだ。

　次の瞬間，またもやグラグラっと，(ィ)左右に激しく揺れだした。夢中で非常ブレーキをかける。脱線だ！非常ブレーキ後の揺れはますますひどく，機関車もろとも今にも田んぼに放り出されそうだ。

　（くねくねと曲がる線路を見ながら，機関士はブレーキをかけ続けた。

ようやく列車は止まるが，機関士はそのときになって初めて地震だということに気がついた。そして，大きな揺れが収まってからも，(ウ)前ほどではない地震が繰り返したという。)

問1 次の空欄a～cにふさわしい語句を答えよ。

　　機関士が最初に感じた地震の揺れ（下線ア）は　a　波，次に感じた左右の揺れ（下線イ）は　b　波だったことが考えられる。また，大きな地震の後に引き続いて起こる地震（下線ウ）は　c　といい，これに対し，初めに起きた大きな地震は本震と呼ばれる。

問2 下線部（ア）に対し，別の場所では，突き上げるような動きを最初に感じたという。場所によってこのような違いを生じる理由を説明せよ。

問3 図は，同じ地震を地点A，B，Cで観測した地震計の記録で，いずれも東西方向の成分だけが示されている。地震記録の縦軸と横軸の目盛は共通しているが，地震計が揺れ始めた時刻の違いは示されていない。地震の発生地点に近いのはどの記録かを考え，近い順にA，B，Cの記号を並べ換えて示せ。

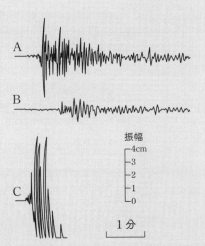

問4 問3について，どうしてそう考えたのか，理由を2つ挙げよ。

　問1の問題文から地震の本震の揺れには2種類あることが推定できます。みなさんも小さく揺れて「あっ？ 地震かな」と思うと本格的にグラッと揺れる，そんな体験をしたことがあると思います。実は地震がおきると震源

から2種類の波が放出されます。スピードが速い方の波がP波とよばれ、遅い方の波がS波とよばれています。P波の「P」は「最初の波」という意味のPrimary waveからきています。S波のSは二番目に来る波という意味のSecondary waveからきています。この二つの波は表のように性質が異なります。

表　P波とS波

	P波	S波
	縦波	横波
伝わり方	粒子がぶつかりながら伝わる	結合している粒子のねじれが伝わる
伝わり方の特徴	粒子があれば伝わるので、固体、液体、気体どれでも伝わる。ただし、粒子の存在しない真空では伝わらない（→空気を振動させて進む音はP波）。振動方向は波の進行方向と同じ。	粒子が結合していないと伝わらないので固体のみ伝わり、粒子が結合していない液体や気体では伝わらない。振動方向は波の進行方向と直交している。
伝わる速度	速い（6〜8km/秒）	遅い（3〜5km/秒）
地震では？	はじめの揺れ（初期微動）をおこす	初期微動の後に来る大きな揺れ（主要動）をおこす

　地震がおきたときに震源から離れていると、はじめに小さな横揺れ、そのあと大きな横揺れになりますが、震源の真上にいると最初にP波が到達したときには縦に揺れることになります（大地震の体験記には「最初に縦に揺れ

た」と書いてあるのが多いのはそのためです）。この問題文では蒸気機関車
ははじめに縦方向に揺れたので、震源の近くを走っていたことが分かります。
よって問1は　a　がP波、　b　がS波、これを合わせて本震（ほんしん）といいます。
本震の後にくり返し来る小さな揺れを余震（よしん）といいます。よって　c　には余
震が入ります。

　続いて**問2**です。P波が到達したときに、地中に吸いこまれるような動き
と突き上げるような動きの違いが生じる理由を説明します。次の図を見てく
ださい。

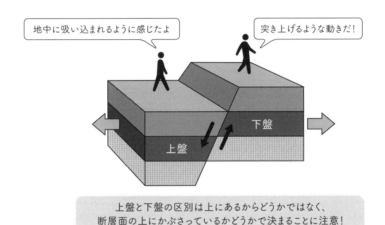

　両側に引っ張られる力がはたらく断層を正断層といいますが、断層面の上
に乗っている上盤（うわばん）にいる人は下に下がる引き波を感じ、断層面の下の下盤に
いる人は上に突き上げられる押し波を感じます。これが違いの生じる理由で
す。以上から**問2**の解答は、「初期微動をおこすP波の振動方向は波の進行方
向と同じなので、地中からP波が到達したときに押し波であれば地表が押し
上げられ、引き波であれば地表が下方に引き下げられるから。」となります。

　せっかくなのでもう少し詳しくP波到達時の初動について見ていきましょ
う。2013年の地学の第3問では、次の図で震央をFとする南北にのびる横ず
れ断層で発生した地震において、「震央の北東ではP波初動が地面の上がる向

き、南東では地面の下がる向きであった」として、観測者から見た断層のずれる方向を問う問題が出題されています。

これはどう考えればよいでしょうか。横ずれの断層でも押し波と引き波があるの？ とみなさん思いますよね。実は先ほどの正断層の図を三次元で考えると、次の図のように震源を

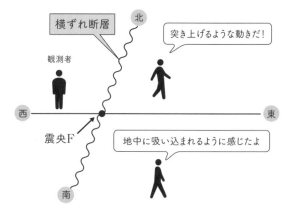

中心として断層面とその直交面で初動が押しの領域と引きの領域できれいに4等分されるのです。

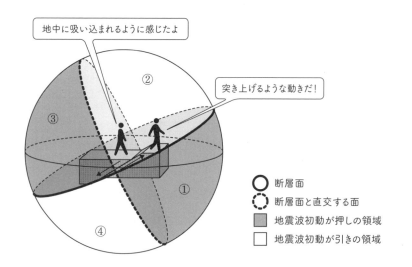

問2で見た初動が「押し」の領域は①で、「引き」の領域は②ですが、①と②以外にも、③と④という「押し」と「引き」の領域が存在するのです。この図の球を今みなさんが見ている方向を上方の面と考える、つまり横ずれ断

層を上から見ている状態と考えたものが次の図です。

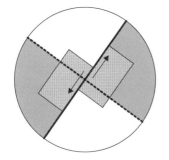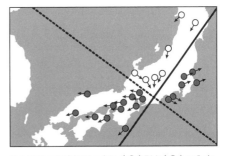

ある地震のP波初動の押し（●）引き（○）の分布

横ずれ断層でのP波初動の押しと引きの分布の模式図（左）とその例（右）
（ただし、図では断層面が実線上にあるように書いてあるが、実際は破線上にあっても同じ
「押し」と「引き」の領域が存在するので、どちらが断層面かは地表に現れた断層を観察し
たり、余震の様子を観測したりして決定する。）

　図の右側にある日本地図はP波の初動を日本全国で観測したときのもので
すが、きれいに2つの「押し」と「引き」の領域に分けられています。この
事実は太平洋戦争前に日本で発見されました。地震国の日本ならではの発見
ですね。それまでは地震の原因は地下でマグマが爆発することが原因だとい
う説がありましたが、この説では爆発による膨張による押し波しか観測できな
いことになりますので否定されました。逆に、地下核実験を行なったときにす
ぐに自然地震が否定されるのは、押し波しか観測されないからなのです。

　以上からこの横ずれ断層は観測者から見て断層東側の地面が北の方向に動
いた左横ずれ断層だということが分かります。

　さて、1999年の問題の**問3**と**問4**に行きましょう。誰でもできそうな問題
ですね。震源に近いほど大きく揺れるわけですから、地震計の最大の振れ幅
の大きい順にC→A→Bとなります。これが一つ目の理由です。ただし、地
面の固さによっては震源からより遠い観測点のほうが大きく揺れることもあ
るので、P波が到達してからS波が到達するまでの時間（これを初期微動継
続時間といいます）の長さを見る必要があります。震源から近いほど初期微
動継続時間は短くなるので、やはり解答はC→A→Bとなり、これが二つ目

の理由になります。緊急地震速報で今いる場所がだいたい何秒後に揺れ始めるか通知ができるのは、地震観測ネットワークで初期微動継続時間を瞬時に予測しているからなのです。

　地震波のメカニズムが1999年のテーマでしたが、2001年には地震波を使うと何が分かるのか？ というテーマで出題されました。みなさんは地球の内部は地殻とマントル、外核と内核に分けられることを知っている人も多いと思います。この年の問題では「そんなことなんで分かったの？ 地下深くに潜ったわけでもないのに」という問いが投げかけられます。さっそく見ていきましょう。まず問題Iでは、地殻とマントルの境界があることが分かった理由が取り上げられた問題です。

2001年地学第2問より

I　地表に置いた火薬を爆発させて人工地震を発生させ，爆破点からさまざまな距離に置いた地震計で地震波を観測した結果，図2−1のような走時曲線（実線部分）を得た。この地域は，水平で均一な厚さ d を持つA層の下にB層が存在している。次の問いに答えよ。ただし，地表面は平面で近似でき，地球が球体である効果は無視できるものとする。

問1　A層およびB層を伝わる地震波の速度 V_A および V_B を求めよ。

問2　図2−2に示すように，2層A，Bの境界を通過するとき地震波は屈折するが，境界面に立てた垂線から測った入射角 α_A，出射角 α_B と，地震波速度 V_A，V_B との間には次のような関係がある。

$$\frac{\sin\alpha_A}{V_A} = \frac{\sin\alpha_B}{V_B}$$

この関係を用いて，A層からB層に入射した地震波が，B層の内部をA，Bの境界面に沿って進むようになるときの入射角 α_A を求めよ。

問3 A層の厚さ d を有効数字2桁で求めよ。必要ならば，$\sqrt{2}=1.4$，$\sqrt{3}=1.7$，$\sqrt{5}=2.2$ を用いよ。

問4 もし仮に，V_A はそのままで，V_B が V_A よりも小さかった場合，期待される走時曲線はどのようなものになるか。爆破点から15km までの範囲について図示せよ。

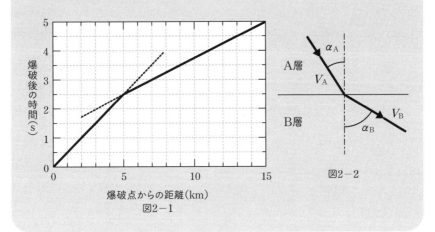

図2-1

図2-2

　図2-1に書かれた走時曲線（曲線、つまり直線ではなく折れ曲がっている）は何を意味しているのでしょうか。爆破点から5kmまでは2.5秒で伝わっているので、地震波の速度は2.0km/秒になります。5kmを越えると15kmまで2.5秒で到達しているので速度は4.0km/秒となり、地震波の速度が2倍にスピードアップしていることになります（よって問1は $V_A=2.0$km/秒、$V_B=4.0$km/秒が解答です）。1回の爆破で生じた地震波なのに、なぜ途中から速度が速くなるのでしょうか？　その理由はA層よりも下にあるB層は地震波をA層よりも速く伝えるために、爆破点から一定の距離離れると、爆破点から観測点までA層のみを通って伝わってくる表面波よりも、A層→B層→A層を通って遠回りして伝わってくる屈折波のほうが速く到達するからです。これを**問2**を解くために図で表したのが次の図です。

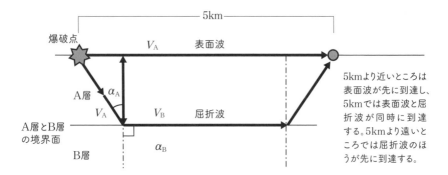

爆破点
V_A　表面波
A層
α_A
V_A　V_B　屈折波
A層とB層
の境界面
α_B
B層

5km

5kmより近いところは
表面波が先に到達し、
5kmでは表面波と屈
折波が同時に到達
する。5kmより遠いと
ころでは屈折波のほ
うが先に到達する。

　車で目的地まで移動するときに、近くなら普通の道路で行きますが、ある
程度遠くなら出入口は離れていても高速道路を使ったほうが早く到着する、
つまり目的地までの平均の速度は速くなる、という例で考えると分かりやす
いと思います。

　この図を使いながら**問2**を解きましょう。屈折波がA層とB層の境界で屈
折するところを見ると、α_Bが90°なので、$\sin\alpha_B$が1になります。これを与
えられた式に代入して、

$$
\frac{\sin\alpha_A}{2\left[\dfrac{\text{km}}{\text{秒}}\right]} = \frac{1}{4\left[\dfrac{\text{km}}{\text{秒}}\right]}
$$

を解くと、角度α_Aが30°と求められるのです。

　次に**問3**です。地震波を解析することでA層の厚さも求められますよとい
う問題です。表面波と屈折波の位置関係を表した次の図を見てください。

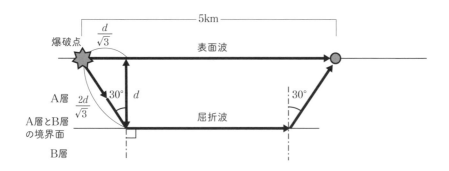

爆破点
$\dfrac{d}{\sqrt{3}}$　表面波
A層
$\dfrac{2d}{\sqrt{3}}$　30°　d
A層とB層
の境界面　屈折波　30°
B層

5km

屈折波は2.5秒後に5km地点に到達したことが図2−1の走時曲線から分かります。A層を通るとき（距離 $\dfrac{2d}{\sqrt{3}} \times 2$ [km]）は2km/秒で、A層とB層の境界を通るとき（距離 $5 - \dfrac{2d}{\sqrt{3}}$ [km]）は4km/秒で進み、合計で2.5秒かかっているので、これを数式で表すと以下のようになります。

$$2.5\,[\text{秒}] = \frac{2d}{\sqrt{3}} \times 2\,[\text{km}] \div 2\,[\text{km}/\text{秒}] + \left(5 - \frac{2d}{\sqrt{3}}\right) \div 4\,[\text{km}/\text{秒}]$$

これに $\sqrt{3} = 1.7$ を代入して解くと、$d = 1.4$ [km] と求められます。

最後に**問4**です。走時曲線が折れ曲がっている理由は、$V_B > V_A$ なので折れ曲がり点以降は遠回りしてきた屈折波のほうが速く到達するからでした。ということは問題の設定のように $V_B > V_A$ は、屈折波は表面波を追い越せないので、走時曲線は折れ曲がらずに0〜5kmまでのグラフをそのまま延長すれば解答になります。

この震源から離れるとP波の速さが速くなるということは、1909年にユーゴスラビアの地震学者モホロビチッチが発見しました。走時曲線が折れ曲がるということは地下に地震波が速くなる層が存在しているということを示しているので、その層との境界面のことをモホロビチッチ不連続面とよんでいます。このモホロビチッチ不連続面より上が地殻、下がマントルと分けられているのです。この問題ではA層の厚さは約1.4kmでしたが、実際の地殻は海洋では数km、陸地では数10kmとだいぶ深くなります。そのため走時曲線の折れ曲がりが出る地点も陸地では100km以上震央から離れた地点になります。

次に、問題Ⅱを見ていきましょう。

Ⅱ　地震波の走時曲線を地球全体にわたって解析することにより、地球内部における地震波速度の分布を知ることができる。その結果、表層部分を除くと、地球内部は大局的に3層（層a、b、c）からなることがわかった。図2−3は、地球内部の地震波のP波の道筋（P波の地震波線）を示したものである。図を見ながら以下の問いに答えよ。

問1　層a、b、cの名称を記せ。

問2　波線OAに顕著なように、層aを通る地震波線はある深さで大きく曲げられる。これは層a内に深さとともに急激にP波速度が増加する部分があるためである。このP波速度の急激な増加の原因は何か。20字以内で記述せよ。

問3　波線OBは層aと層bの境界で大きく屈折している。屈折の様子から層a、層bにおけるP波速度の大小関係についてわかるところを記せ。

問4　S波について地球内部を伝わる地震波線を描いた場合、図2−3とは大きく異なる部分が出てくる。何が違っているか。またその原因は何か、簡潔に記述せよ。

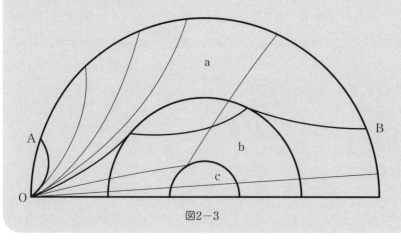

図2−3

図2−3でも十分親切な図ですが、さらに情報を補足したものが次の図です。

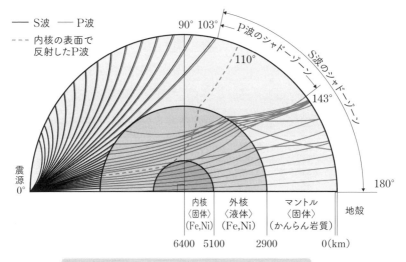

P波は外核とマントルの境界で屈折するため地表にP波の
届かない部分（シャドーゾーン）ができる。

問1で問われている層aはマントル、層bが外核、層cが内核ですね。地殻
とマントルの境界の不連続面を発見者の名前をとってモホロビチッチ面とい
うように、マントルと外核の境界をグーテンベルク不連続面、外核と内核の
境界をレーマン不連続面といいます。

1926年にアメリカの地質学者であるグーテンベルクは、P波が震源から
103°〜143°の範囲内では観測できず、S波は103°より大きい範囲では観測で
きないことを発見しました。前者は地球内部には深さ約2900kmを境界とし
て、それより深いところにP波の速度が遅くなる層が存在するためにその境
界面でP波が屈折していることを、後者はその層は液体であることを示して
います（S波は固体しか伝わらないため）。

その後、1936年にデンマークの地質学者であるレーマンが震源から110°付
近に、図に破線で示した弱いP波が伝わることを発見しました。これは核の

さらに内部の地下約5100kmの深さのところに地震波の速度が急に速くなる境界があることを示唆し、ここからそれより深いところでは核は固体になっていることが分かったのです。

問2では深さ700km程度までの地震波の速度が遅く伝わる上部マントルと、深さ700km以深の地震波の速度が速く伝わる下部マントルに分けられる理由が聞かれています。マントルはカンラン石をメインとするカンラン岩からできていますが、下部マントルでは圧力が高まるためカンラン岩中の鉱物の結晶構造が変化するために、地震波の速度が速くなると考えられています。これがこの問いの解答です。20字以内にするには「高圧による鉱物の結晶構造の変化」でいいでしょう。

問3は問2がヒントになっていて、波線OBはグーテンベルク面ではOAと逆方向に屈折しています。つまり、層bではP波は速度が遅くなるのです。問4はグーテンベルクの発見をまとめて、S波のシャドーゾーンのことと、これができる原因として外核が液体であるためS波が伝わらないことをまとめられればOKです。よって解答は「震源からの距離が103°よりも離れたところにはS波は到達できない。これは、外核が液体であり、S波を伝えないことが原因である。」でいいでしょう。

医療では超音波を使ったエコー検査で体内を調べることができますが、同じように地震波で地球の内部も調べられるなんてすごいですよね。

第20節

地震の原因となるプレートの動きを解析すると地震や火山が統一的に説明できるのです

● 1987年地学第2問 ● 1983年地学第4問

　前節では、地震波のメカニズムと解析の方法、地震波を使った地球内部の構造の調べ方を学びました。この節では、もう一歩進んで地球全体でおきている地震を調べたら大陸がプレートに乗って移動していることが分かってしまった！　というスケールの大きな問題に取り組みましょう。

1987年地学第2問より

　図1は海洋底の年齢分布図、図2と図3は地震の震央分布図である。これらの図を参考にして（問A～E）に答えよ。

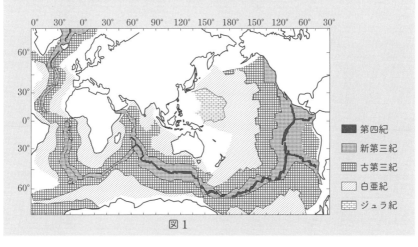

図1

問A 図2と図3の違いを説明する次の（イ）,（ロ）のうち, 適当と思われるほうを選べ。

（イ） 図2は, 1964年から1982年の間に深さ100km以浅に発生したマグニチュード4以上の地震の震央分布, 図3は同じ期間に深さ100km以深に発生したマグニチュード4以上の地震の震央分布を示す。

（ロ） 図2は, 1964年から1982年の間に深さ100km以深に発生したマグニチュード4以上の地震の震央分布, 図3は同じ期間に深さ100km以浅に発生したマグニチュード4以上の地震の震央分布を示す。

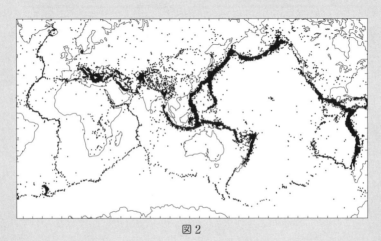

図2

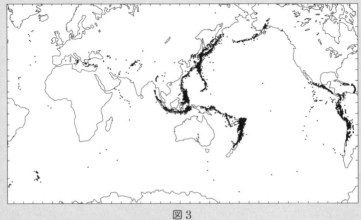

図3

問B　太平洋，大西洋，インド洋の各大洋において，図1に見られる海洋底の年齢の最も若い部分に一致して地震が発生しているのが，図2を見るとわかる。このことは，各大洋のこの部分においてどのような現象が起こっていることを示すのか。下記のa～cのうちから最も適当と思われるものを一つ選べ。

　　図1の中で模様のついている部分に着目して考えよ。

　　a. プレートとプレートとの衝突が起こっている。

　　b. 海洋底拡大活動が起こっている。

　　c. プレートが沈み込んでいる。

問C　海洋底の年齢の最も若い部分に発生する地震には，大洋中央海嶺に沿って起こる（　ア　）型の地震と，トランスフォーム断層に沿って起こる（　イ　）型の地震の2種類がある。

　　上のア，イに入れるのに最も適当な語を，下記のa～cのうちからそれぞれ一つ選び，ウ －dのように答えよ。

　　a. 正断層　　　　　　b. 逆断層　　　　　　c. 横ずれ断層

問D　地球上で地震が最も多発しているのはどこか。下記のa～dのうちから最も適当なものを一つ選べ。

　　a. プレート境界部　　　b. 海陸境界部　　　c. 大洋中央部

　　d. 大陸内部

問E　海洋底の年齢で最も古い部分は，約1.8億年である。地球の年齢は約45億年であるのに，海洋底の年齢がわずか1.8億年であるのはなぜか。40字以内で答えよ。

　世界では地震が全くおきない国もあります。そんな国でたまに地震が起きると大騒ぎになってしまいます。著者は2016年9月に韓国のソウルに旅行で行ったのですが，ちょうどそのときに韓国南東部の慶州市で観測史上最大というマグニチュード5.8の地震がおきました。その時宿泊していたソウルの

ホテルは震源地から300km弱も離れていましたが、結構揺れたのを覚えています。当時北朝鮮が核実験をしたというニュースが世間を騒がせていたので、「また核実験か？」と韓国では地震がほとんどないことを知っていた著者は思ったわけです。しかし、次の日の朝のニュースで倒壊したブロック塀や避難する人々などのニュースが次々流れるのを見て、韓国語が分からないながらも「ああ、本物の地震だったんだ」と思ったのを覚えています。

それにしてもマグニチュード5程度の地震で韓国の人は騒ぎすぎだなあなんて思うかもしれません（その時は私も思いました。なにせ日本ではマグニチュード5以上の地震なんて1年間に50回以上も起きているんですから！）。でも記録に残る韓国のマグニチュード5.0以上の地震というと1936年にまでさかのぼるのです。大騒ぎになってしまうのも仕方ないですね。ではなぜ韓国では地震がほとんどないのに、日本では毎日のように地震がおこるのでしょうか。これに対する答えがこの問題には隠されています。

地球上のどこで地震は頻発しているのか

図2、図3を見てください。地球上で地震が頻発する地域は実は偏っていて、図2を見ると日本をはじめ、インドネシア、トルコ、南米太平洋岸のように地震が頻発する場所と、アフリカ、オーストラリア、イギリス、フランスなどヨーロッパの西側、北米大西洋岸などのように地震がほとんどおこらない場所があることが分かります（前節の放射性廃棄物の地層処分の問題に出てきた楯状地とは、大陸内部の地震のおきない場所を指しているのです）。韓国と日本は世界地図上ではごく近くにありますが、韓国では黒い点がないので、地震はほとんどおきないことが分かります。図3では図2よりも黒点の数は減っています。特に海洋の真ん中や内陸では黒点が減る一方、太平洋沿岸では黒点は残っているという傾向がつかめます。

問Aでは、図2と図3はどちらが深い震源を表したものですかと聞いています。実は世界でおきている地震の震源の深さを解析すると、ほとんどが震

源の浅い地震です。日本を例にとると、2011年の東北地方太平洋沖地震は震源の深さは24kmでした。この地震はみなさんには「東日本大震災」という名称のほうがひょっとしたらなじみ深いかもしれませんが、地震学では「東北地方太平洋沖地震」という地震の名称と、それによって引きおこされた災害である「東日本大震災」は区別して使い分けます（「東日本大震災」といった時には福島原子力発電所による災害も含まれます）。2004年の新潟県中越地震（災害名では新潟県中越大震災）では震源の深さは13km、2003年の十勝沖地震では42km、1995年の兵庫県南部地震（災害名では阪神淡路大震災）では16kmといずれの大地震も震源が浅い地震です。つまり、黒点の数が多い図2が震源が浅いほうの地震なので、**問A**は（イ）が正解です。

なぜ地球上で地震がおきる場所は偏っているのか

ではなぜ地球上で地震が起きる場所はこんなに偏っているのでしょうか。図2の黒点を結んでいってみると、地球がいくつかの領域に分けられることが分かります。実はこの領域が、我々が普段地震が起きたときにニュースで聞く「プレート」になります。「地球上は10枚程度のプレートに覆われていて、このプレートがいろいろな方向に年間数cm動くことで地震や火山などの地学的現象がおきる」、この考え方を「プレートテクトニクス」といいます。現在考えられている地球上のプレートを紹介します。

このプレートテクトニクスという考え方が一般的になったのはここ50〜60年くらいのことで、この問題が出題された1987年ではちょうど地学の教科書にプレートテクトニクスが掲載されるようになった頃でした。今では当たり前の考え方も当時は新しい知識だったのです。

　プレートテクトニクスはもともと1915年にドイツのアルフレート・ヴェーゲナーが発表した「大陸移動説」をもとにしています。ヴェーゲナーは世界地図を見ていた時にアフリカ大陸と南米大陸を近づけるとパズルのようにぴったりくっつくことに気づいて、大陸は移動するということを思いついたと言われています。

　その後彼は大陸移動の証拠をたくさん集めました。そこから一つを紹介すると、例えばある種のカタツムリがヨーロッパと北米大陸に生息しているのは、昔はこの2つの大陸がくっついていた証拠だとしたのです（カタツムリは海を泳げないですから！）。でも残念ながらヴェーゲナーはなぜ巨大な大陸が移動するのか、その原動力を説明できなかったために、学会から完全に無視されてしまいました。

　ちなみに大陸は移動しないとして、カタツムリが海を隔てて存在していることについては、「地面は長い時間をかけると上下運動をするので、ヨーロッパと北米の間の大西洋も昔は細長い陸地でつながっていて、生物はここを橋のように行き来できたからだ」と説明されていました。これを大陸移動説に対して陸橋説といいますが、もちろん現在では間違った考え方とされています。

　さて、学会から無視されてもめげないヴェーゲナーは、大陸移動説の更なる証拠を見つけようと50歳の時にグリーンランドを探検に行きましたが、そこで遭難して帰らぬ人となってしまいました。そのまま彼は大陸移動説とともにしばらく忘れられていたのですが、1960年代に入ると大陸移動説の色々な証拠が出てきてやっとヴェーゲナーの功績が見直されるようになったのです。その最初の証拠がこの問題の図1と強く関わっています。

　1950年代に入ると電磁式磁力計が発明されたため、それまでのいわゆる方

位磁針を使った地磁気の測定と変わって飛行機や船で曳航しながら地磁気を測定できるようになり、今までの点の測定から面の測定に進化しました。すると、陸上では岩石の磁場は規則性がなかったのに、船で曳航して測定した海底の岩石の磁場は中央海嶺を中心にしてその両側に対称的に地磁気の強弱の縞模様が広がっていることが分かったのです。ここで中央海嶺という言葉が出てきましたが、海底火山の山脈のことを海嶺といい、特に"中央"海嶺というときは大西洋中央海嶺や東太平洋海嶺などの大規模なものを指します。

世界の主な海嶺

この図と問題中の図1とを見比べてみてください。中央海嶺に近いほど海洋底の年代が若く、離れていくほど年代が古くなっていくことが分かります。海洋底の地磁気の縞模様が、なぜ海洋底の年齢につながるのか。次にこの部分について説明していきます。

地磁気の縞模様と海洋底の年齢はどうつながる？

岩石や堆積物の中には磁性鉱物という永久磁石の性質をもった鉱物がよく含まれています。マグマや溶岩が冷え固まったり、堆積物が堆積したりする

ときには、含まれる磁性鉱物は地球の磁場の方向に沿って並びます。そのまま固まった岩石中の磁性鉱物は一定方向に磁化したまま固定され、いつまでも保存されることになります。この磁気のことを残留磁気といいます。

現在の地球では、方位磁針のN極が北、S極が南を向くので磁性鉱物も同じ方向に堆積するはずですが、海洋底中の残留磁気である地磁気を測定すると強弱の縞模様が広がっていることが分かったのです。この縞模様で地磁気の強さが大きいところは現在の地球磁場と同じ向きに磁化していて、弱いところは現在の磁場と

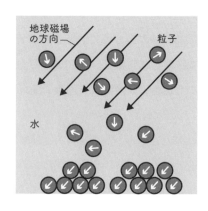

は逆向きに磁化していることになります。これは地球磁場の南北方向はずっと変わらないものではなく、次の図のように過去何回も逆転してきたことを示しているのです。

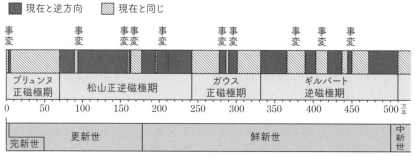

事変とは、磁極の一時的な逆転が起きたことを示す。一番最近の逆磁極期が「松山逆磁極期」となっているのは、京都大学の松山基範が1929年に世界ではじめて地球磁場の反転説を提唱したのを記念したもの。

1968年にアメリカは深海掘削計画を行ない、世界各地の海底の堆積物を採取してそれらの年代を調べた結果、中央海嶺から遠ざかるにつれて古くなっ

ていることが確かめられました。この事実と海底の地磁気が縞模様になっていることの二つの事実から、海底は中央海嶺を中心にして拡大しているという海洋底拡大説が証明され、続いてヴェーゲナーの大陸移動説が証明され、最終的にはプレートテクトニクスが証明されたのです。よって**問B**はb.の「海洋底拡大活動がおこっている。」が正解です。

　このプレートテクトニクスによって、地球上でおきる地学的現象が統一的に説明できることが分かり、徐々に受け入れられていきました。例えば、プレートは中央海嶺で誕生し、海溝で沈み込んでその一生を終えるという流れになっていて、地震はプレートの境界でプレート同士が押し合ったり、すれ違ったりする結果おきるのだ、と考えるとすべてがうまく説明できるのです。問題の図3は地球上で震源の深いところで起きた地震の分布を示したものですが、震源の深い地震はプレートが沈み込むところでおきているのです。ヴェーゲナーが説明できなかった大陸が移動する原動力も、現在では固体のマントルが時間をかけてゆっくり対流する「マントルプルーム」が原因であると説明されています。ただ、ハワイのようにプレートの真ん中にあるにもかかわらず火山があるケースもあります。これはホットスポットといって地下深くからマグマがプレートを貫通して上昇している結果だと考えられています。

　問Cにいきましょう。大洋中の中央海嶺は、プレートとプレートが互いに離れていく場所にあります。この中央海嶺の地下では、深いところからマントル対流でわき上がってくるマグマが次々とプレートに付け加えられていて、プレートはどんどん拡大していきます。プレートが拡大していくところではプレートが離れる方向に引っ張りの

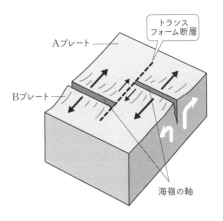

Aプレート

Bプレート

トランスフォーム断層

海嶺の軸

力がはたらくために、正断層型の地震が生じます。しかし、中央海嶺はまっすぐに連続したものではなく、所々で断ち切られています。問題の図1の中央海嶺のところを見てください。ギザギザになっていますね。ギザギザの部分を拡大したものが前出の図です。このずれたところに生じる断層をトランスフォーム（横ずれ）断層といいます。

トランスフォーム断層では横ずれ断層型の地震が生じます。以上から正解はア－a、イ－cになります。正断層型の地震も横ずれ断層型の地震も震源が浅く、地震の規模を表すマグニチュードが小さいのが特徴です。

問Dは簡単ですね。ここまで学習した内容から地震はプレートの境界でおこることが分かったと思います。正解はa. プレート境界部です。

続いて**問E**ですが、海嶺で作られたプレートがその後どうなるか？ を聞いています。海洋底のうち古い部分はどうなってしまったのでしょうか。地球は球体なので、プレート同士がぶつかるところではどうなるのか？ を考えれば解答できます。そうです、1.8億年よりも古い海洋底は2つのプレートがぶつかった時に、一方は陸地として押し上げられ、もう一方はマントルの地下深くに沈み込んでしまったためにいずれもなくなってしまったからです。これを40字以内にまとめると、「古い海洋底はプレートがぶつかった際に陸地になるか、マントルに沈み更新されたため（39字）」となります。40字以内で説明するのはかなり厳しいですね。

では、プレート同士がぶつかっているところではどうなっているのか、もう少し詳しく見ていきましょう。1983年の問題です。

1983年地学第4問より

Ⅰ　次の文章を読み，下の（a）および（b）の問いに答えよ。

　　日本及びその周辺地域では，図4に示すように3つのプレートが相対的に異なった方向に運動しており，東側にあるプレートが西側にあるプレートの下方に斜めに沈み込んでいると考えられる。大きな地震

の多くはプレートの境界付近に沿って起こり，そのやや西側に火山帯が走っている。また，プレートの境界は日本海溝のように海底が急に深くなる地形に沿っている。

(a) 大きな地震は海溝の東側（太平洋側）よりも西側（大陸側）に多く起こる。この事実はどのように説明されるか。80字以内で述べよ。

(b) 日本列島がプレートの境界の東側にではなく，西側にある事実はどのように説明されるか。100字以内で述べよ。

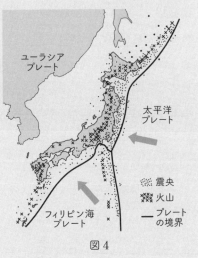

図4

この問題では、日本付近のプレートの配置に焦点を当てて考えていきます。みなさんはニュースで次の図のような日本列島の真ん中の東西方向の断面図を見たことがあることと思います。

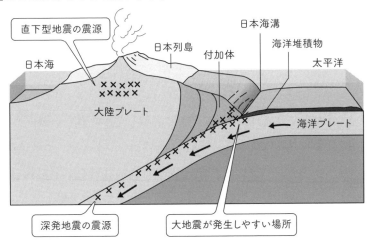

では、そもそもなぜ太平洋プレートがユーラシアプレートの下に沈み込ん

でいることが分かったのでしょうか？ これは日本列島の地下の地震を観測したところ、西に向かうにつれて震源が深くなっていたので、海洋プレートである太平洋プレートが大陸プレートであるユーラシアプレートの下に沈み込んでいることが分かったのです。

　以上から（a）の解答は「太平洋プレートがユーラシアプレートの下に潜り込んでいるために、その境界部の日本海溝の西側でひずみが蓄積され、それが解放されるときに大地震がおこるから。（75字）」となります。

　（b）は難問ではないですが、100字と字数が多いためにどうまとめるかは工夫が必要です。現在の日本列島の太平洋側は、主に付加体とよばれる海洋でできた堆積物からできていますが、この堆積物は太平洋側が新しく、日本海側が古いという特徴があります。これは太平洋プレートとフィリピン海プレートの2つの海洋プレートがユーラシアプレートの下部に潜り込む際に、海洋プレート上に乗っている堆積物がユーラシアプレートの一番東側にある日本列島に付加体として次々とくっついていくことが原因なのです。図4のフィリピン海プレートの一番上をよく見ると、ちょうど伊豆半島が付加体になっていることが分かりますね。

　ではなぜ日本列島はユーラシア大陸から離れているのかというと、もともとユーラシア大陸の一部だった日本列島は、中新世になって大陸から引き裂かれる地殻変動が発生した結果、大陸との間に海水が流れ込んで日本海ができたと考えられているからです。

　この2つの段落をもとに100字に収まるようにまとめると「現在の日本列島の太平洋側は、2つの海洋プレートがユーラシアプレートの下部に潜り込む際に、その一部がユーラシア大陸の東端に付加した付加体とよばれる堆積物により形成されたのちに大陸から離れてできたから。」（99字）と答えればよいでしょう。

　地震は恐ろしい災害ですが、地球規模で調査することでいろいろなことが分かるのですね。

第 6 章

進化と生態系に
まつわる問題

この章では、生物の進化と生態系について地学と生物か

らアプローチをしていきたいと思います。高校では化石や

環境・気候変動というと地学、生態系や生物の分類とい

うと生物、と無理やり切り分けられていますが、これらはお

互いに密接に関係していて本来は一緒に学ぶべきものな

のです。

地球は昔、大きな雪玉になっていた時期がありました

● 2008年地学第3問

　「地球は昔、氷で覆われていました」というと、分厚い毛皮を着た人類が雪の中でマンモスを追いかけている様子を想像すると思います。2万年くらい前のこの時代を我々は氷河期といいます。しかし、地球の歴史をもっとずっと過去にさかのぼっていくと、地球全体が完全に分厚い氷に覆われてしまう「全球凍結」という時代があったことが分かってきました。

　私たちが普段使っている「氷河期」という語句は、科学の世界では使われていません。科学の世界では地球に氷河が存在する時代を氷河時代といい、そのうち寒冷な期間を氷期、温暖な期間を間氷期と区別しているので、私たちが使う「氷河期」とは、氷河時代の最終氷期の最寒冷期ということになります。現在は氷河時代の間氷期だ、といわれると不思議な感じですが、確かに南極やパタゴニア、ヒマラヤやアラスカなど地球の色々な場所に氷河はありますね。この氷河は、2万年前の最寒冷期には最も拡大したことが分かっています。それでも氷床（氷河よりも大きな氷の塊）に覆われたのは北半球ではだいたいニューヨークまでで、平均気温は現代よりも5℃程度低いだけでしたし、赤道付近では現代と同じように暖かくサンゴ礁もあったのです。そのため従来は「地球の海は誕生以来、一度も凍り付いたことがない」と考えられていました。

　しかし、1998年になって全球凍結の証拠がアメリカ、ハーバード大学のポー

ル・ホフマン教授によって学術雑誌の『Science』に投稿されたのです。ホフマン教授のチームは約6億年前のナミビアの地層から氷河の末端を示す迷子石を発見しました。迷子石とは氷河によってゆっくり運ばれ、氷河の末端まで来たときに海にぼちゃんと落ちて堆積物に埋まった石のことです。この迷子石があるということは、その場所まで過去に氷床が張り出していたことを示します。ナミビアは6億年前は南緯11度と赤道の近くにありましたが、コンピューターシミュレーションでは緯度20〜30度まで氷に覆われると、氷は太陽の光を反射するので気温がどんどん下がって氷床が拡大し、赤道まで凍結してしまうという結果が得られています。つまり、当時の南緯11度にあったナミビアに氷河があったということは全球凍結の証拠になるのです。

　では問題を見ていきましょう。

2008年地学第3問より

問Ⅲ　約46億年前に地球が誕生した直後には，活発な火成活動によって二酸化炭素を主成分とする原始大気が形成された。最古の堆積岩の時代は約38億年前と推定されており，このころまでに大陸と海洋が形成されたと考えられる。高い二酸化炭素濃度と温暖な気候のもと，大陸では強い風化・侵食作用が進行していた。約35億年前の地層からは，生物の外形を残した最古の化石が確認される。約27億年前以降の地層からは，ストロマトライトと呼ばれる炭酸塩岩が見い出され，光合成をするラン藻が繁栄したことを示している。また，堆積岩中の炭酸塩岩の割合も増加してくる。(ｵ)25億年〜20億年前には，石英と赤鉄鉱が薄層をつくる縞状鉄鉱層が堆積し，約20億年前以降には赤色の泥岩や砂岩が堆積した。約6億年前の先カンブリア時代末期には地球は著しく寒冷化し，大陸や海洋の大部分が厚い氷床で覆われる「全球凍結」状態に陥った。(ｶ)やがて「全球凍結」から回復すると，現在の生物界の系統にはつながらない大型の動物群が出現したが，間もなく絶滅した。古生代に入ると硬い

殻をもつ生物が出現し，生物界の多様性が爆発的に拡大した。これを (キ) カンブリア大爆発と呼ぶ。

(1) 下線部（カ）の大型の動物群を何と言うか。

(2) 下線部（キ）に関連し，カンブリア大爆発において出現した主要な生物名を一つ答えよ。

(3) 原始大気の二酸化炭素の濃度は現在の1000 〜 10000倍もあったと推定されているが，約20億年前には現在の100倍程度にまで低下したことがわかっている。二酸化炭素の濃度の低下の要因について，1行程度で述べよ。

(4) 下線部（オ）に関連し，約25億年前以降に縞状鉄鉱層や赤色堆積岩が堆積した要因について，1行程度で述べよ。

(5) 下線部（カ）に関連し，「全球凍結」を終了させた要因について，問Ⅰや問Ⅱ（省略）を参考にして，2行程度で考察せよ。なお，「全球凍結」の前後で，太陽放射エネルギーや火成活動は一定であったとする。

この問題で言及されている約6億年前におきた全球凍結以外に、22億年前にも全球凍結があったと考えられています。

問題（1）から考えていきましょう。この問題では「エディアカラ動物群」と解答するだけでOKですが、どんな動物なのかちょっと紹介します。

カルニオディスクス
エディアカラ動物群を代表する種
昆布のように海の底から生えていた？

トリブラキディウム
120度ごとに同じ構造を繰り返す現生の生物にはいない特徴

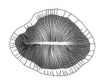

ディッキンソニア
バスタオルのような平べったい構造？
大きいものは80cmにもなったらしい

エディアカラ動物群とは、オーストラリアにあるエディアカラの丘で発見されたことから命名されました。代表的な3種を紹介しました。

　この時代の生物は問題文にあるように、現在の生物界の系統にはつながらないと考えられています。体は軟らかいので、ふつうの化石のように骨や殻が残っているのではなく、印象化石という土に埋まった時の輪郭が化石として発見されたのです。平べったいものが多いのは、彼らは口がなくて、体表から栄養をとり込んでいたからだと考えられています。食べる必要がなく、食べられる恐れもないわけですから、歯や殻も必要ありませんね。暖かい太陽の光が降り注ぐ海で、優雅に波間に漂う平べったい生き物たちを想像すると、何と平和な世界だったのだろうと思います。

　ただ、その世界も長くは続きませんでした。栄養を体表からとり込むよりも、隣を漂っている奴を「パクッ」と食べたほうが手っ取り早く栄養がとれるわけですから、進化して口をもつ生き物が現れます。次々食べられたらその生き物は絶滅してしまいますので、そのうち簡単に食べられない殻をもつ生き物が現れ、そして殻をかみ砕けるように牙をもつ生物が現れ、硬い骨格をもって泳いで逃げまわる生き物が現れます。生存競争の始まりですね。競争は進化のスピードを速めるので、生物界の多様性が爆発的に拡大します。これがカンブリア大爆発です。このとき出現した生物はカナダのバージェス頁岩層（頁とはページとも読み、本のページのように平たくはがれる岩石からなる地層です）から発見されたのでバージェス動物群とよばれます。

| 三葉虫 | アノマロカリス | ピカイア |

　この中でピカイアは後に脊椎になったと考えられる脊索とよばれる体の中

心を通る固い組織をもっており、のちに誕生する魚類の祖先、つまり我々の祖先ではないかと考えられています。問題（2）はこの中から生物名を一つ答えればいいので、おそらくほとんどの受験生は三葉虫と答えたでしょう。アノマロカリスも固いあごをもち、当時の最強の生物として有名ですのでこれを答えた受験生もいると思います。ピカイアと答えた受験生は採点の教官をきっとうならせたと思います。

この問題では（3）〜（5）までがぶつ切りの問題になっていますが、「全球凍結」、「二酸化炭素濃度」、「酸素濃度」は関連していると考えられています。全球凍結の証拠を発見したのは先ほど述べたようにホフマン教授でしたが、そのアイデアを最初に提唱したのはカリフォルニア工科大学のジョセフ・カーシュビング教授でした。それまでは地球が全球凍結してしまうと、氷は太陽の光をよく反射するので、二度と現在のような地球には戻れなくなってしまうとされていました（今回は省略しましたが、問題Ⅰ、Ⅱでは全球凍結までのプロセスを簡単な計算を行なって説明させる問題でした）。しかし、カーシュビング博士は全球凍結しても地球内部のマグマは活動しているため、火山からは二酸化炭素が放出され続けており、たまった二酸化炭素の温暖化の効果で氷は融けると考えたのです。

このとき、氷が融けてもすぐに二酸化炭素は減らないため、強力な温室効果によって平均気温は極端に上がり、全球の平均気温が50℃前後まで上がったと考えられています。すると海から盛んに水蒸気が蒸発して水循環が活発になるため、激しく風化された地表から陽イオンが海に流れ込んで二酸化炭素と反応し、炭酸カルシウムなどの炭酸塩鉱物が沈殿します。氷河堆積物の上には石灰岩の地層がよく見られるのですが、この地層の組み合わせはこうしてできたと考えられています。そして海に大量に溶け込んでいる二酸化炭素を使って光合成をする細菌であるラン藻（最近ではシアノバクテリアとよぶほうが一般的です）が活発に光合成をして酸素を放出します。すると酸素

がだんだん増えていき、同時に二酸化炭素は減るのでまた元の大気組成に戻ると考えられています。22億年前と6億年前の全球凍結はこのメカニズムで凍結状態から回復したと考えられているのです。

縞状鉄鉱層はラン藻の活発な光合成で増えた酸素が海中の鉄イオンと結合して酸化鉄となり、沈殿することでできたと考えられていますが、この縞状鉄鉱層は問題文が言及している25億〜20億年前だけでなく、2回目の全球凍結の時代前後の地層からも見つかっているのです。

つまり、地球は「二酸化炭素濃度が減る→全球凍結→火山から二酸化炭素が供給されて二酸化炭素濃度が増え、全球凍結が終わる→高温環境となり、二酸化炭素濃度が減り、酸素が増える」というプロセスを今までに少なくとも2回繰り返したと考えられています。エディアカラ動物群も、2回目の全球凍結後、酸素濃度が上昇したことで効率的にエネルギーをとり出せる好気呼吸ができるようになって巨大化したと考えられています。

以上から、(3)は「海水に溶け込んで、炭酸塩鉱物として固定されたこと、ラン藻の光合成によって消費されたこと」の二つを解答し、(4)は「ラン藻の光合成によって酸素が増え、鉄イオンが酸化されたこと」を解答し、(5)は「火山活動は全球凍結中も存在していたため、火山ガスとして放出される二酸化炭素が大気中に増えていき、温室効果により温度が上昇したから」と解答すればいいでしょう。

全球凍結が広く知られるようになってからわずか10年で入試問題として仕上げるなんてすごいなあと、日々問題を作ったり解いたりしている筆者は思ってしまうわけです。

キリンの首はなぜ長いのか？
この疑問にダーウィンは
『種の起源』で答えを
出しました

● 1996 年生物第 2 問　● 2003 年生物第 1 問

　「進化（evolution）」という単語は生物学以外でも、「ビジネスの世界で生き残るために我々は進化し続けなければいけない」とか、「この車は 20 年前よりも大幅に進化している」など広く使われるようになりました。でも生物学で使われる「進化」の意味から考えると、この二つの使い方はどちらも間違いです。この第 22 節を見ながらなぜ間違いなのかを考えていきましょう。

　まずは「種の起源」で有名なチャールズ・ダーウィンの生涯を見ながらこの問題を解いて基本を押さえましょう。

1996 年生物第 2 問より

〔文 1〕

　1859 年に生物の進化に関する著書 1 を著した英国のダーウィンは生物の進化が起こる要因は 2 であると主張した。(ア) この 2 による進化学説は，後に個体差の遺伝様式などの知識を取り込み，1930 年以降には広く支持されるようになった。

　しかしダーウィンを悩ませた問題に雄のはでな「飾り形質」がある。例えば，クジャクの長い尾羽のように，はでな飾り形質は天敵にねらわれやすく，逃げるのにも不利だと思われる。そのため，もし彼の学説が

正しければ，そのような長い尾羽には進化しないはずである。これを説明するためにダーウィンは雄に対する雌の選好性という考えを1871年に発表した。その説とは，雄のはでな飾り形質が，たとえ繁殖以外の面では有利ではなくても，交配時に雌をより強く引きつけるならばこの形質は多くの子孫に伝わるので，よりはでな方へ進化していくというものである。

フィッシャーは1930年にダーウィンのこの考えが成り立つことを，次のように説明した。雄のはでな飾り形質も雌の選好性も，ともに遺伝する形質で，しかも互いの傾向が相互に遺伝的関連を持ち，さらに，よりはでな飾り形質をもった雄が雌に選ばれやすいならば，これら3つの条件のもとで2つの形質は集団中に広まっていく。そして，それ以上極端な飾り形質を持つことが，その生物の生活上よほど不都合なことになって，強い　2　によりそれ以上の増進が著しく不利になるまで，これら2つの形質は進化し続けるのである。

問I　文1について。

A　空欄1と2にそれぞれ最も適切な語句を入れよ。

B　19世紀前半に出されたもっとも重要な進化学説と，それを提出した人名を記せ。

C　下線（ア）の学説に基づき，ある形質（Pとする）の進化が起こる理由を，以下の語句を全て用いて3行以内で説明せよ。（使用した語句に下線を引くこと。）

　　個体差　　次世代で繁殖する子の数の期待値　　遺伝する

　ダーウィン（Charles Robert Darwin：1809〜1882）はとても裕福な家庭に生まれました。父親も父方の祖父も医師で、母方の祖父は陶器で有名なウェッジウッドの創業者でした。そんな家庭に生まれたダーウィンは父親の

希望通りにエディンバラ大学で医学を学びますが、血を見ることが苦手だったために医学にはなじめずに、昆虫採集や地質学に熱を上げていました。自分がやりたいことよりも親の希望を受け入れて大学でミスマッチをおこしてしまう、現在でもたまに聞く話ですね。そんなダーウィンを心配した父はダーウィンを医師にするのをあきらめ、ケンブリッジ大学に移って牧師になるように提案します。牧師なら空き時間に好きな博物学に没頭できるとダーウィンはこの提案を受け入れて、エディンバラ大学をあっさりやめてケンブリッジ大学に移りました。でもダーウィンがエディンバラ大学で学んだ解剖学や剥製の製作技術は後々大いに役に立ったわけですから人生は分かりません。人生にはその時は無駄なことや回り道に見えることでも、あとから考えると実は役に立っていたなんてことはざらにあるのです。

　さて、ダーウィンは移った先のケンブリッジ大学を平凡な成績で卒業し、牧師への道を歩みだす……はずが大学の恩師の博物学者ヘンズロー氏の紹介でイギリス海軍の測量船ビーグル号に、館長の話相手兼見習い博物学者として乗ることになったのです。

『種の起源』と自然選択説

　ダーウィンはビーグル号で5年の航海を行なって地球を一周しました。大西洋を横断して南米大陸に立ち寄りながら南下していくときに彼は生物が少しずつ変化していくことに気づきます。その後、ガラパゴス諸島に立ち寄ってから帰国したダーウィンは有名な『種の起源』を出版するのです。というと簡単ですが、ダーウィンが航海から帰ったのが1836年、『種の起源』の出版が1859年ですからその間に20年以上の月日が流れています。この間にダーウィンは航海の間に集めた標本を整理したり、航海の報告書を書いたり、結婚したり、病気で苦しんだりしていて忙しかったのもありますが、当時の道徳観である「種は不変である」というキリスト教の教えに反する内容を公表することに対する現在では想像もできないプレッシャーもありました。『種の

起源』はそうした彼自身の葛藤を経て発表されたのです。ダーウィンが種が変化する原因として提唱したのが「自然選択」です。この自然選択によって種は変化するという考え方（これを自然選択説といいます）をキリンの首が長いことを例にして説明しましょう。

　まず、昔のキリンは首は長くなかったことが化石から分かっています。ではキリンの首はなぜ長くなったのか。自然選択説では、キリンの子供には突然変異により、首の長い子供、首の短い子供と色々な子供が生まれるけれども、首が長いキリンのほうが高い木のエサを食べられるので生き残る確率が上がる（逆に首の短いキリンはエサが取れずに死んでしまう）のだと説明します。そしてこれが何世代にもわたり繰り返されて、現在の首の長いキリンになったと結論付けるのです。ただし、ここで注意しなければいけないのは環境によってはキリンの首の長さはデメリットにもなりえるということです。例えばまわりに背の低い木しかない環境では、首が長いことはメリットではなく、むしろ敵に発見されやすいというデメリットになるので淘汰されてしまうでしょう。自然選択説というのはあくまでその環境に適応した生物が生き残るという説であることに注意しましょう。

自然選択説とラマルクの用不用説

　さて、生物学的な視点で「進化」という考え方をはじめて提唱したのは実はダーウィンではありません。それはラマルク（Jean-Baptiste Pierre Antoine de Monet, Chevalier de Lamarck：1744 ～ 1829）でした。彼は1809年に著した『動物哲学』で、用不用説といわれる進化の学説を提唱したのです。用不用説をキリンの例で説明すると、キリンの祖先は高いところの木の葉を食べようと首を伸ばす努力をした→首が少し長くなる→その首の長さが子供に伝わる→子供はさらに首を伸ばす努力をしてさらに首は長くなっていく→現在のキリンになった、という流れです。

　両者の学説をイラストにまとめました。

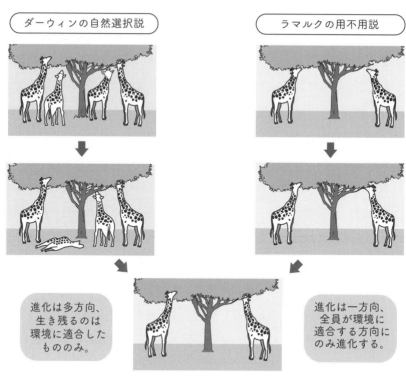

ダーウィンの自然選択説とラマルクの用不用説の違い

　もちろんラマルクの用不用説は現在では基本的に否定されています。努力した結果得られた形質（これを獲得形質といいます）が子孫には伝わらないというのが理由です。遺伝子の突然変異でないと子孫には伝わりません。つまり、生物学の進化とは「世代を超えて伝わる変化」のことなので、この節の最初に出した「ビジネスの世界で生き残るために我々は進化し続けなければいけない」という例は、今ビジネスをしている人たちの子供が突然変異でビジネスの世界で生き残る能力を身に着けて生まれてくるということになってしまうのです。おかしいですね。ましてや車は生物ですらないので進化の対象にはなり得ないのです。

　もう一つ、ダーウィンの考え方とラマルクの考え方の違いを紹介します。

ダーウィンは「種は変化する」という考えを発表することを「殺人を告白するようなものだ」と友人への手紙に綴っていて、実際に発表後は大きな反響を呼びました。しかし、ラマルクのときはそれほどでもなかったのです。もちろんダーウィンの時代とラマルクの時代は情報の伝達速度も違いますし、大衆の教養のレベルも違いましたが、自然選択説と用不用説にはもっと根本的な違いがあるのです。この理由について解説します。

　次のイラストを見てください。ダーウィンの進化に対する考え方をイラストにしたものが左側、ラマルクのそれは右側です。

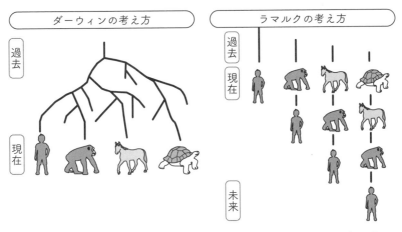

ダーウィンの進化の考え方（左側）とラマルクの進化の考え方（右側）

　ダーウィンのほうは進化の途中で線が途切れている、つまり絶滅した生物もいると考えていることにも注目してください。これに対してラマルクは、哺乳類を高等な生物とし、他の下等な生物は単に地球に現れてから時間が経っていないだけで、いずれ高等な生物に進化すると考えたのです。ダーウィンの自然選択説が大きな反響を呼んだのは、下等な生物（と考えられていた）のチンパンジーと高等な生物のヒトが共通の祖先をもっているということが多くの人にショックを与えたからです。まだラマルクの考え方ならダーウィンの考え方よりも受け入れやすいことが分かりますね。

以上からＡの解答は₁種の起源、₂自然選択で、Ｂの解答は用不用説、ラマルクになります。

Ｃは記述問題です。東大の解答用紙は文字の大きさにもよりますが、1行に30〜40字くらい入るので、3行以内ということはだいたい100字前後で答えることになります。この問題では、ダーウィンの自然選択説の後に分かった個体差の遺伝様式などもとり込んだ進化学説に基づいて解答することが求められています。これは〔文1〕の後半にあるフィッシャーの考えも踏まえなさいということが暗に要求されているのでしょう。フィッシャーの考えは一見生き残るのに不利な遺伝する形質でも、子孫を残すのに有利ならその形質は集団に残り続けるというものです。そこで解答は「個体差のうち、突然変異で生じた遺伝する形質が、次世代で繁殖する子の数の期待値を上げる場合は集団に残って進化がおこる。クジャクの長い尾羽のように個体が生き残るのに不利な形質でも、繁殖に有利ならば期待値は上がる。（104字）」となります。

自然選択説は「自然」という名前がついていますが、人為的に作り出された環境でも成立します。その有名な例がテーマになった2003年の問題を見てみましょう。

2003年生物第1問より
〔文3〕

　ガの一種オオシモフリエダシャクには，灰色と白のまだら模様の野生型と，暗色の黒化型の2タイプがある。19世紀前半のイギリスでは黒化型はほとんど見られなかったが，(エ)工業化が進むにつれて，大都市の近郊では黒化型の頻度が増え始めた。ところが，工場がない田舎の地方では，野生型が非常に高い頻度を占め続けた。

　この2つの体色の表現型は，1組の対立遺伝子によって決まっていて，

（オ）優性の対立遺伝子Cを持つCCとCcは黒化型になりccが野生型になる。野生型は，灰白色の（カ）地衣類で被われた木の幹にとまっていると，羽と背景の模様が似ているので目立たない。黒化型は，工場から出る煤煙などの影響で地衣類が枯れて，黒っぽい幹の地肌がむき出しになった木の上で目立たない。

そこで，ある研究者は，下線部（エ）の現象は鳥による捕食の変化によって説明できると考えた。彼は，工業都市バーミンガム近郊で地衣類が枯れて木の地肌がむき出しになった林と，地衣類が繁茂している田舎のドーセット地方の林を選び，これら2つの場所で，標識した野生型と黒化型のガを多数放った。そして数日後に再捕獲した結果が表1である。

表1　標識して放したガの再捕獲割合

場所	再捕獲された割合	
	野生型	黒化型
バーミンガム	13%	28%
ドーセット	13%	6%

Ⅲ　文3について，次の小問に答えよ。

A　下線部（エ）について。この現象は何と呼ばれているか。

B　下線部（オ）について。いま野生型ccと黒化型CCとCcが1:1:1からなる集団を考える。この集団で交配が完全に無作為に起こるとすると，次世代の体色の比率は，野生色：黒化色でいくつになるか。ただし，細胞質の効果はなく，どの対立遺伝子の組み合わせでも等しい数の子を残し，鳥の捕食はここでは考えないものと仮定する。答えを導く途中の過程も簡潔に記せ。

C　下線部（カ）は2つの生物の共生体であるが，それらは何と何か。

D 表1について。このような鳥による採餌行動は，やがて自然選択による進化をもたらすと言われている。この［文3］の例は，自然選択が作用して進化が生じるのに必要な条件をすべて満たしている。それらの条件を2行程度で述べよ。

E 1956年に法律で工場からの大気汚染物質の排出が規制されてからは，次第に木の表面に地衣類が回復してきて，それとともに黒化型の頻度が減り始めた。それ以降，地衣類が繁茂した状態が続くと，黒化型の頻度はどうなると考えられるか。最も適切なものを以下から1つ選んで，番号で答えよ。

(1) 黒化型はやがて完全に消滅する。

(2) 野生型から体色の対立遺伝子に突然変異が生じて黒化型が現れ，この頻度が低いと鳥に食われにくいので，ある程度まで個体数を増やす。

(3) 野生型から体色の対立遺伝子に突然変異が生じて黒化型が現れるので，非常に稀な頻度で黒化型が見られる。

(4) 野生型から体色の対立遺伝子に突然変異が生じ，体色は野生型ばかりになっても，その中に低頻度で黒化型遺伝子をヘテロで持った個体が隠れて混じる。

A 産業革命後のバーミンガムのように工業化が進むと、工場から排出される煤煙によって樹の幹を覆う白い地衣類が死んで、黒い樹皮が出てきます。すると樹の幹を生息場所にするガ（灰色と白のまだら模様の野生型と黒っぽい黒化型の2種類がいる）は、黒化型の形質のほうが目立たないために鳥に捕食されにくく生存確率が上がります。一方、郊外のドーセットでは大気がきれいなので樹皮が白い地衣類に覆われており、灰色と白のまだら模様の野生型のほうが生存に有利です。このようにある生物集団が自然選択の結果、環境に適応した形質をもつ集団になることを適応進化といいます。この問題

のケースは適応進化のうち、工業暗化とよばれる現象です。よって **A** の解答は工業暗化ですね。工業暗化ではもともと体色が白っぽい野生型が多かったのが、工場の煤煙により人為的に作り出された環境の変化が原因で黒化型が増えたことがポイントです。「自然」選択説といいますが、その「自然」には人間の影響により変えられた結果の「自然」も含まれるのです。

B cc からは c の遺伝子のみが、CC からは C の遺伝子のみが、Cc からは C の遺伝子と c の遺伝子が 1:1 で受け継がれるので、集団の中には遺伝子は C:c＝1：1 で存在することになります。この遺伝子が無作為に交配すると、次世代の遺伝子型の比率は CC：Cc：cc＝1：2：1 になります。このうち、CC と Cc の遺伝子型をもつものは黒化型、cc の遺伝子型をもつものは野生型になるので野生型：黒化型 ＝1：3 になります。

C 地衣類とは木の幹や岩にへばりついているコケのような生き物です。コケの「ような」と言ったのは、地衣類はスギゴケやゼニゴケのようなコケ類ではなく、菌類と藻類の共生体だからです。菌類というとアミガサタケやトリュフのようなキノコが同じグループに入ります。藻類には 2 種類あって、トレブクシア属などの葉緑体をもつ緑藻類とシアノバクテリア（ラン藻）です。緑藻類が共生すると地衣類は灰色〜黄緑色になり、ラン藻が共生すると地衣類は暗褐色になります。問題文中の地衣類は灰白色なので、おそらく緑藻類が共生する藻類なのでしょう。

　このように地衣類は単独の生物であるコケ類とは全く異なるにもかかわらず、なんと70％以上の地衣類に×××ゴケと名付けられてしまっているのです。ウメノキゴケ、マツゲゴケ、リトマスゴケ（化学で使うリトマス紙はこのリトマスゴケから抽出された色素から名づけられました）、クロモジゴケ、……、コケと名前がついていますがすべて地衣類です。それくらい見分けるのが難しいのですね。ということで解答は菌類と藻類です。

D　自然選択がおきるには条件があります。生物の個体に遺伝する変異があり、その変異が自身の生存確率や次世代に残せる子の数に差を与えるということが条件です。解答はこれで OK ですが、一応〔**文 3**〕に当てはめてみると、野生型と黒化型は 1 組の対立遺伝子によって決まっている、つまり遺伝する変異ですね。この変異と工場による汚染という環境によって鳥に捕食される確率が変わるので、まさに生存確率、そして次世代に残せる子の数に差が出るということになります。

E　地衣類が回復すると、黒化型は目立つようになって鳥に見つかりやすくなるために捕食されやすくなり、黒化型が減りはじめます。はたしてこの後、黒化型の数はどうなるのでしょうか？ という問題です。

　そもそも黒化型の遺伝子は優性なので、この時点で（4）は誤りだと分かります。以前工業化が進んでいないイギリスでも黒化型は全くいなかったわけではなく「19 世紀前半のイギリスでは黒化型はほとんど見られなかったが、」とあるので、（1）のように完全に消滅するというのも誤りですね。残る（2）と（3）のどちらかになりますが、黒化型の個体数が増えるかまれな頻度になるかという違いです。さきほどの「19 世紀前半の〜」という文章から考えると、ほとんど見られなかった≒まれな頻度と考えて（3）が正解になります。

進化論もダーウィンの時代から進化しているのです

● 2007年生物第3問

　ダーウィンが種の起源を発表してから約100年後に木村資生が「中立説」を発表します。現在ではダーウィンの自然選択説とともに木村資生の中立説も科学的に正しいものとして受け入れられ、両者のアイデアを結合した総合進化説として発展しています。ここでは、中立説と分子時計という自然選択説のあとに出てきた進化における重要なキーワードを理解することを目指します。

2007年生物第3問より

〔文1〕

　生物の形や色などの個々の形質は，対応する遺伝子によって受け継がれ，決定されている。多くの生物は，両親から受け継いだ1対の遺伝子を有している。しかし，これら対をなすそれぞれの遺伝子は必ずしも同一とは限らない。このような遺伝子を対立遺伝子と呼ぶ。すなわち，生物の形質はさまざまな対立遺伝子によって決定されている。対立遺伝子は，大昔の祖先型の遺伝子から進化してきたと考えられている。出発点となる祖先型の遺伝子が子孫に伝わる間に，突然変異により新しい対立遺伝子が生じ，その結果，何種類もの対立遺伝子が受け継がれてきた。突然変異の多くは，DNAの複製時におこる塩基配列の偶然の変化であり，予測することは不可能である。細胞分裂には，個体が成長する時の

1　分裂と，配偶子形成時に染色体数が半減する　2　分裂があるが，これらにおいて，最終的に配偶子に伝わった突然変異だけが子孫に受け継がれる。このような突然変異の蓄積により生物は進化してきた。突然変異は，生物の生存または繁殖に影響しない（中立的）か有害な場合がほとんどであり，有益な突然変異は少ない。突然変異はある頻度で常に起こっている。しかし，生存または繁殖に有害な対立遺伝子は，　3　により取り除かれていくため，その種類は増えつづけるわけではない。

　中立的な突然変異により生じた対立遺伝子が，生物の集団内に蓄積されるかどうかは，偶然的な効果によっている。通常，このような中立的な突然変異により生じた新しい対立遺伝子は，出現した後の数世代の間に消失する。しかし，ある確率で，古い対立遺伝子が新しい対立遺伝子に置き換わる。この確率は，生物集団の大きさで決まる。このことから，一定の大きさの生物集団では，中立的な突然変異による分子進化(注3-1)は一定速度で起こる，ということができる。

（注3-1）分子進化：遺伝情報をになうDNAの塩基配列やいろいろなタンパク質のアミノ酸配列に関する進化。

〔問〕

Ⅰ　文1の空欄1～3に入る最も適切な語句を記せ。

（※Ⅱ，Ⅲ　略（下線（ア），（イ）も省略した））

　〔文1〕を読めば、中立説についてよく理解できると思いますが、どうでしょうか。

　空欄1と2は大丈夫ですか？　細胞分裂には2種類あって₁**体細胞**分裂と、₂**減数**分裂があります。この次の文章が重要で、突然変異が体細胞におきてもその個体には変化があるかもしれませんが、配偶子（精子や卵のこと）には伝わらないので次世代には受け継がれず、進化の原因にはならないのです。進化の原因となるのは配偶子に突然変異がおきたときに限られます。こ

の配偶子に起きた突然変異が生物にとって生存や繁殖に有利なら集団に広がり、不利なら3**自然選択**により取り除かれる。これがダーウィンの自然選択説でした。しかし、〔**文1**〕の最後の段落で述べられているように実際の突然変異は中立的なものがほとんどなのです。これが「中立説」です。この中立説は第12節で出てきた遺伝暗号表を見るとよく分かります。コドンには4×4×4＝64種類があるので、1つのアミノ酸を複数のコドンが指定しています。つまり、突然変異でDNAの塩基が1つ変化してもアミノ酸は変化しないケースが多数あるのです。例えばCUAというコドンは遺伝暗号表によるとロイシンを指定しますが、これがCUC、CUG、UUAと1塩基が突然変異してもロイシンを指定することには変わりません。これが中立的な変異です。また、AUAと突然変異すると指定するアミノ酸がロイシンからイソロイシンに変化しますが、第9節の20種類のアミノ酸の構造式を見てもらうと分かるようにロイシンとイソロイシンはほとんど同じ構造をもつので、できたタンパク質の機能が生物に影響を与えない場合はやはり中立的な変異になります。

〔**文2**〕

　近年，さまざまな生物のゲノム配列が決定され，DNAの塩基配列やタンパク質のアミノ酸配列を生物間で比較することが盛んに行われている。その結果，多様な生物種で類似した塩基配列をもつ遺伝子が見つかった。このような遺伝子は相同遺伝子と呼ばれ，共通の祖先に由来する，同じような構造や機能をもつ遺伝子であると考えられる。

　複数の種において，相同遺伝子のDNA塩基配列やコードするタンパク質のアミノ酸配列を比べると，多くの場合，置換が起こっている。このような置換のほとんどは中立的な突然変異によるものであり，タンパク質の機能をまったく変化させないか，変化させてもわずかである。したがって，(ウ)中立的な突然変異により生じる，ある配列内で起きる塩基またはアミノ酸の置換の数は，進化の過程で，生物が異なる種に分岐

してからの年数に正比例すると考えられる。通常，(ェ)あるタンパク質の分子進化の速度は，一定年数あたりにおける1アミノ酸あたりの置換率として表すことができる。また，(ォ)進化の過程でタンパク質のアミノ酸が置換する速度は，タンパク質によって異なり，さらに同一のタンパク質のアミノ酸配列内でも一様ではない。

Ⅳ　文2の下線部（ウ）について，以下の小問に答えよ。

　A　生物の類縁関係を模式的に表した図を系統樹と呼ぶ。4種類の生物種a～dの進化系統関係を明らかにするために，あるタンパク質Xのアミノ酸配列を互いに比較し，アミノ酸の違いを数で表した（表3-1）。そして，この表をもとに系統樹を作成した。

　　生物種a～dを表す系統樹として最も適切なものはどれか。次の（1）～（4）から1つ選べ。ただし，系統樹の枝の長さは生物の進化の時間とは直接対応しないものとする。

表3-1　タンパク質Xのアミノ酸置換数

	哺乳類a	哺乳類b	両生類c	魚類d
哺乳類a	－			
哺乳類b	15	－		
両生類c	62	64	－	
魚類d	80	78	62	－

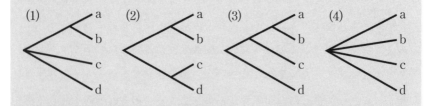

B　化石を用いた研究から，哺乳類 a と哺乳類 b とは今から約 8000 万年前に共通祖先から分岐したと推定されている。哺乳類 a の祖先と魚類 d の祖先とが共通祖先から分岐したのはおよそ何年前と考えられるか，(1) 〜 (4) から最も適切なものを 1 つ選べ。ここでいう「分岐」とは，それぞれの祖先が共通祖先から分かれたことを意味する。

(1)　2 億 3000 万年前　　(2)　2 億 9000 万年前

(3)　3 億 9000 万年前　　(4)　4 億 3000 万年前

Ⅴ　文 2 の下線部（エ）について，表 3−1 のタンパク質 X は 140 アミノ酸からなるタンパク質であり，哺乳類 a と哺乳類 b とは今から 8000 万年前に分岐したとする。タンパク質 X の分子進化の速度を，10 億年あたりにおける 1 アミノ酸あたりの置換率として計算し，有効数字 2 桁で答えよ。ただし，2 つの系統間のアミノ酸置換数は，分岐後の 2 つの系統におけるアミノ酸の置換の合計であることに留意すること。

Ⅵ　文 2 の下線部（オ）について，以下の (1) 〜 (5) から正しくないものを 2 つ選べ。

(1)　酵素では，基質と結合する基質結合部位のアミノ酸が置換すると，酵素としてのはたらきが損なわれるため，基質結合部位のアミノ酸の置換速度は一般に非常に小さい。

(2)　フィブリンは前駆体である血液凝固因子フィブリノーゲンからつくられるが，その際切り出されて捨てられるフィブリノペプチドのアミノ酸の置換速度は，フィブリンの置換速度に対して大きい。

(3)　インスリンは 2 本のポリペプチドが 2 か所で結合したものであるが，それぞれが独立にはたらくことができるため，どのアミノ酸も同じ置換速度を示す。

（4）　分子量の大きなタンパク質は，多くのアミノ酸で構成されているため，アミノ酸の置換する速度も一般に大きい。

（5）　視覚に頼っている動物では，目の水晶体をつくっているクリスタリンのアミノ酸の置換速度は小さいが，洞穴にすむ視力を失った動物では置換速度が大きくなっている。

Ⅶ　生物の分子進化に関連する以下の小問に答えよ。

　A　原核生物種の系統関係を調べるために，原核生物の複数の種において，あるタンパク質Ｙの相同遺伝子の塩基配列を比べたところ，3塩基ごとに置換速度が大きいという法則性があった。その理由を3行程度で述べよ。

　B　真核生物の複数の種において，あるタンパク質Ｚの相同遺伝子の塩基配列を比べたところ，塩基配列の置換速度が小さい領域と大きい領域が交互に存在していた。また，問Ⅶ-Aの3塩基ごとに置換速度が大きいという法則性は，置換速度が小さい領域だけにあてはまった。その理由を合わせて4行程度で述べよ。

　次の問題ⅣのＡでは系統樹がテーマです。従来の系統樹は生物の形態に基づいて推定されたものですが（例えば鰭（ひれ）の数や形で魚を分類する，骨格の形で鳥を分類するなど），どの形態に着目するのかは研究者によって異なるので客観的なものとは言えませんでした。そこで，この問題のように各生物が共通でもつタンパク質（教科書にはたいていヘモグロビンがのっています）のアミノ酸配列を比較する分子系統樹を利用するようになりました。これは「分子時計」ともよばれています（分子時計の発明により従来の系統樹は大掛かりな修正が行なわれることが多々ありました）。表3－1からアミノ酸置換数が多ければ多いほど昔に分岐した（＝系統樹で離れた位置にある）と考えられるので、解答は（3）になります。

Bですが、分子時計という名前の通り、あるタンパク質においては、一定時間にアミノ酸が置換する割合（変化速度）は一定で、共通の祖先からの分岐時間に比例します。約8000万年前に分岐した哺乳類aと哺乳類bのアミノ酸の置換数が15個ですから、それぞれの生物で7.5個ずつ置換されたことになります。ここから8000万÷7.5＝1066万で1個アミノ酸が置換するのに1066万年かかることになります。同様に哺乳類aと魚類dのアミノ酸置換数は80なので、それぞれの生物で40個ずつ置換されていることになり、1066万×40＝4億2640万より解答は（4）になります。

Ⅴは前の問題と同じように考えます。8000万年で140個中7.5個のアミノ酸が変化しているので、1アミノ酸当たりの変化量は8000万年では7.5÷140、10億年では7.5÷140÷8000万×10億＝0.67が解答です。

Ⅵは、Ⅴで求めた分子進化の速度がテーマです。生物の生存にとって重要なタンパク質は1つアミノ酸が変化しても機能に影響して自然淘汰されてしまうことがほとんどなので、分子進化の速度は遅くなりますが、逆に生物の生存にとって重要度が低い場合は速くなります。以上を踏まえて（1）〜（5）の正誤を考えると、（3）はインスリンは独立してはたらくことができないため、（4）はアミノ酸の置換する速度は分子量の大きさではなく機能の重要性に依存するため、正しくないということになります。

ⅦのAですが、ここで遺伝暗号表の知識が必要になります。もう一度第12節で出てきた遺伝暗号表を見てください。コドンの1番目の塩基や2番目の塩基が変化すると指定するアミノ酸も変化することがほとんどですが、3番目の塩基は変化しても指定するアミノ酸は変化しないことが多いことが分かります。例えば遺伝暗号表のロイシン、バリン、セリン、プロリン、トレオニン、アラニン、アルギニン、グリシンのところを見ると、3文字目はC、G、A、Uのどの塩基でも指定するアミノ酸は同じなのです。つまり、コドンの3番目の塩基は突然変異がおきてもアミノ酸が変化しないことが多いため、この突然変異は中立的であり生物の生存や繁殖には影響しないことがほとんどで

す。以上から、問題文にある「3塩基ごと」というのはコドンの3番目の塩基を意味していることが分かります。

これを3行（90〜120字）程度にまとめると、「遺伝暗号表では、コドンの1番目、2番目の塩基が突然変異をおこすと指定するアミノ酸も変わることが多いが、3番目ではアミノ酸は変化しないことが多い。以上から、3番目の塩基の突然変異は中立的な変異であるため集団内に蓄積される可能性が高くなるから。」という解答ができあがります。

Bですが、塩基配列にはエキソンとイントロンがあることに気付けるかどうかがポイントです（エキソンやイントロンを忘れてしまった人は第11節に戻りましょう）。あえてこの問題ではエキソンやイントロンには言及していませんが、塩基配列の置換速度が小さい領域がエキソン、大きい領域がイントロンです。なぜでしょうか？　イントロンは翻訳の前にスプライシングで取り除かれるので大抵は何の塩基でもいいわけです。当然突然変異は中立的な変異になるために置換速度は大きくなります。そしてイントロンは翻訳されないので「3塩基ごとに置換速度が大きい」という法則性は当てはまらないのです。以上をまとめると「真核生物のDNA上の遺伝子にはエキソンとイントロンが交互に存在している。翻訳の前にmRNAからイントロンはスプライシングにより取り除かれるので、イントロンの領域で突然変異がおきても中立的な変異となるために置換速度が大きくなり、翻訳されないために3塩基ごとに置換速度が大きいという法則性は当てはまらない。」となります。

ここまで頑張って読んでくれたみなさんは進化についてとっても詳しくなったことと思います。

穴埋めの一つ目で「食物連鎖」から始まる出題です

● 2016年生物第3問

　「食物連鎖」という言葉を聞いたことがあると思います。植物はシマウマなどに食べられ、シマウマはライオンなどに食べられる、というものですね。食物連鎖は小学生でも学びますが、東大の入試ではどのように出題されるのでしょうか。

2016年生物第3問より

〔文1〕

　生態系を構成する生物には，食うもの（捕食者）と食われるもの（被食者）との関係が見られ，また，捕食者はさらに大型の捕食者に食われる被食者にもなる。食う―食われるの関係が一連に続くことを　1　という。捕食された生物の一部は不消化のまま体外に排出される。捕食量（摂食量）から不消化排出量を差し引いたものが，消費者の同化量となり，その捕食量に占める割合を同化効率と呼ぶ。同化効率は100%　2　の値をとるため，生産者から高次捕食者までの栄養段階が上がるにつれて，個体数や生物量は　3　ことが多い。1種の動物は2種以上の生物を食べたり，2種以上の動物に食べられたりしており，自然界における　1　の関係は，複雑な　4　を構成している。より多くの種により構成される複雑な　4　が存在する生態系ほど，生物群集の量は安定し，水の浄化・二酸化炭素の吸収・酸素の生産・生物生産などのサービス機能（生態系機能）は　5　。

〔問〕

Ⅰ 文1について，以下の小問に答えよ。

A 空欄1～5にあてはまる適切な語句を，以下の選択肢①～⑮の中から選べ。解答例：1－①，2－②

① 前　後　　　② 以　上　　　③ 以　下　　　④ 未　満

⑤ 増加する　　⑥ 減少する　　⑦ 変わらない　⑧ 種内競争

⑨ 種間競争　　⑩ 食物網　　　⑪ 生態的地位　⑫ 食物連鎖

⑬ 競争的排除　⑭ 栄養段階　　⑮ 生物群集

〔問〕Ⅰは基本的な知識の確認です。　1　は食物連鎖、ここは大丈夫でしょう。選択肢には食物網という似たような言葉がありますが、これは　4　に入ります。みなさんは食物連鎖というと図のようなピラミッドを想像するのではないでしょうか。この図は正式には生態ピラミッドといいます。ただ、実際には食物連「鎖」というように生態系は一本の鎖のようにつながっているのではなく、それぞれの動物がえさとする生物は複数あるので相互につながった複雑な網目状の関係になっています。これを食物網といいます。食物網が複雑であればあるほど一つの生物がいなくなっても生態系へのダメージが少なくなるので生態系機能は増加します（　5　）。

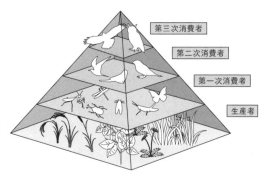

生物は捕食量のすべてを利用できないので、同化効率は100%未満（　2　）になります。草食動物は10%～良くて50%、肉食動物なら70%～場合によっては90%に行くこともあります。そのため栄養段階が上がるにつれて個体数や生物量は減少（　3　）します。

〔文2〕

アラスカ沿岸からアリューシャン列島周辺の海域では、ジャイアントケルプをはじめとするコンブやワカメなどの褐藻類がケルプの森をつくり、多様な魚類・貝類・甲殻類が生活している。そこには、生産者であるケルプをウニが食べ、そのウニをラッコが食べるという　1　がある。1970年代初頭、アリューシャン列島の地形的によく似た近接する2つの島でウニの生息密度を調べた。6,500頭前後のラッコが生息するX島にはケルプの森が繁茂し、小型のウニが低密度で生息していた。図3-1に示すとおり、(ア) ケルプは浅場ほど繁茂し、深場に行くにつれて減少した。一方、ラッコがほとんど生息していないY島にはケルプが繁茂せず、サンゴモで一面が覆われた海底に、大型のウニが高密度で生息していた。

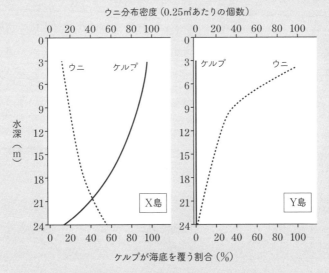

図3-1　2つの島における水深とケルプが海底を覆う割合（実線）、
　　　　および水深とウニ分布密度（点線）の関係

光合成を行うサンゴモはウニの餌となる藻類であるが、ケルプのような背の高い群落を形成することは無く、海底の岩盤を薄く覆うように広がる。(イ) Y島における魚類・貝類・甲殻類の種数や生物群集の量は、

多数のラッコが生息するＸ島よりも少なかった。ケルプの森の生態系におけるラッコのように，(ウ) <u>生態系にはそのバランスを保つのに重要な役割を果たすキーストーン種がいることがある。</u>

Ⅱ　文2について，以下の小問に答えよ。

A 下線部（ア）について。このようになる理由として，浅場ほど光の量が多いことが考えられる。これ以外の理由を，ラッコが果たした役割を踏まえて2行程度で説明せよ。

B 下線部（イ）について。このような結果をもたらした理由としては，基礎生産をまかなうサンゴモの生産性がケルプより低いことなどが考えられる。このような餌生物としての特性の違い以外に，理由となりうるケルプとサンゴモの違いを1つあげ，2行程度で説明せよ。

C 下線部（ウ）について。下の図は，生物多様性が著しく低い状態から健全な自然界のレベルまで増加するに従い，生態系機能がどのように変化するかを表す概念図である。キーストーン種が存在していることを示すもっとも適切な概念図を以下の（1）〜（6）の中から1つ選べ。

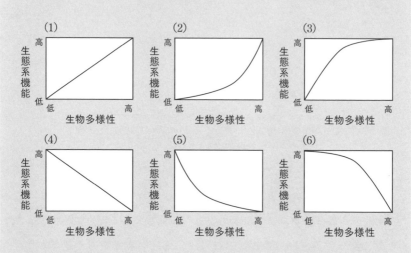

D 1990年代に入りアラスカ沿岸からアリューシャン列島のケルプの森の生態系で，シャチがラッコを捕食する様子が初めて目撃されるようになった。平均体重4tのシャチが野外で生活していくのに，1日あたり200,000kcalのエネルギーを必要とする。1頭のシャチがラッコのみを捕食して必要なエネルギーをまかなうとした場合，1年間（365日）で何頭のラッコが必要となるか。計算結果の小数点第一位を四捨五入して整数で答えよ。答えを導く計算式も記せ。なお，ラッコの平均体重は30kg，体重あたりのエネルギー含有量は2kcal/g，シャチがラッコを摂食する際の同化効率は70%とする。

E 文2で紹介したX島周辺海域にラッコのみを捕食する数頭のシャチが定住した場合，ケルプの森の生態系を構成する生物種の個体数はどのように推移すると考えられるか。時間経過に伴うケルプ・ウニ・ラッコの個体数（相対値）の推移を示すグラフとして，もっとも適切なものを以下の（1）〜（6）の中から1つ選べ。

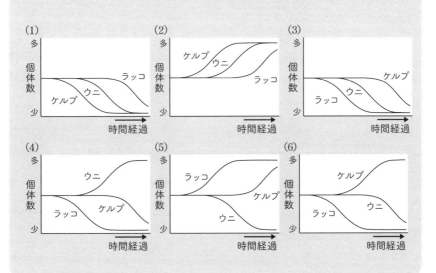

東大の生物の入試問題はⅠのような穴埋め知識問題よりも、Ⅱのような知識を踏まえた考察問題のほうが多いのが特徴です。

　まずAではケルプ→ウニ→ラッコという食物連鎖を踏まえた上でケルプが海の深いところで減少する理由を答えます。ラッコは通常20mくらいまで潜水しますが、エサが浅いところにあれば潜る必要はないので潜りません。当然ラッコはエサのウニを浅いところにいるものから食べるため、X島ではウニは深いほど多く生息しています。するとウニが食べるケルプはその逆に浅いほうが多くなるのです。よって解答は「X島では浅場になるほど、ラッコはウニを容易に捕食できるのでウニは減り、ウニに捕食されるケルプは繁殖ができるから。」となります。

　次にBに行きましょう。Y島については「ラッコがほとんど生息していないY島にはケルプが繁茂せず、サンゴモで一面が覆われた海底で大型のウニが高密度で生息していた。」と記述があります。サンゴモとはいわゆる海藻の仲間ですが、石灰質を大量に含み問題文にあるように海底の岩盤を覆うように広がります。サンゴは動物なので、「サンゴ」モというと動物のように聞こえますが、光合成を行なうれっきとした海藻です。サンゴモで海底が覆われると、ケルプの胞子が海底に固着できなくなり、すき間に固着したケルプもすぐにウニに食べられてしまうために、いわゆる「磯焼け」という生態系機能が少ない生物多様性が乏しい状況になってしまいます。大型のウニが高密度で生息するなら、すしネタのウニが食べ放題！　なんて考えてしまいますが、サンゴモが海底を覆う海にいるウニは、生殖巣（卵巣と精巣のことです。我々が食べているのはウニの生殖巣で見た目はほとんど同じですが、卵巣と精巣の2種類あるのです）が発達せず、商品価値はありません。美味しいウニはケルプを食べているウニなのです。

　さて、ではどう解答すればいいのか考えていきましょう。ケルプが繁茂すると「森」というように、海中にケルプが広がります。特にジャイアントケルプ（和名ではオオウキモといいます）は50mもの長さに成長し、海面に達

した後は海面に広がるように成長し、その海に潜るとまるでうっそうと木が茂る森の中にいるようです。そうです。X島ではこのケルプが隠れ家や繁殖場所になり豊かな生物多様性が維持されているのです。これをまとめると「コンブなどの背の高い複数の種からなるケルプが繁茂すると、海中にケルプの森を形成するので魚類などの隠れ家や繁殖場所となり、海底の岩盤を薄く覆うサンゴモに比べて多数の生物群集を維持できるから。」となります。

次に**C**の問題です。キーストーン種とは食物網の上位にあって、生態系で比較的少ない数でも大きな影響を与える生物のことです。最近では高校の教科書にも掲載されるようになりました。キーストーン種を最初に見出したアメリカの生態学者ペインは、太平洋岸の岩場でひたすらヒトデを除去する実験を行ないました。ヒトデは岩場の食物網で上位にいる生物です。除去し続けて数年経つと、岩場はごくわずかな生物しか生息しない次の図のような単純な生態系になってしまったのです。

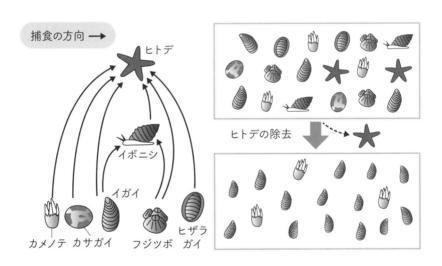

キーストーンとは日本語では要石などとよばれアーチの頂上部分にある石のことで、このキーストーンを除くとアーチが崩れてしまうことから名付けられました。つまり、生物多様性が高い場所では生態系の機能も高まります

が、キーストーン種がいることで生物多様性と生態系機能が格段に高くなるため、正解は（2）になります。

　続いて**D**です。従来シャチはクジラを食べていると考えられていましたが、クジラの個体数が減少した1990年代にはラッコを捕食するようになりました。この研究結果から派生した問題です。1年間にシャチが必要とするエネルギーをラッコ1頭のエネルギー含有量で割ると、解答の1738頭が得られます。

$$\frac{2 \times 10^5 \left[\dfrac{\text{kcal}}{\text{日}}\right] \times 365\ [\text{日}]}{30 \times 10^3\ [\text{g}] \times 2\left[\dfrac{\text{kcal}}{\text{g}}\right] \times 0.7} = 1738$$

　ちなみに成人のヒトでは1日2500kcal前後のエネルギーが必要とされていますので、同様の計算をするとラッコは年間約22頭で済みます。シャチの大食漢ぶりがよく分かりますね。

　ここまで読んできたみなさんは**E**も容易に分かるのではないでしょうか。シャチはラッコを捕食するのでラッコは減ります。ラッコが減るとラッコが捕食していたウニは増えます。ウニが増えるとウニが捕食していたケルプが減ります。この現象は時間経過にともなっておきるので、正解は（4）になります。

　研究室で行なうDNAやRNAを扱うバイオテクノロジーの研究は生物の醍醐味を味わえますが、フィールドに出て生態系の研究をするのもとても素敵だなと思わせてくれる問題でしたね。

第 7 章

宇宙にまつわる問題

この章では宇宙に関する問題を集めました。夜空を見上げればたくさんの星が輝いていますが、私たちは宇宙のことについてはほんのわずかしか分かっていません。でも東大の問題を解くと「宇宙についてここまで分かっているんだ」とか「宇宙のことを調べるのにこんなふうに科学が使われているんだ」という新しい発見があります。一緒に宇宙の不思議を探検しましょう。

光の問題でも東大では
ひとひねりしてあります

● 1991年物理第3問

　光の速度は30万km/秒で、この数値は宇宙のについて学習するときは自明のものとして扱います。どれくらいの速さかというと、1秒で地球を7周半できる速度です。でもこの速度はどうやって測定したのでしょうか。みなさん想像できますか? 私にはとてもできないので、入試問題を題材にして考えてみましょう。

　光速度を地上で初めて測定したのはフランスの物理学者フィゾーで1849年のことでした。彼は図のような装置をつくって、反射鏡をパリのモンマルトルの丘に、観測装置を8.6km離れたシュレーヌにおいて測定を行ないました。

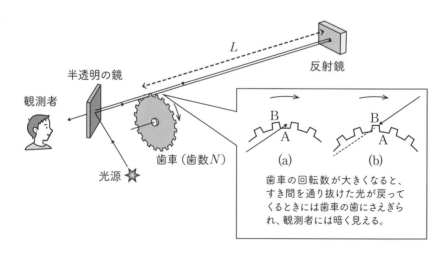

歯車の回転数が大きくなると、すき間を通り抜けた光が戻ってくるときには歯車の歯にさえぎられ、観測者には暗く見える。

光の速さはとても速いので、歯車の回転がゆっくりならすき間を通り抜けた光が反射鏡で反射され、戻ってきて同じすき間を通り抜けられるので暗くはなりません。しかし、歯車の回転数を大きくしていくと、光が反射されて戻ってきたときには歯車が回転していて歯にさえぎられてしまうので観測者には暗く見えます。フィゾーは歯車を1秒間に12.6回転させたときに暗くなったので、そこから光の速度を3.13×10^8m/秒と算出したのです。現在では光速が299792458m/秒、有効数字3桁で表すと3.00×10^8m/秒と求められていますから、これと比べてもフィゾーの実験はかなり精度の高いものだったと言えます。

　ではフィゾーの実験を式で表してみましょう。歯車から反射鏡までの距離をL[m]、光の速度をc[m/秒]、歯車が1秒でf回の回転をするとします。歯数がN個の歯車はすき間の数もN個なので、歯車が$1/(2N)$回転するとすき間を通り抜けた光は戻ってきたときに歯でさえぎられて暗くなります。このときに必要な時間は$1/(2Nf)$なので、これと光が往復する時間$\dfrac{2L}{c}$が等しくなります。これを式で表すと以下のようになり、光速度が求められます。

$$\frac{1}{2Nf} = \frac{2L}{c} \quad \text{よって} \quad c = 4NfL \qquad \cdots (1)$$

　これだけでは簡単すぎるので、東大の問題では多少のひねりが入っています。では問題を見てみましょう。

1991年物理第3問より

　図3−1のMはレーザー発生装置で，その前におかれた200枚の歯をもつ歯車Gは，一定の回転数で回転して，光を周期的に遮断する。光は半透明の鏡Aでふたつのビームに分けられ，一つは光検出器P_1に入り，もう一つは距離L[m]離れた遠方の鏡Bに向かう。Bで反射された光はAのそばに置かれた鏡Cで反射され，もう一つの光検出器P_2に入る。距離ABは距離BCに等しく，また距離AP_1は距離CP_2に等しいとする。

図 3-1 中の水槽は，長さ 500m で，ここに水を入れると，光は往路および復路とも水の中を通過することになる。

光検出器 P_1，P_2 の信号はオシロスコープに伝えられる。図 3-2 はオシロスコープの画面で，縦軸が光の強度を表す。実線は P_1 からの信号，破線は P_2 からの信号である。横軸は時間の経過を表し，右のほうが後の時刻である。画面の水平方向の尺度は 1 目盛りが 1cm で，これは 5.0 $\times$ 10^{-6} 秒を表す。また光速は $c = 3.0 \times 10^8$m/s とする。

I 図 3-2 の実線の図形は周期的で，距離 a は 4.0cm であることが読み取れた。これから歯車の毎秒の回転数を求めよ。

II 水槽に水がない場合，破線の図形は，図 3-2 に示すように，実線の図形と $b = 1.6$cm だけずれたものとなった。（予備実験として，鏡 B を A と C のすぐ近くに置いたときには，ずれがないことを確かめてある。）ここで水槽に水を満たすと，オシロスコープ上で，破線の図形はどちらに何 cm ずれるか。ただし水の屈折率は 1.3 とし，また水による吸収のために光が弱くなることは考慮しなくてよい。

III 水槽の水を抜いて問 II の初めの状態に戻す。次に歯車の回転数を徐々に変えた後に一定にしたが，その間に a は徐々に伸びて $a' = 5.0$cm となり，また b は徐々に縮んで $b' = 0.6$cm となった。これから L を求めよ。

IV 前問 III では，a，b が徐々に変化する様子を観察したが，これは必要であったか。最終的な a'，b' を知るだけでは不十分か。簡潔に議論せよ。

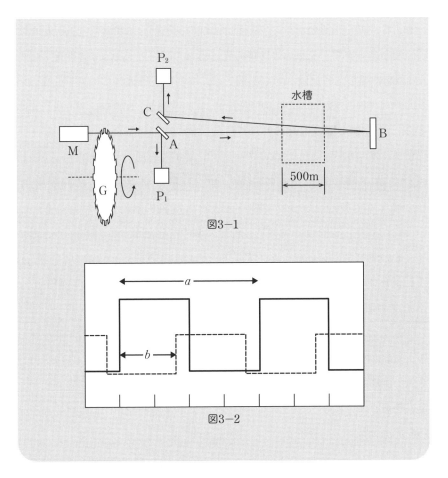

図3−1

図3−2

Ⅰ　距離 a の 4.0cm は、光がすき間を通って歯車にさえぎられてからまたすき間を通るようになるまでにかかる時間を表しているので、1cm が 5.0×10^{-6} 秒より、20.0×10^{-6} 秒で 1/200 回転することが分かります。ここから歯車の 1 秒当たりの回転数［回 / 秒］は、以下の式で求められます。

$$\frac{1}{200}\ [回] \div (20.0 \times 10^{-6})\ [秒] = 250\ [回 / 秒]$$

　これがどれくらいの速さかイメージするのは難しいと思いますが、時速 100km で走っている車のタイヤの回転数が毎秒 60 回ですから、毎秒 250 回転はとてつもなく速いことが分かりますね。

Ⅱ、Ⅲ、Ⅳ　水槽に水がない場合は破線の図形が実線の図形と1.6cmだけ
ずれたとあります。これは、破線の光は鏡Bで反射して戻ってきた光なので、
AB間を往復した分だけ余分な距離を進んでおり、その分だけオシロスコー
プの信号が右にずれます。この情報をもとに、先にⅢ、Ⅳを解いてみましょう。
そのほうがこの装置の仕組みがよく分かります。

まず注意しなければいけないのは、1.6cmずれたということから「1.6cm
は8.0×10^{-6}秒なので、光速（3.0×10^8 [m/秒]）をかけて2400m余計に
光は進んできた。だからLは1200mだ。」と単純には結論づけられないと
いうことです。これは、光がAB間を往復した分だけ光が遅れるわけです
が、その遅れは1.6cmなのか、歯車の歯もう1つ分ずれた5.6cmなのか（L
は4200mになる）、さらにもう1つ分ずれた9.6cmなのか（Lは7200mにな
る）、それ以上ずれているのか分からないことを意味しています。そこでLが
1200mなのか4200mなのか7200mなのかを判別するための問題がⅢとⅣで
す。歯車の回転数を変えても、2つの光の到達する時間の差は変わらないので、
実線の図形と破線の図形の距離が変わらないところを探せばよいのです。言
葉の説明では分かりにくいので、「実線の図形と破線の図形の距離が変わらな
いところ」を太い矢印で表したものを図に示しました。

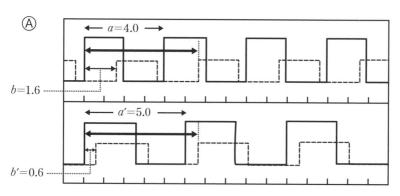

歯車の回転数を遅くしても、太い矢印の長さ（5.6cm）は変わら
ない。つまり、L＝4200mであることが分かる。

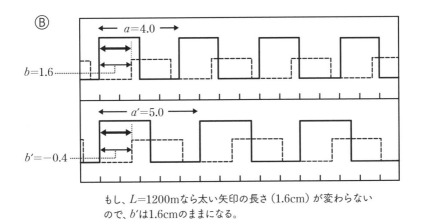

Ⓑ

$a=4.0$

$b=1.6$

$a'=5.0$

$b'=-0.4$

もし、L＝1200mなら太い矢印の長さ（1.6cm）が変わらない
ので、b'は1.6cmのままになる。

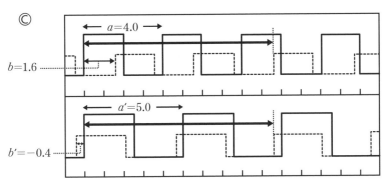

Ⓒ

$a=4.0$

$b=1.6$

$a'=5.0$

$b'=-0.4$

もし、L＝7200mなら太い矢印の長さ（9.6cm）が変わらないので、
b'は0を経由してマイナスになる。

　Ⅲの問題文を読むと、bの距離は1.6cmから0.6cmに変わりましたが、Ⓐ
の図中の太い矢印の長さは5.6cmで変わりません。つまりLは4200mだとい
うことが分かるのです。これがⅢの解答です。もし、Lが1200mだとしたら、
bの1.6cmは変わらないまま、実線と破線の図形が右に伸びていきますし（Ⓑ
の図）、Lが7200mだとしたら、bは0を経由してマイナスになるのです（Ⓒ
の図）。ここに図形の変化を観察する必要があるのです。これがⅣの解答です。

　さて、Ⅱに戻りましょう。光が往復する経路の途中に水層を置くと破線の

図形はどちらにずれるのかという問題です。光速は3.0×10^8 [m/秒] と与えられていますが、これは真空中の速度であって水中やガラスなどではもっと遅くなります。この「どれくらい光が遅くなるか」を数値で表したのが屈折率です。この問題で使用する水の屈折率1.3というのは、水中を進む光の速度が真空中に比べて1/1.3になるということです。真空での屈折率は1ですが、空気中の屈折率も1.0003とほぼ1とみなせますので、この問題でも空気中の光速（3.0×10^8 [m/秒]）と水中の光速（$\frac{3.0}{1.3} \times 10^8$ [m/秒]）を使って問題を考えましょう。

水槽があることで光が往復するのに必要な時間がどれだけ増えるかを考えてみます。水層がないときは、空気中を1000m進むだけですので、かかる時間は以下の式で求められます。

$$1000 \, [\text{m}] \div \left(3.0 \times 10^8 \left[\frac{\text{m}}{\text{秒}} \right] \right) = \frac{1}{3} \times 10^{-5} \, [\text{秒}]$$

水槽があると水中を1000m進むので、かかる時間は以下の式で求められます。

$$1000 \, [\text{m}] \div \left(\frac{3.0}{1.3} \times 10^8 \left[\frac{\text{m}}{\text{秒}} \right] \right) = \frac{1.3}{3} \times 10^{-5} \, [\text{秒}]$$

つまり、水槽があることで$\frac{1.3}{3} \times 10^{-5} - \frac{1}{3} \times 10^{-5} = 1.0 \times 10^{-6}$ [秒] だけ光がオシロスコープに到達するのに時間がかかることになります。オシロスコープ上では1cmが5.0×10^{-6} [秒] なので、1.0×10^{-6} [秒] は0.2cmに相当します。よって「0.2cm右にずれる」というのが解答になります。

有名な題材でも、数式を覚えてそのまま当てはめれば解けるという出題ではなく、ひとひねり、ふたひねりして手ごたえのある問題に仕上げてあるのが東大の入試問題の特徴ですね。

この問題が解ければ天文分野の基礎は大丈夫です

● 2012年地学第1問 ● 1972年文科一次試験物理【2】

この問題を理解すると、高校の地学で学ぶ天文分野の1/3が マスターできる、そんな問題です。一つ一つの語句に立ち止まり ながら進んでいきましょう。

2012年地学第1問より

恒星のスペクトル型を横軸にとり、絶対等級を縦軸にとった図をHR 図（ヘルツシュプルング・ラッセル図）と呼ぶ。これに関して、次の問 I～Vに答えよ（※Vは省略）。ただし、必要なら次の近似 $10^{0.5}=3.16$, $10^{0.25}=1.78$ を使用してよい。

問I 図1−1は、銀河系の中で太陽に比較的近い距離にある恒星のHR 図である。点線の交点は、HR図上での現在の太陽の位置を表す。恒 星の進化をこの図の上で考えて、以下の文中の ア ～ エ に当て はまる語を答えよ。ただし、同じ記号の には同じ語が入る。

太陽程度の質量を持つ恒星の進化は、冷たい星間ガスが重力収縮し て原始星が形成されることから始まる。原始星は、図1−1で右上に 位置する。原始星は収縮するにつれて、HR図上を左下方向に移動する。 中心部の温度が十分高くなって水素の ア 反応が始まると、主系列 上の一点に落ち着く。この時期は極めて安定で、太陽の場合は約100

億年続く。中心部分の水素の大部分がヘリウムに代わると，外層が膨張をはじめ，　イ　へと進化する。さらに，　ア　反応によって中心部分のヘリウムがより重い元素に変換されてなくなり，外層が不安定となってガスを放出すると，図1−1で左下に位置する　ウ　となって一生を終える。質量が太陽より十分に大きい恒星の場合には，超新星と呼ばれる爆発現象をおこして質量の大半を星間空間に放出し，後には半径10km程度の　エ　や，重力が大きいために光も脱出できないブラックホールが残る。

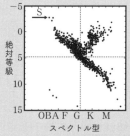

図1−1　太陽に比較的近い距離にある恒星のHR図。左ほど表面温度が高い。矢印で示した点は恒星Sを示す。

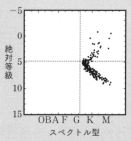

図1−2　球状星団CのHR図。左ほど表面温度が高い。

問Ⅱ　図1−1の恒星Sの表面温度は絶対温度で太陽の2倍であり，その光度（恒星の全表面から毎秒放出される光のエネルギー）は太陽の1000倍である。恒星Sの半径は太陽半径の何倍か。有効数字2桁で求めよ。途中の計算過程も示せ。ただし，恒星は表面でシュテファン・ボルツマンの法則にしたがってエネルギーを放出しているとする。

問Ⅲ　図1−2は球状星団CのHR図である。球状星団の恒星は，過去のある時に一斉に誕生したと考えられている。球状星団Cの恒星と太陽では，どちらが先に誕生したと考えられるか。図1−2に基づいて1行程度で説明せよ。ただし，点線の交点は現在の太陽の位置を表す。

問Ⅳ　図1−1では，球状星団Cと異なり，太陽に比べて表面温度が高く光度が大きい恒星が存在している。その理由を2行程度で説明せよ。

HR図（ヘルツシュプルング・ラッセル図）とは、夜空に瞬く多数の恒星を色と明るさに基づいて分類した図のことです。デンマークのヘルツシュプルングとアメリカのラッセルが個別に作っていたので、二人の名前の頭文字をとって命名されました。HR図の内容について解説する前に、HR図の横軸の「スペクトル型」、縦軸の「絶対等級」について理解しないといけませんので順番に見ていきましょう。

恒星のスペクトル型とは？

　スペクトルとは白色光をプリズムなどで屈折させたときに現れる虹のような色の帯のことです。恒星のスペクトル型とは、恒星が出す光のスペクトルの違い、すなわち恒星の色の違いに基づいてO型〜M型まで分類したものです。表にスペクトル型と表面温度の関係をまとめました。

表　恒星の各スペクトル型の特徴

スペクトル型	表面温度〔K〕	色	例
O	30000 以上	青	ほとんど存在しない
B	10000〜30000	青白	リゲル　スピカ
A	7500〜10000	白	シリウス　ベガ
F	6000〜7500	黄白	プロキオン
G	5200〜6000	黄	太陽
K	3700〜5200	橙	アルデバラン
M	2400〜3700	赤	アークトゥルス

　え？ なんでアルファベット順じゃないんだって？ そう思いますよね。実は当初は恒星のスペクトルに現れる暗線のパターン（これをフラウンホーファー線といい第28節で詳しく説明しています）に基づいてアルファベット順に分類していましたが、後から表面温度の順に並べ替えたために順番がバラバラになってしまったのです。受験生はこの順番を覚えなくてはいけないので、「Oh ！ Be A Fine Girl Kiss Me.」などと無理やりな（？）語句で覚

えています。受験生は大変ですね。

さて、表を見ると赤い星は温度が低く、青い星は温度が高いことが分かります。この理由は「ウィーンの変位則」で説明できます。この法則は、恒星の放射エネルギーが波長 λ [nm]（ナノメートル）で最大になるとき、その恒星の表面温度 T [K]（Kはケルビンです。第4節で出てきた絶対温度でしたね）に関して次の式が成り立つというものです。

$$\lambda T = 2.9 \times 10^6$$

最大のエネルギー波長 λ が小さいほど、つまり可視光線の青色領域に近づくほど恒星の表面温度は高くなります。

恒星の絶対等級とは？

1等星、2等星という星の明るさの分類はみなさん聞いたことがあると思います。では空に輝く恒星の中で、一番明るい星はどれでしょうか？ リゲル？ ベテルギウス？ スピカはどうでしょうか？ でもどれも不正解です。正解は「太陽」です。えっ？ そんなのずるいって？ ごめんなさい、太陽を除くとどうでしょうか。正解はシリウスでした。実はこの1等星、2等星という基準は、2000年以上も前にギリシャのヒッパルコスが肉眼でかろうじて見える一番暗い恒星を6等星として恒星の明るさを決めたのが始まりです。後の時代になって望遠鏡が発明され、肉眼では見えない恒星の明るさも決める必要が出てきました。そこで19世紀にイギリスのハーシェルは、ヒッパルコスの基準に基づいて以下のように「見かけの等級」を決め、これが現在も使われています。

＊1等級小さくなると、明るさは2.5倍明るくなる。

＊1等星は6等星の100倍明るい、つまり5等級違うと明るさは100倍違う。

これによりヒッパルコスの基準ではすべてが1等星とされた明るい星もハーシェルの基準で正確に分類できるようになり、シリウスは1等星の中でも−1.4等級という見かけの等級に分類されています。ここで「見かけの等

級」という名称を使ったのは、恒星の明るさ（等級）を比較する場合は地球から同じ距離に恒星を置かなくては正確には比較できないからです。例えば太陽、シリウス、北極星を比較したときには、見かけの等級は太陽が−27等級、シリウスが−1.4等級、北極星が2等級ですが、太陽が地球のすぐ近くにあり、シリウスは地球から8.6光年、北極星が433光年離れていて距離がバラバラです。ですので、3つの恒星のどれが明るいかを比較するには、同じ距離に置いた時の明るさを見るです。そこで3つの恒星を32.6光年の等しい距離に置いた時の明るさを比較すると、太陽が4.8等級、シリウスは1.5等級、北極星は−3.6等級になります。これを絶対等級といいます。

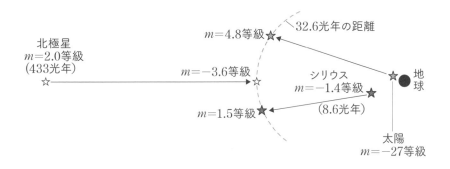

　しかしなぜ、32.6光年なんて中途半端な距離を基準にしたのでしょうか。これを理解するには「年周視差」について知る必要があります。昔から空に見える恒星までの距離を知りたいという欲求は多くの人にありました。そのための手段のうち比較的近い恒星に利用できるのが「年周視差」を利用する方法です。視差とは、次の図の①のイラストのように生徒が校庭で距離の異なる木を見たときに異なる角度のことです。②のイラストのように公転する地球から近くの恒星を観察したときにも距離によって視差は異なるので、③のイラストのように年周視差（p）を測定することで天体までの距離を調べることができるのです。

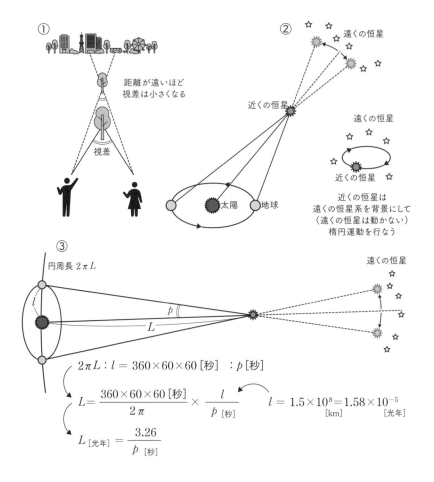

① 距離が遠いほど視差は小さくなる

視差

② 遠くの恒星

近くの恒星

太陽　地球

遠くの恒星

近くの恒星

近くの恒星は
遠くの恒星系を背景にして
（遠くの恒星は動かない）
楕円運動を行なう

③ 円周長 $2\pi L$

l

p

L

遠くの恒星

$$2\pi L : l = 360 \times 60 \times 60 \,[秒] \;:\; p\,[秒]$$

$$L = \frac{360 \times 60 \times 60 \,[秒]}{2\pi} \times \frac{l}{p\,[秒]}$$

$$l = 1.5 \times 10^8 = 1.58 \times 10^{-5}$$
$$[km] \qquad\qquad [光年]$$

$$L_{[光年]} = \frac{3.26}{p\,[秒]}$$

　イラストで見ると角度は大きく見えますね、でも太陽系に一番近い4.3光年離れているケンタウルス座α星でも年周視差は0.755秒しかありません。角度の1秒は1°の3600分の1なので、とても小さいですね。4.3光年というと、宇宙のことを学習しているとすぐ近くのように感じてしまいますが、地球と太陽の距離を1.5cmとすると、地球からケンタウルス座α星までは約4kmになります。近いといっても相当遠いところにあるのです。年周視差が1秒あるときには天体は3.26光年離れています。この距離を1パーセクといいます。そこで、32.6光年、10パーセクの距離に恒星を置いた時の明るさとして絶対

等級を定義したのです。有名な恒星の特徴を表にまとめました。

表　有名な恒星のまとめ

AUはastronomical unit（天文単位）の略で，地球から太陽までの距離を
1AUとして天体の距離を表す方法

恒星名	年周視差	距離	見かけの等級	絶対等級	備考
太陽	—	1AU	−26.8	4.8	絶対等級で見ると太陽はたいして明るい星ではない。
ケンタウルス座α星	0.755秒	4.3光年	−0.01	4.3	太陽系に最も近い恒星。
シリウス	0.379秒	8.6光年	−1.44	1.5	見かけの等級が太陽を除いて最も小さい。
北極星	0.0075秒	433光年	2.0	−3.6	年周視差で距離を正確に測定できるほぼ限界の距離にある。
デネブ	約0.0023秒	約1400光年	1.25	約−6.9	年周視差が小さいので，誤差も大きい。絶対等級で一番明るい星。

　この年周視差を用いる方法では、人工衛星からの測定でも1ミリ秒が限界なので1000パーセク以内にある恒星しか距離が決定できないのが欠点です。

HR図で何が分かるのか？

　長い前置きになってしまいました。それではHR図の内容に行きましょう。図1−1のHR図をよく見ると、恒星のHR図上の位置に基づいて①、②、③の3つにグループ分けができます。

　ヘルツシュプルングとラッセルは年周視差を使って距離が分かった100個程度の恒星をHR図にプロットしてみたところ、ほとんどの恒星は左上から右下にかけて斜めに散らばっている①のグループに属していたのです。そこでこのグループを主な系列にある星ということで①主系列星といいます。

そしてHR図の左下に、スペクト
ルの色がA型、つまり白色で温度の
低い星が少数位置しています。本来
の主系列星の位置よりも大幅に暗い
ということは大きさが小さいという
ことですね。そこで「ひくい」、「み
じかい」という意味をもつ「矮」と
いう漢字を使って②白色矮星とよん

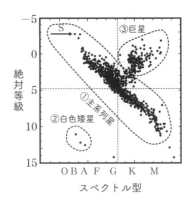

でいます。さらにHR図の右上にもまとまった数の恒星があります。このグ
ループは白色矮星とは逆にスペクトルの色は黄色から赤で、主系列星よりも
明るい、つまり大きさが大きいので③巨星という名前になっています。では
問Ⅰの問題文を読みながら星の進化を見ていきましょう。問題文には、「太陽
程度の質量を持つ恒星の進化は、冷たい星間ガスが重力収縮して原子星が形
成されることから始まる。原始星は、図1−1で右上に位置する。」とあります。

　宇宙には星間ガスと星間塵という星間物質があります。星間物質は均一に
散らばっているのではなく、密度の小さいところと大きいところがあり、あ
る程度密度が大きくなると自身の重力で収縮をはじめ、収縮の際に放出され
る重力エネルギーで光りはじめます。この時表面温度は低いのですが、半径
は非常に大きいのでとても明るく光るため、HR図の右上に位置するのです。

　問題文は「原始星は収縮するにつれて、HR図上を左下方向に移動する。
中心部の温度が十分高くなって水素の　ア　反応が始まると、主系列上の一
点に落ち着く。この時期は極めて安定で、太陽の場合は約100億年続く。」と
続きます。原始星は光りはじめてからゆっくり収縮し、大きさが小さくなる
につれて次第に暗くなっていきます。収縮するにつれて中心部の温度は上昇
し、1000万Kに達すると水素がヘリウムに変わる_ア**核融合**反応が始まります。
この問題では「核融合」という語句を答えるだけですが、過去にはこの反応
に関する問題も出題されました。

（b） 核融合反応とは

$$^2H + {}^2H \rightarrow {}^3H + {}^1H \qquad\qquad {}^3H + {}^2H \rightarrow {}^4He + {}^1n$$

等の一連の原子核反応であり，いずれも反応にともない多量のエネルギーを発生する。これ等の核融合反応を一般に

$$A + B \rightarrow C + D$$

で表わし，原子核 A，B，C，D の質量（静止質量）をそれぞれ m_A，m_B，m_C，m_D とする。反応前の質量の和 $m_A + m_B$ と，反応後の質量の和 $m_C + m_D$ の間には，次のどの関係が成り立つか。

1. $m_A + m_B > m_C + m_D$ エネルギー保存則およびアインシュタインの質量とエネルギーの関係式により，質量の減少に対応して $(m_A + m_B - m_C - m_D) \times (光速度)^2$ に等しいエネルギーが発生する。

2. $m_A + m_B = m_C + m_D$ 原子核反応では質量保存則が成り立つからである。

3. $m_A + m_B < m_C + m_D$ アインシュタインの質量とエネルギーの関係式により，質量の増加がエネルギーの発生に他ならない。すなわち $(m_C + m_D - m_A - m_B) \times (光速度)^2$ に等しいエネルギーが発生する。

4. 核融合反応における質量の増減について，一般的なことはいえない。

　えっ？ 文系なら理科は共通テスト（旧センター試験）だけでいいんじゃないかって？ その通りです。でも共通テスト、そしてその前身の共通一次試験が1979年に始まるまでは東大では一次試験、二次試験という大学独自の二段階選抜を行なっていました。そしてこの問題は東大文系志望者対象の一次試験の問題なのです（二次試験は現在と同じで理科はありませんでした）。当時は文系、理系で別々のマークシートの一次試験、理系の二次試験と合計3種類の理科の入試問題があったのです。作るのは大変だっただろうと思います。

筆者はこの本を書くにあたって、60年分くらいの東大理科の入試問題に目を通しましたが、共通一次試験が始まってからの理科の入試問題は理系志望者の二次試験用の1つだけなので、問題のクオリティが格段に上がったと感じています。いろいろ批判の多い共通テストですが、大学の先生方にとっての入試問題作成の負担軽減という意味では、合理的なのかもしれませんね。

では問題の内容を見ていきましょう。当時は文系でもアインシュタインの特殊相対性理論を入試に向けて勉強していたんですね。最近では理系でも入試ではほとんど出題されないことを理由に原子分野を捨ててしまう人もいるようですが、当時は文系でも原子分野まで学習していたんですね。

この問題で「核融合とは」と説明しているように恒星内部の核融合反応は水素がヘリウムになる反応ですが、一つの反応ではありません。問題で与えられた二つの反応

$^{2}\mathrm{H} + {}^{2}\mathrm{H} \rightarrow {}^{3}\mathrm{H} + {}^{1}\mathrm{H}$　　重水素同士が反応してトリチウムと水素になる

$^{3}\mathrm{H} + {}^{2}\mathrm{H} \rightarrow {}^{4}\mathrm{He} + {}^{1}\mathrm{n}$　　　トリチウムと重水素が反応してヘリウムと中性子になる

以外にも複数の反応が同時におきていると考えられています。核融合がおきると、おきる前よりもほんのわずかに質量が小さくなります。この小さくなった分の質量がエネルギーに変わり、熱として放出されるのです。これがエネルギーをE [J]、軽くなった分の質量をm [kg]、光速を3.0×10^{8} [m/秒]としたときに$E = mc^{2}$ の関係式が成り立つというアインシュタインの特殊相対性理論です。すなわち、解答は1です。何とみなさんが「必ず覚えなさい！」と授業で言われた（私も生徒に普段言っている）「質量保存の法則」は、核融合や核分裂などの原子核反応では成り立たないのです！ 文系でもここまでの知識が要求されていたなんて昔の高校生は大変でしたね。

恒星の誕生から死まで

核融合が始まると原始星は主系列星の場所に移動します。質量が大きいときは主系列星の左上に、太陽程度のときはちょうど真ん中に、小さいときは

主系列星の右下に移動するのです。問題文にあるようにこの時期は極めて安定です。太陽は生まれてからだいたい46億年くらいたっているのであと50億年くらいは安定に輝くと考えられています。この恒星の寿命は主系列星の場所によって異なります。左上に位置する太陽の10倍程度の質量の星は1000万年と短い期間で核融合の燃料になる水素を使い果たしてしまいますし、右下に位置する太陽の半分程度の質量の星では1000億年ととてつもなく長い間光り続けます。

　さらに問題文は「中心部分の水素の大部分がヘリウムに変わると、外層が膨張をはじめ、　イ　へと進化する。さらに、　ア　（核融合）反応によって中心部分のヘリウムがより重い元素に変換されてなくなり、外層が不安定となってガスを放出すると、図1－1で左下に位置する　ウ　となって一生を終える。」と続きます。

　安定な主系列星もいずれは寿命を迎えます。太陽もあと50億年くらい経つと中心部に水素がなくなり、全部ヘリウムになってしまうため核融合のおきている場所が恒星の中心から周辺に移動していきます。核融合という激しい反応が中心から周辺に移っていくので外層は膨らんで明るくなっていきますが、膨らめば表面積は大きくなるので表面温度は下がります。つまり、HR図では主系列星から右上に移動していって_イ_巨星になるのです。

　その後はどうなるのでしょうか。質量が太陽の0.5倍以上7倍以下の恒星の場合はヘリウムも燃え尽きると、さらに核融合が進んで炭素や酸素になり、それも消費されるとつぶれて_ウ_白色矮星になるのです。以上の星の一生をまとめると右の図のようになります。

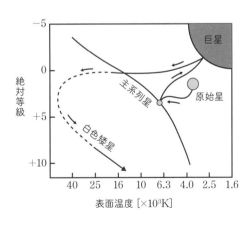

最後に問題文は「質量が太陽より十分に大きい恒星の場合には、超新星と
よばれる爆発現象をおこして質量の大半を星間空間に放出し、のちには半径
10km程度の エ や、重力が大きいために光も脱出できないブラックホー
ルが残る。」と結ばれています。

　この問題文は質量が太陽の7倍以上の恒星が死ぬときにおこる現象の説明
です。7倍以下でも以上でも核融合が進んで炭素や酸素ができるところまで
は同じです。質量が7倍以上だとさらに核融合が進んで、炭素と酸素→マグ
ネシウムとケイ素と進んで最終的には鉄ができます。鉄の原子核は全元素中
最も安定なのでこれ以上核融合は進みません（鉄の原子核が核融合したとし
ても質量は軽くならないのです）。核融合が進まなくても鉄は大量にあるので
自身の重力でつぶれていき、さらに温度が上昇します。これが限界まで行く
と恒星全体が吹き飛ぶ超新星爆発をおこして、このときに放つ光が超新星と
して観測されるのです。周期表で鉄よりも原子番号が大きい元素はこの超新
星爆発のときにできると考えられています。質量が太陽の7〜8倍の恒星で
は超新星爆発ですべてが飛び散り、8〜10倍では白色矮星よりもさらに高密
度で中性子だけからできた**ェ中性子星**ができ、10倍以上ではブラックホール
ができると推定されています。

問Ⅱ　この問題ではステファン・ボルツマンの法則を使います。この法則は、
恒星の単位表面積 $1m^2$ から毎秒放出されるエネルギー E [J] と温度 T [K]
の間には次の式の関係があるというものです。

$$E = 5.67 \times 10^{-8} \times T^4$$

　恒星を球体と考えて、その半径を R とすれば E の代わりに恒星の全方面か
ら放出される全エネルギー L [J] を用いて次のように表されます。

$$L = 4\pi R^2 \times 5.67 \times 10^{-8} \times T^4$$

　つまり、放出されるエネルギーは恒星の半径の2乗と、温度の4乗に比例す

るという法則です。これを利用して考えていきます。恒星Sの表面温度は太陽の2倍なので、半径が同じなら光度は16倍になるはずです。しかし、光度は1000倍なので、$16 \times R^2 = 1000$ より $R^2 = 1000 \div 16 = 250/4$、$R = 2.5\sqrt{10}$ となり、$\sqrt{10} = 3.16$ という近似がはじめに与えられているので、$R = 7.9$ が解答になります。つまり恒星Sの半径は太陽半径の7.9倍になるのです。

問Ⅲ 宇宙には星団というほぼ同時期にまとまって誕生した恒星の集団があります。星団には散開星団と球状星団という二種類があり、散開星団は若い恒星の集まり、球状星団は年齢が100億年程度の年老いた恒星の集まりという特徴があります。天文学では若い恒星を種族Ⅰの星、年老いた星を種族Ⅱの星として分類してますが、種族Ⅰの星には散開星団と太陽系付近の星が分類され、種族Ⅱの星には球状星団が分類されます。二つのグループの違いを表にまとめました。

表　種族Ⅰの星と種族Ⅱの恒星の比較

岩石名	種族Ⅰ	種族Ⅱ
場所	銀河面に沿って分布	銀河系周縁部(ハロー)に分布
組成	重元素の比率が高い	重元素の比率が低い
年齢	若い	老齢
HR図	主系列星がメイン	巨星、超巨星など主系列星から離れた星が多い
例	散開星団、太陽系付近の大部分の恒星など	球状星団、明るい赤色巨星など

球状星団は年老いた星の集まりなので、HR図にプロットすると図1－2のようになり、図1－1で主系列星の真ん中から左上にかけて存在する若い星は死に絶えていて存在しません。そのため球状星団には太陽の位置を表す点線の交点部分には星は存在していないのです。このことからこの球状星団Cは少なくとも太陽の寿命と考えられる100億年よりも前にできた星団だと考えられます。よって解答は、「Cの恒星のほうが先に誕生したと考えられる。なぜならCのHR図から太陽程度の質量をもつ恒星はすでに消滅していることが分かるから。」となります。

　問Ⅳ　**問Ⅲ**と同じ内容を別の角度から問うている問題です。銀河系の断面図を次の図に示します。球状星団は銀河系全域（ハロー）に存在し、太陽系は銀河系中心部から離れた円盤部の中心から少し離れたところに存在することが分かります。銀河系円盤部では星間物質がたくさん存在するために新しい恒星がどんどん生まれているのです。これを2行程度でまとめると、「図1－1にある恒星は太陽の近くにあるが、太陽は星間物質の多い銀河系の円盤部に存在するために、新たに恒星が誕生することも多い。そのため太陽の近くには若く、質量が大きい明るい星も存在するから」となります。

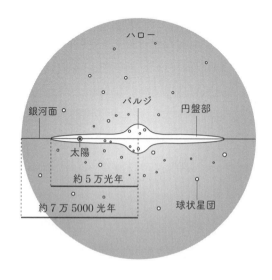

火星に移住する前には何を調査しておくべきでしょうか

● 2009年化学第1問

　空に浮かぶ赤い惑星、それが火星です。赤い＝血、戦いのイメージから火星は英語では軍神マルスの名前をとって Mars（マーズ）といいます。2009年は地学ではなく化学で火星に関する問題が出題されました。もちろん問題文を読めば理論化学をテーマにしていることは分かるのですが、最先端の火星探査の結果を化学の問題としてまとめるとはさすがですね。

　史上初めて火星に接近して写真を送信したのは1964年にアメリカが打ち上げたマリナー4号でした。写真撮影の際の観測で、火星には水や大気がほとんどない死の星であるという結論が下されました（問題文中にあるように大気圧は610Pa、これは地球の0.6％、しかもその成分のほとんどはCO_2です）。その後、アメリカがバイキング計画で1975年に打ち上げた探査機バイキング1号が初めて火星着陸に成功しました。さらに1997年にマーズ・パスファインダー計画で探査機ソジャーナが、2004年に探査機スピリットとオポチュニティが、2008年に探査機フェニックスが、2012年に探査機キュリオシティが、2018年には探査機インサイトが火星に着陸して様々な調査を行なってきました。探査が進むにつれて火星の極冠にドライアイスが見つかり、その下には氷が見つかり、さらに火星の地下には液体の水もあるかもしれないと考えられるようになりました。これらの研究成果を踏まえた問題です。

Ⅰ　次の文章を読み，問ア〜カに答えよ。

〔原子量 H：1.0, C：12.0, N：14.0, O：16.0, Fe：55.8〕

　夜空に浮かんだ火星が赤く見えるのは，火星の地表に赤鉄鉱という鉱石が多量に含まれているからである。赤鉄鉱は酸化鉄（Ⅲ）Fe_2O_3 を主成分とし，鉄や酸素が水と反応することによって生成する。2004 年，米国の火星探査機オポチュニティは，火星の地表から採取した岩石の顕微鏡観察を行い，液体の水の作用でできたと考えられる球状の赤鉄鉱を発見した。また，探査機スピリットによって火星の地表で針鉄鉱という鉱石も見出された。針鉄鉱は酸化水酸化鉄（Ⅲ）$FeO(OH)$ を主成分とし，水中での化学反応により生成する。このような発見から，かつて火星には液体の水が存在し，生命誕生の機会があったと推測されている^{（＊脚注）}。

　水中における鉄酸化物の生成は，以下の反応により始まる。

$$Fe \rightarrow Fe^{2+} + 2e^- \qquad (1)$$

$$2H_2O + O_2 + 4e^- \rightarrow 4OH^- \qquad (2)$$

（＊脚注）2008年，米国の探査機フェニックスは，火星の地表のすぐ下に氷が存在することを確認した。

　ここで，式（1）は金属鉄が鉄イオンとなって水中に溶解し，電子 e^- が放出される酸化反応，式（2）は式（1）で放出された電子によって水中に溶けこんだ酸素が還元される反応を表す。次にこれらの反応の生成物から水酸化鉄（Ⅱ）$Fe(OH)_2$ が生成する。

$$Fe^{2+} + 2OH^- \rightarrow Fe(OH)_2 \qquad (3)$$

　水酸化鉄（Ⅱ）は水中の酸素によってさらに酸化され，水酸化鉄（Ⅲ）$Fe(OH)_3$ が生じる。

$$4Fe(OH)_2 + 2H_2O + O_2 \rightarrow 4Fe(OH)_3 \qquad (4)$$

　最後に，①水酸化鉄（Ⅲ）の脱水反応によって，酸化水酸化鉄（Ⅲ）や酸化鉄（Ⅲ）が生成する。

〔問〕

ア Fe の原子番号は 26 である。Fe_2O_3 において，鉄イオンの K 殻，L 殻，M 殻に含まれる電子数をそれぞれ記せ。

イ 体積 V の Fe がすべて酸化されて体積 aV の Fe_2O_3 になったとき，a の値を有効数字 2 桁で求めよ。答に至る過程も示せ。ただし，Fe と Fe_2O_3 の密度はそれぞれ $7.87 g \cdot cm^{-3}$ と $5.24 g \cdot cm^{-3}$ とする。

ウ 下線部①について，Fe_2O_3 および $FeO(OH)$ が生成する反応を反応式で示せ。

エ 式 (1) ～ (4) 及び問**ウ**で求めた反応式を利用して，Fe から $FeO(OH)$ が生成する反応を 1 つの反応式で示せ。

オ 現在の火星の大気圧は 610Pa であり，その 0.13% を酸素が占めるとされている。このような酸素分圧下で，25℃ の水 $1.00 \times 10^3 l$ 中に溶解する酸素の質量は何 g になるか，有効数字 2 桁で求めよ。答に至る過程も示せ。なお，25℃，酸素分圧 $1.01 \times 10^5 Pa$ の下で水 $1.00 l$ に溶ける酸素の質量は $4.06 \times 10^{-2} g$ であり，ヘンリーの法則が成り立つものとする。

カ 問**オ**において溶解していた酸素がすべて反応したとき，生成する $FeO(OH)$ の質量を有効数字 2 桁で求めよ。答に至る過程も示せ。

　まずは火星が赤い色をしている原因である鉄の酸化物について考えてみましょう。元素記号が Fe で表される鉄は誰でも知っている身近な金属ですね。赤茶色の鉄のさび、いわゆる赤さびも見たことがない人はいないでしょう。この赤さび＝問題文の赤鉄鉱中の主成分 Fe_2O_3 です。Fe_2O_3 を酸化鉄（Ⅲ）とローマ数字のⅢをつけて表記するのは理由があります。Fe は遷移元素（周期表のくぼんだ位置にある 3 ～ 11 族の元素）であり、Fe^{2+} と Fe^{3+} の両方のイオンになれるため「酸化鉄」と表記しても FeO、Fe_2O_3、Fe_3O_4 などいろいろな可能性があるのです。そこで酸化鉄の Fe のイオンの価数をローマ数字

で表して、FeOを酸化鉄（Ⅱ）、Fe_2O_3を酸化鉄（Ⅲ）、Fe_3O_4を酸化鉄（Ⅱ、Ⅲ）と区別しています。ちなみにFe_3O_4は黒さびとよばれるもので、鉄の表面を覆うと緻密な被膜となって内部まで鉄がさびてしまうのを防ぎます。南部鉄器が黒いのは表面をわざと木炭で加熱してこのFe_3O_4の黒さびで覆っているからなのです。なお、FeOは不安定なので、日常生活では見られないようです。

　このローマ数字を化合物名の後につけるのは複数の種類のイオンになれる遷移元素だけです。典型元素のCaはCa^{2+}にしかなれないため、酸化カルシウムはCaOしかないのでローマ数字はつけません。ではなぜ遷移元素はFe^{2+}とFe^{3+}という複数のイオンになれるのでしょうか。この理由を知ると**ア**の解答につながります。

ア　まずFeが原子番号26であることが書いてあります。元素記号は理系でも20番まで覚えれば十分だと東大は考えていることが分かりますね。この原子番号は原子核にある陽子の数をもとにしてつけられているのでした。まずはFe原子に陽子と電子がどんなふうに入っているのかを考えてみましょう。26個の電子はまずK殻に2個、L殻に8個、M殻に8個入ります。その後は、M殻にまだあと10個電子は入りますが、8個入るとそこでいったん安定になるため、次とその次、つまり19個目と20個目の2個の電子はN殻に入ります。そして21個目以降の電子は再びM殻に入り始めるのです。

　そこで遷移元素がなぜ+2を中心に様々なイオンになるかということですが、遷移元素は原子番号が増えるにつれて最外殻のN殻に電子が2個入った状態でその内側のM殻に電子が満たされていくのです。イオンになるときはこのN殻の2個の電子が放出されるため、+2になりやすいのです。また、N殻とエネルギー的に近いM殻からも電子が容易に放出されるので+3、+4などのイオンにもなれるのです。この**ア**で聞かれているFe_2O_3中のFe^{3+}は電子を3個失っているので、最外殻のN殻から2個、その内側のM殻から1個の電子を失っているため、残りの電子はK殻に2個、L殻に8個、M殻に13個入っています。これが解答です。

イ　鉄がさびるとボロボロになってしまうのは、さびたところの体積が増えるので、さびが浮き上がって内部の鉄が出る→その鉄がまたさびて……という繰り返しがおこるからです。この問題では鉄が酸化されて赤さびのFe_2O_3になった時の体積変化を求めます。素早く正確に解くには、さびる前と後ではFeのmolは変わらないという視点で単位に気を付けて数式をつくるとよいでしょう。まず、体積V[cm³]のFeのmolを次の式で表し、

$$\frac{V[\mathrm{cm^3}] \times 7.87\ [\mathrm{g \cdot cm^{-3}}]}{55.8 \left[\dfrac{\mathrm{g}}{\mathrm{mol}}\right]}$$

体積aV[cm³]のFe_2O_3のFeのmolを次の式で表します。

$$\frac{aV[\mathrm{cm^3}] \times 5.24\ [\mathrm{g \cdot cm^{-3}}]}{(55.8 \times 2 + 16.0 \times 3) \left[\dfrac{\mathrm{g}}{\mathrm{mol}}\right]} \times 2$$

このとき、Feが1mol酸化されるとFe_2O_3が0.5mol生成するので、式を2倍するのを忘れないように注意しましょう。この2式を＝で結びaを求めると、2.147…となりますので、有効数字2桁にして2.1が解答です。つまり、鉄がさびると体積は2倍になるので、その分スカスカになることが分かりますね。またさびる前の鉄は金属ですので延性、展性がありますが、さびてFe_2O_3になるとイオン結晶になるために金属の性質を失い、ボロボロになってしまうのです。

ウ、エ　ウは簡単ですね。脱水反応ですので、H_2Oを生成物として化学反応式の右辺に書いて、係数を合わせればOKです。

$$Fe(OH)_3 \rightarrow FeO(OH) + H_2O$$
$$2Fe(OH)_3 \rightarrow Fe_2O_3 + 3H_2O$$

なぜこの問題が出たのでしょうか。実は高校の教科書ではこの二つの反応式は扱いません。水色の水酸化銅（Ⅱ）$Cu(OH)_2$を加熱すると$Cu(OH)_2$

→ $CuO + H_2O$ の脱水反応がおきて黒色の CuO が生成する反応はどの教科書にものっていますので、これとの類似性から推測してみなさいというメッセージだと思います。

エ これはちょっと複雑です。まず、(1) の反応式×2と (2)、(3) をまとめて、化学反応式に直します。

$$2Fe + 2H_2O + O_2 \rightarrow 2Fe(OH)_2$$

この式×2と (4) 式、**ウ**で答えた $FeO(OH)$ の生成の式の3つの式をまとめて計算します。このとき、係数をそろえるために**ウ**で答えた式を4倍します。化学反応式中の矢印は数式の = と同じように考えてかまいません。

$$4Fe + 4H_2O + 2O_2 \rightarrow 4Fe(OH)_2$$
$$4Fe(OH)_2 + 2H_2O + O_2 \rightarrow 4Fe(OH)_3$$
$$+) \quad 4Fe(OH)_3 \rightarrow 4FeO(OH) + 4H_2O$$

$$\overline{4Fe + 2H_2O + 3O_2 \rightarrow 4FeO(OH)}$$

オ、カ そもそもなぜこんな計算を東大はさせるのでしょうか。入試ではそんなこと考えている時間がある人は誰もいないでしょうが、ここでは時間があるので、考えてみましょう。将来人口が増えすぎて、地球外に人類が移住を迫られたときに一番移住できる可能性が高いのはどこでしょうか。実はそれは火星なのです。地球から近いという点では月ですが、月には大気がありませんし、水も今のところ見つかっていません。そうすると金星か火星が候補ですが、金星は厚い硫酸の雲に覆われていて地表では92気圧、460℃なので生活するどころか1分も生きられません。よって、移住先の候補は火星になるのです。火星は20℃から −140℃まで温度変化が大きいのがネックですが、薄いながらも大気があり、地球と同じように昼と夜があるのも評価できる点なのです。映画でも『トータル・リコール』から『オデッセイ』まで、火星移住をテーマにしたものがたくさんありますね。

では実際に火星に移住すると仮定すると、とりあえず必要なものは水と酸素なので、移住前に火星に存在する水と酸素の量は知っておいたほうが良さそうです。この問題が出題された当時は、脚注にあるように火星の極冠の地下に氷があることが確認された時期でしたが、現在では地下に液体の水が存在するのではないかと言われているので、水の心配はなさそうです。そこで酸素をどうやって確保するかを考えると、①うすい大気中の酸素を利用する、②水に溶け込んでいる酸素を利用する、③酸化鉄を還元して出てきた酸素を利用する、④水を電気分解する、の4つの方法があります。この問題では、②と③の方法を利用するために必要な計算に関する基礎知識を確認しているのです。では問題を見ていきましょう。まず問題を解くために必要な語句の解説をしておきます。ヘンリーの法則ですが、圧力が2倍になれば気体は2倍溶けるという法則です。サイダーのペットボトルはキャップを開ける前はだいたい4気圧くらい（1気圧が1.01×10^5Paです）になっていますが、キャップを開けると1気圧になるので、ヘンリーの法則によれば溶け込んでいる二酸化炭素の3/4は空気中に逃げていってしまうことになります。

　オでは酸素は水1.00Lに酸素分圧1.01×10^5 [Pa] で4.06×10^{-2} [g] 溶けるとあります。結構少なく感じますが、酸素は気体ですので体積に換算すると約30mLになります。ただし、これは「酸素分圧1.01×10^5 [Pa]」の場合ですので、今の地球上で酸素は空気中の2割しかないため、分圧も1.01×10^5 [Pa] の2割になり、溶ける量も30mLの2割の約6mLになります。以上をふまえて**ウ**を解くために計算をしてみます。

$$\frac{4.06 \times 10^{-2} \text{ [g]}}{1.00 \text{ [L]}} \times 1.00 \times 10^3 \text{ [L]} \times \frac{610 \times \dfrac{0.13}{100} \text{ [Pa]}}{1.01 \times 10^5 \text{ [Pa]}} = 3.19 \times 10^{-4} \text{[g]}$$

　有効数字2桁にして3.2×10^{-4} [g] という答えが得られます。現在では火星探査は進んで、火星の南極と北極の両極冠には200万〜300万km³（琵琶

湖の水の10万倍の体積！）の氷が見つかっていて、さらに地下には液体の水もあると推定されているので、酸素も相当な量があると考えられます。

　最後に**カ**です。**エ**の解答の化学反応式からO_2が3mol反応すると$FeO(OH)$が4molできることが分かります。O_2の分子量が32、$FeO(OH)$の式量が88.8なので、以下の式で計算をして1.2×10^{-3} [g] の解答を得ることができます。

$$\frac{3.18 \times 10^{-4}}{32.0} \times \frac{4}{3} \times 88.8 = 1.18 \times 10^{-3}$$

　これらの計算をもとにすると、火星に存在する全酸素量を推定したり、資源として利用できる鉄の量を推定することが可能になるのです。

Column 4　東大合格者数のうち現役合格の割合は？

　最近子供の数が減ってきているので、浪人生も減ってきています。2020年度の東大入試では合格者のうち現役性の割合がここ10年で最高の67.9％になったそうです。現役：浪人が2：1の割合ですね。では過去はどれくらいの割合が多かったのだろうと思い、1976年のデータを見てみると、現役：浪人が1.1：1で現役生のほうがわずかに多いくらいでした。さらに過去はどうだろうと思って、昭和35年（1960年）に発行された旺文社の「東大の全貌　付：最近五カ年全科入試問題研究」（定価250円！現在の価値では1200円程度でしょうか）を調べてみると、1958年度はなんと全体の74％が浪人生でした！現役：浪人では1：3の割合で浪人生が圧倒的多数です。三浪以上の人も8.4％もいたなんて現在からは考えられないような数字ですね。一浪、二浪は当たり前の時代だったようです。

超新星爆発の記録を古文書から読み解いてみましょう

● 1992年地学第1問

いつも見ている夜空に真昼でも見えるくらいの明るさの星が突然現れたらびっくりしますよね。今から約1000年前にそんな現象がおきました。当時は、何か不吉な予兆ではないかと恐れられたようです。この星には「かに星雲」という名前がついていますが、現在では肉眼では見えないほど暗くなってしまいました。

1992年地学第1問より

次の文章を読み，**問1〜5**に答えよ。なお**問2〜5**については，途中の計算も書いておくこと。

おうし座にある「かに星雲」（写真1）を観測すると，ガスが運動していることがわかる。写真1にみられるように，かに星雲の実際の形は単純ではないが，ここではかに星雲についてその運動，距離，明るさ等を求めるため，次のように単純化して考える。広がったガスは球殻上に分布し，その球殻は時間的に一定の速度で膨張していると仮定し，これを一様球殻モデルと呼ぶことにする。

ところで，観測データを一様球殻モデルに当てはめた場合，その球殻の視直径は角度にして4分であり，またその視直径は10年間で角度にして3秒の割合で膨張している。地球上の観測者に向かったガスの速度を測定すると，1500km/sである。これらのことからかに星雲までの距離

を一様球殻モデルを使って求めることができる。

　星雲が膨張していることは、過去のある時点で爆発的な現象が起こったことを示唆する。実際、かに星雲のもととなったと思われる爆発的な現象の記述が古文書にある（参考資料1の6行目第3文字目から7行目第2文字目までと参考資料2傍線部分）。とくに、参考資料2の文章中で「歳星」とは木星のことで、数カ月程度木星なみに輝いたことがわかる。地球と木星とは最も近い距離にあったとして、その見かけの明るさを使うと、かに星雲のところで起こった爆発のエネルギーの放出の割合を推定することができる。簡単化のために、木星の内部にはエネルギー源がなく、木星は太陽から受けるエネルギーを一旦完全に吸収しあらゆる方向に再放出するものとしてよい。ただし、太陽も木星も放出するエネルギーはすべて可視光線の範囲にあると単純化する。

　木星の半径は7.1×10^7m、太陽－木星間の距離は5.2AU（1AU＝1.5×10^{11}m）とし、また太陽の光度は常に現在と同じで3.9×10^{26}J/sであったと考える。光速度は3.0×10^8m/sであり、1年は3.2×10^7秒である。

問1　観測者に向かったガスの速度を測定するのはどのような原理に基づいて、どのように行うかを30字から50字程度で述べよ。

問2　かに星雲までの距離は何光年かを計算によって示せ。

問3　かに星雲のもととなった爆発は、現在から何年前に地球上で観測されたかを一様球殻モデルを用いて求めよ。

問4　木星から地球に到達するエネルギーは、1秒間に単位面積当たりいくらであるか。

問5　古文書の通り、爆発が木星と同じ明るさに見えたとすると、その天体から1秒あたりに放出されたエネルギーは、太陽が1秒あたりに放出するエネルギー何倍であったか。ただし、簡単化のため爆発した天体からのエネルギーもすべて可視光線として放出されたと考える。

（写真1）

提供：NASA

凡十一日沒三年三月乙巳出東南方大中祥符四

年正月丁丑見南斗魁前天禧五年四月丙辰出軒轅

前星西北大如桃速行經軒轅大星入太微垣掩右執

法犯次將歷屏星西北凡七十五日入濁沒明道元

年六月乙巳出東北方近濁有芒彗至丁巳凡十三

日沒至和元年五月己丑出天關東南可數寸歲餘

稍沒熙寧二年六月丙辰出箕度中至七月丁卯犯

箕乃散三年十一月丁未出天困元祐六年十一月

辛亥出參度中犯掩廁星壬子犯九游星十二月癸

酉入奎至七年三月辛亥乃散紹興八年五月守婁

問題で強調されているところ

至和元年五月己丑出天關東南可數寸歲餘稍沒

（参考資料1：宋史志巻九）

　第26節を読んでくれたみなさんは超新星爆発についてはマスターしていますね。**問1**は超新星爆発が起きたときに、四方八方に広がっていくガスのうち、我々のほうに向かってくるガスの速度はどうやって測定するのかという質問です。

　まずは移動している物体の速度をどうやって測定するのかを考えてみましょう。みなさんはスピードガンを知っていますか？　野球中継を見ていると、ピッチャーがボールを投げるたびに球速が145km/hなどと表示されます。この球速を測定しているのがスピードガンです。ガスの膨張速度の測定もスピードガンと同じメカニズムで測定されています。そこでこのメカニズムを理解する上で欠かせない「ドップラー効果」について解説していきますね。

　ドップラー効果とは、「音波や電波などの波を発生している波源とそれを観測しているもののどちらか一方、あるいは両方が動いているときに波の振動

数がずれて観測される現象」のことです。なんだかよく分かりませんね。分かりやすく説明します。まず、救急車を想像してください。隣を通り過ぎて、遠ざかっていくときの救急車のサイレンの音が低くなって聞こえるのは経験があると思います。これがドップラー効果です。図にしたほうが分かりやすいので次の上下2つの図を見比べてください。遠ざかっていく救急車から届く音波は波長が長くなっている、つまり低い音になっていることが分かると思います。逆に近づいてくるときは波長が短くなるために、高い音になります。

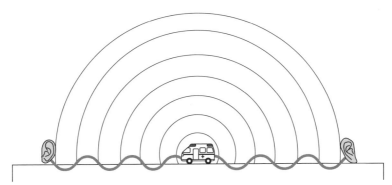

救急車が止まっているときは前方、後方ともに同じ音が聞こえる。

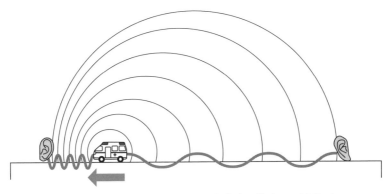

救急車が動いているときは進行方向の前方では波長が
短くなるので高い音が、後方では低い音が聞こえる。

このドップラー効果は音波に限らず、電波や、光などでも観測できます。スピードガンではキャッチャーの後ろのバックネット裏からピッチャーの投げた球に電波を当てて、跳ね返ってくる電波の波長の変化量を測定して球速を算出しているのです。戻ってくる電波の波長が短くなればなるほど球速は速いということが分かるのです。

　さて、かに星雲は遠くに離れているので地球から電波を当てるわけにはいきません。この後の問題で聞かれていますが、6800光年離れていますので、地球から電波を出しても戻ってくるまでに6800×2で13600年もかかってしまいます。そこで、かに星雲が出しているスペクトルを調べます。例えば太陽が出しているスペクトルを調べると虹色になっていますが、ところどころ欠けて黒くなっています。この欠けた部分をフラウンホーファー線といいます。これは太陽が放出したスペクトルが太陽上層の大気や、地球の大気を通過するときに特定の元素に吸収されたことを表しています。宇宙に存在するガスには水素が含まれていますので、水素のフラウンホーファー線が長波長側にシフトするか、短波長側にシフトするのかを調べればそのガスの膨張速度が分かります。また、恒星や銀河自体が地球から見て遠ざかっているのか、近づいているのかも分かるのです。

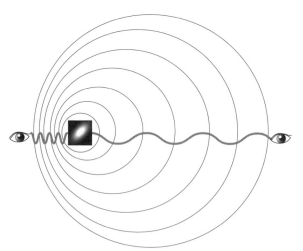

天体が地球に近づいてきている場合は波長が短くなる側（青い方）にフラウンホーファー線がシフトするために青方偏移といい、遠ざかるときはこの逆で赤方偏移という。

ここまでなんと1000字以上も説明に使ってしまいました。これでは問1の答えは長すぎです。そこで、詳細はすでに分かっている採点者の大学の先生向けに文章を直すと、「ガスのスペクトルのフラウンホーファー線が、光のドップラー効果で短波長側にシフトする量を測定する。（48字）」という解答になります。

　問2に行きましょう。**問1**の測定の結果、ガスの速度が1500km/sだったとあります。時速1500kmではなく、秒速1500kmですからとんでもなく高速ですね。問題で求められている単位は光年なので、ガスの速度も光年/年に直してみましょう。光が1年間に進む距離をm単位で計算すると、

$$3.0 \times 10^8 \left[\frac{\text{m}}{\text{秒}}\right] \times 3.2 \times 10^7 \left[\frac{\text{秒}}{\text{年}}\right] = 9.6 \times 10^{15} \left[\frac{\text{m}}{\text{年}}\right]$$

となり、これを1光年として、ガスの速度を割ると、

$$\frac{1.5 \times 10^3 \left[\frac{\text{km}}{\text{秒}}\right] \times 1000 \left[\frac{\text{m}}{\text{km}}\right] \times 3.2 \times 10^7 \left[\frac{\text{秒}}{\text{年}}\right]}{9.6 \times 10^{15} \left[\frac{\text{m}}{\text{年}}\right]} = 5.0 \times 10^{-3}$$

となります。計算の過程では単位はすべて消えてしまいましたが、これは1年間にガスが何光年分進むのかという計算をしたので、便宜上単位を［光年/年］という単位をつけて5.0×10^{-3}［光年/年］としておきます。以上からかに星雲の半径は1年に5.0×10^{-3}光年ずつ膨張していることが分かります。かに星雲は「一様球殻モデル」で膨張しているものとするので、この膨張速度は横方向でも同じです。

　問題文にはかに星雲の「視直径は角度にして4分であり、またその視直径は10年間で角度にして3秒の割合で膨張している。」とあります。4「分」、3「秒」という単位は、円周1周分の角度360°の1°の1/60が1分、1分の1/60が1秒として表したものです。以上を2つの図にまとめてみます。

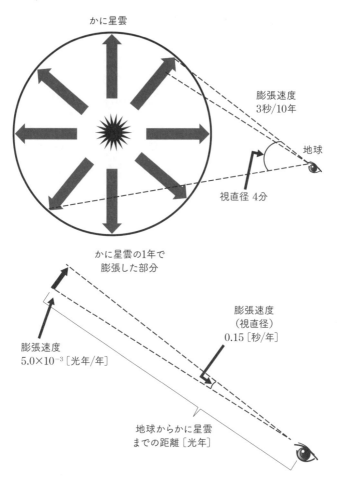

かに星雲

膨張速度
3秒/10年

地球

視直径 4分

かに星雲の1年で
膨張した部分

膨張速度
（視直径）
0.15［秒/年］

膨張速度
5.0×10⁻³［光年/年］

地球からかに星雲
までの距離［光年］

かに星雲の1年で膨張した部分の拡大図
（この図では半径部分の膨張を考えている）

　では「かに星雲の1年で膨張した部分の拡大図」を使ってかに星雲までの距離を計算してみます。計算するには近似を使う必要があります。角度 x が十分小さい時には $\sin x = x$ が成り立つという近似です。拡大図の三角形は直角三角形ではありませんが視直径が0.3秒/年（半径部分の膨張と考えると2で割って0.15秒/年）と非常に小さいので近似が成立します。そこで、この0.15秒/年を360°＝2πで表す弧度法に直した上で近似を利用します。

$$\sin x = x \text{ より } \frac{5.0 \times 10^{-3} \left[\dfrac{\text{光年}}{\text{年}}\right]}{\text{かに星雲までの距離 [光年]}} = 0.15 \times \frac{1}{3600} \times \frac{\pi}{180} \text{ [rad]}$$

この式を解くとかに星雲までの距離が6.9×10^3［光年］と求められます。

問3は上の図のイメージができれば簡単です。視直径が1年で0.3秒の割合で増加し、現在のかに星雲の大きさが4分となっているので、$4 \times 60 \div 0.3 = 800$。つまり、800年前に地球上で観測されたことになります。解答としてはもちろんこれでOKですが、せっかく古文書がありますので正確な年を調べてみましょう。参考資料1の宋史志巻九の該当部分を現代語訳にすると「1054年7月4日、おうし座ゼータ星付近にとても明るい天体が現れ、しばらくすると見えなくなった」となります。参考資料2の「明月記」の該当部分を同様に現代語訳にすると「後冷泉院天皇の時代、1054年5月後半の午前2時ごろ、客星がオリオン座と同じ赤経にあるおうし座ゼータ星付近に現れた。大きさは木星ほどもあった」となります。「客星」は今までなかったところに出現した星のことで、かに星雲のように超新星爆発以外にも彗星を見つけたときにも使われていました。まさにお「客」さんの「星」という名称がピッタリですね。どちらの資料も1054年ということは共通していますが、日付が少しずれていますね。5月後半ではおうし座が太陽の方向にあたって客星は観測できないためにここは6月の後半の間違いだと考えられています。1054年はこの問題出題当時（1992年）から938年前であり、一様球殻モデルとしたためずれてはいますが近い年代になっていると言えます。

問4、**問5**はワンセットで考えましょう。地球から6800光年離れたかに星雲が木星と同じ輝きで見えたときに、どれだけすごい爆発だったのかを求めるのが目的です。次の図を見てください。

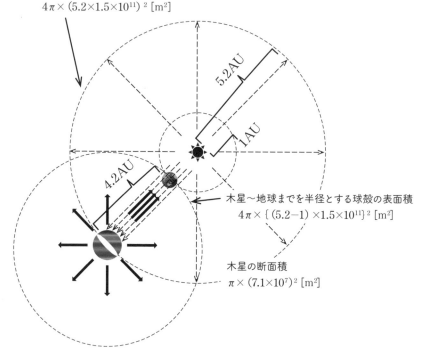

太陽〜木星までを半径とする球殻の表面積
$4\pi \times (5.2 \times 1.5 \times 10^{11})^2$ [m²]

5.2AU

1AU

4.2AU

木星〜地球までを半径とする球殻の表面積
$4\pi \times \{(5.2-1) \times 1.5 \times 10^{11}\}^2$ [m²]

木星の断面積
$\pi \times (7.1 \times 10^7)^2$ [m²]

　太陽が放出したエネルギーが木星に反射されてその一部が地球に戻ってくる様子（AUは astronomical unit の略で、地球から太陽までの距離を1AUとして天体の距離を表す方法）。

　木星は恒星ではないので、夜空に木星が光って見えるのは太陽の光を反射しているからです。そこで、太陽が放射するエネルギーを点線の矢印で表し、それが木星に反射して地球に向かってくる光を実線の矢印で表しています。太陽の放出するエネルギーは木星の存在する半径5.2AUの球殻表面に広がり、そのうち木星の断面積に当たる光が吸収されます。吸収されたエネルギーは再び木星から放出されて半径が4.2AUの球殻表面に広がり、そのうち地球の断面積に当たる光が地球に到達するのです。これを求めるのが**問4**です。計算式は以下の通りです。

$$3.9 \times 10^{26} \left[\frac{J}{秒}\right] \times \frac{\pi \times (7.1 \times 10^7)^2 \ [\text{m}^2]}{4\pi \times (5.2 \times 1.5 \times 10^{11})^2 \ [\text{m}^2]}$$

$$\times \frac{1}{4\pi \times \{(5.2-1) \times 1.5 \times 10^{11}\}^2 \ [\text{m}^2]}$$

　これを解くと木星から地球表面の単位面積1m²に1秒間に到達するエネルギーが1.6×10^{-7} [J/m²・s] と求められます。10^{-7} [J] というと一見小さいように思えますが、地球全体では2000万Jになりますので結構大きなエネルギーが木星から反射されて到達していることが分かりますね。

　問5は、太陽の何倍輝いていれば6800光年離れていても木星と同じ明るさに見えるのかという問題です。超新星爆発のときの光度をx [J/秒] とすると、xが6800光年をmの単位に直した長さ$6.8 \times 10^3 \times 3.0 \times 10^8 \times 3.2 \times 10^7$を半径にもつ球殻の表面積に放出され、その単位面積当たりのエネルギーが問4で求めた1.6×10^{-7} [J/m²・秒] になればいいということですね。

$$\frac{x \left[\dfrac{J}{秒}\right]}{4\pi \times \left(3.0 \times 10^8 \left[\dfrac{\text{m}}{秒}\right] \times 3.2 \times 10^7 \left[\dfrac{\text{s}}{年}\right] \times 6.8 \times 10^3 \ [\text{光年}]\right)^2}$$

$$= 1.6 \times 10^{-7} \ [\text{J/m}^2 \cdot 秒]$$

　これを解くと$x = 8.6 \times 10^{33}$ [J/秒] が得られるので、太陽の光度3.9×10^{26} [J/秒] で割ると2.2×10^7倍になります。つまりかに星雲の超新星爆発は太陽の約2千万倍のエネルギーがあったことが分かります。かに星雲が太陽系の近くになくてよかったですね。

Column 5　東大は入学後も気が抜けない？

　一般の大学では学部ごとの募集なので、入試に合格した時点で理工学部や薬学部、法学部などに所属が決まります。しかし、東京大学の入試では、文系入試が文科一類・文科二類・文科三類の3種類、理系入試が理科一類・理科二類・理科三類の3種類、合計で6種類の募集があり、受験生はどれか一つを選んで受験します。文科一類は主に法学部に進学し、文科二類は主に経済学部に、文科三類は主に文学部・教養学部・教育学部に進学します。理科一類は主に工学部・理学部に、理科二類は主に農学部・工学部・理学部・薬学部に進学しますが、一部は医学部へ進学することも可能です。

　理科三類はほぼ全員が医学部に進学します。ここで、「主に〜学部に進学する」と書いたのは、1年生と2年生前半の成績で3年生以降に進学できる学部が決まるため（いわゆる進学振り分けという制度です）、成績が悪いと人気がある学部学科には進学できない場合があり、中には成績が悪くて希望の学部に行けないことが2年生の途中で分かって、あえて1年生に自主的に戻ってもう一度やり直すなんて人もいます。と聞くと、入学してからも大変だと思うかもしれませんが、各学部には全科類枠という枠もあって指定する科目を履修することで理系でも文系の学部に行けたり、その逆もあるので、入学してから勉強してやりたいことを決められるというメリットもあるのです。ごくまれな例ですが、過去には文科三類に入学したのに医学部医学科に進学したなんて人もいます。

　一般の大学では入学後にすぐ学部独自の専門教育を始めるのが現在のブームですが、東大は1、2年次のリベラルアーツ教育をとても重視しているということですね。

第 **8** 章

ノーベル賞に
まつわる問題

この最終章では、ノーベル賞を受賞した業績に関係する
問題を紹介します。ノーベル賞を受賞するような高度な業
績を高校生の知識で理解できるように問題を作るのは大
変だろうと思いますが、どの問題もよく工夫されていて感
心してしまいます。この章を読んで、とり上げられている
受賞テーマに興味をもってもらえればうれしいです。

キュリー夫人がノーベル賞を受賞したのもこの問題を解けば納得です

● 1971年理科一次化学第2問 ● 1995年化学第2問

　　キュリー夫人という名前はみなさん知っていると思います。キュリー夫人がどれだけすごい人かというと、まず女性初のノーベル賞受賞者です。でもそれだけではありません。彼女はノーベル物理学賞、ノーベル化学賞と、別の部門で2回もノーベル賞を受賞しているのです。

　　ここでは物質の分離をテーマにして彼女のノーベル化学賞の受賞テーマについて考えます。

　　みなさんは「ろ過」という実験操作を知っていますか？ ろうととろ紙を使って液体と固体を分ける最も基本的な実験操作です。みなさんからの「バカにしないで！ 知ってるよ！」というお叱りの言葉が聞こえてきそうですが、ろ過をはじめとする「混合物を分離して純粋な物質にする」という技術は科学の世界で最も基本的で大切な技術です。みなさんもろ過を小学生のときに学び、固体同士を溶解度の違いを使って分ける再結晶、液体同士を沸点の違いを使って分ける蒸留を中学生のときに学んだはずです。酸化物から酸素を取り除く還元や電気分解も分離のための技術と言えるでしょう。高校の化学では、混合物に含まれる各物質の反応性の違いを利用して分離する方法を学びます。この分離の技術を突き詰めると東大の入試問題も楽しめるのです。

　　まずは、基礎を確認しておきましょう。1971年の入試問題をとり上げます。

c. 次の4種の陽イオンを硝酸塩として含む水溶液試料に，下の系統図で示す操作を行ったとき，沈殿Pに含まれるもとの陽イオンはどれか。番号で答えよ。

　　1. Fe^{3+}　　2. Al^{3+}　　3. Cu^{2+}　　4. Ag^+

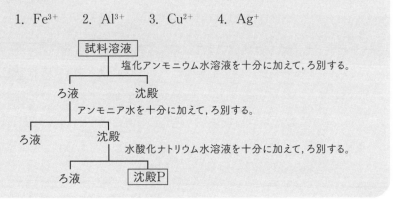

　この問題は第26節で説明したように当時の東大理系志望者対象の一次試験の問題だから簡単で，しかもマークシートなのです。普通に考えると沈殿する金属の順番はイオン化傾向の小さい順番（$Ag^+ < Cu^{2+} < Fe^{3+} < Al^{3+}$）になります。ただし、例外もあるので、受験勉強ではこの例外をしっかり覚えておく必要があります。解答のフローチャートを見ながら具体的に考えていきましょう。

　まず塩化アンモニウム水溶液を加えると、Ag^+とCl^-がイオン結合して$AgCl$となって沈殿します。これは、Agのイオン化傾向が小さいこと、Agが塩酸に溶けないことと合致していますね。これ以降例外が続々出てきます。というのは本来ならイオン化傾向の小さい順

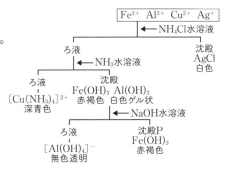

に沈殿していくはずの金属イオンも、特定の分子とは「錯イオン」を形成して溶けるという例外があるからです。

錯イオンとは？

　例えばアルミニウムイオンと水酸化物イオンが水溶液中で独立して存在している場合は、$Al^{3+} + 4OH^-$ と書きますが、Al^{3+} に OH^- が4つ配位結合（第1節で説明しました）して1つのイオンとしてふるまっている場合には、[ ] というカッコを使い、ひとかたまりのイオンとして扱います。これを錯イオンといいます。Al^{3+} に OH^- を加えていくと、はじめは水酸化アルミニウム $Al(OH)_3$ の白い沈殿が生じますが、さらに加えていくと、$[Al(OH)_4]^-$ という錯イオンを生じて白い沈殿は溶けて見えなくなってしまいます。錯イオンは水に溶けるのが特徴なので、水酸化物イオン OH^- と結合して錯イオンになれる金属（アルミニウム Al、亜鉛 Zn、スズ Sn、鉛 Pb）は、塩基性の水溶液にも溶けることができるのです。重要な錯イオンの形成反応を表にまとめました。

表　金属イオンが錯イオンになる場合とならない場合の例

	NH_3 水溶液を加える	$NaOH$ 水溶液を加える
Ag^+	Ag_2O の褐色沈殿が生じたのち $[Ag(NH_3)_2]^+$ として溶解	Ag_2O の褐色沈殿
Cu^{2+}	$Cu(OH)_2$ の水色沈殿が生じたのち $[Cu(NH_3)_4]^{2+}$ として溶解	$Cu(OH)_2$ の水色沈殿
Zn^{2+}	$Zn(OH)_2$ の白色沈殿が生じたのち $[Zn(NH_3)_4]^{2+}$ として溶解	$Zn(OH)_2$ の白色沈殿が生じたのち $[Zn(OH)_4]^{2-}$ として溶解
Al^{3+}	$Al(OH)_3$ の白色沈殿	$Al(OH)_3$ の白色沈殿が生じたのち $[Al(OH)_4]^-$ として溶解
Pb^{2+}	$Pb(OH)_2$ の白色沈殿	$Pb(OH)_2$ の白色沈殿が生じたのち $[Pb(OH)_4]^{2-}$ として溶解

この表の見方ですが、例えばCu^{2+}、Ag^+はアンモニア水を十分加えたときには錯イオンとなって溶解するが水酸化ナトリウム水溶液では溶解しない、つまり、Cu^{2+}、Ag^+に対しては、NH_3は配位子になるけれどもOH^-は配位子にはならないということを示しています。Zn^{2+}はアンモニアでも水酸化ナトリウムでも錯イオンとなって溶解する、つまりNH_3もOH^-も配位子になります。同様にAl^{3+}、Pb^{2+}、Sn^{2+}（Sn^{4+}）はアンモニアでは溶解しませんが、水酸化ナトリウムなら錯イオンとなって溶解します。水酸化ナトリウム水溶液に錯イオンとなって溶解する金属であるアルミニウムAl、亜鉛Zn、スズSn、鉛Pbは、酸とも反応するので、「酸にも塩基にも反応して溶ける金属」ということで両性金属といいます。この両性金属は入試でよく聞かれます。

　解答のフローチャートに戻りましょう。入試ではこの「本来イオン化傾向からは沈殿するはずだが、例外的に錯イオンを形成するため沈殿せずに溶解する」ところが狙われます。塩化アンモニウムに続いてアンモニア水を十分に加えると、水溶液は塩基性になるのでFe^{3+}が$Fe(OH)_3$の赤褐色沈殿となります。イオン化傾向の順番ではFeよりもイオン化傾向が小さいCuも沈殿するはずですが、ここでは一旦$Cu(OH)_2$の水色沈殿となったのち、$[Cu(NH_3)_4]^{2+}$という濃青色の錯イオンになって再び溶解します。Al^{3+}は$Al(OH)_3$の白色ゲル状沈殿となります。この$Fe(OH)_3$と$Al(OH)_3$の2種類の沈殿の混合物に水酸化ナトリウム水溶液を十分に加えると、$Al(OH)_3$は$[Al(OH)_4]^-$という錯イオンになって溶解するため、沈殿Pには$Fe(OH)_3$のみが残っていることになります。

　この問題のように、金属イオンを化学的性質である反応性を利用して分離していく操作を「陽イオンの系統分析」といいます。以上がウォーミングアップで、次から本番が始まります。

　質量数 238 のウラン U の原子核は，自発的に壊変を起こしラジウム Ra を生じる。ピッチブレンドとよばれる鉱物中には，このようにして生まれた Ra が含まれている。1902 年マリー・キュリーとピエール・キュリーは以下の（a）から（g）までの化学的操作（フローチャートを参照）を行い，ピッチブレンドから Ra を分離した。キュリーが使用したピッチブレンドは，U を分離した後の固体（イ）であり，その成分は A，Zn，Fe，Cu，Ag，Ca，Ba，Ra 等の金属の硫酸塩と，SiO_2 との混合物である。なお，Ra は第 7 周期 2A 族（現在の周期表では第 2 族）の元素である。

(a)　固体（イ）を濃水酸化ナトリウム水溶液に入れ加熱した後，ろ過した。この時不要物を（ロ），ろ液を（ハ）とする。

(b)　（ロ）に塩酸を作用させた後，ろ過した。この時の不溶物を（ニ），ろ液を（ホ）とする。

(c)　（ニ）を炭酸ナトリウム水溶液に入れ加熱（この操作により炭酸塩に変える）した後，希塩酸を作用させ，その後，ろ過した。この時の不溶物を（ヘ），ろ液を（ト）とする。

(d)　（ト）に硫酸を作用させた後，ろ過した。この時の不溶物を（チ），ろ液を（リ）とする。

(e)　（チ）を炭酸ナトリウム水溶液に入れ加熱した後，希塩酸を作用させた。その後精製操作により Ca を分離して，最終的に固体（ヌ）を得た。

(f)　（ヌ）は Ra の塩化物と Ba の塩化物の混合物であった。両者の水に対する溶解度の差（Ra の塩化物のほうが溶解度が小さい）を利用して，再結晶を繰り返すことにより Ra の塩化物を分離した。

(g)　純粋な Ra の塩化物の水溶液を，白金とイリジウムの合金を陽極に，水銀を陰極に用いて電気分解して，陰極に Ra アマルガム（Hg と Ra の合金）を得た。この Ra アマルガムから Ra を金属単体とし

て分離した。

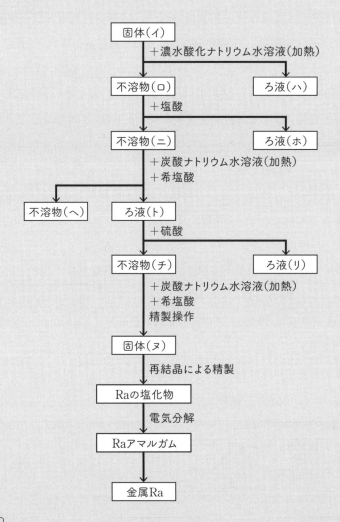

〔問〕

ア. (c) の操作が終了した段階で，Al, Zn, Fe, Cu, Si の元素はそれ
ぞれ主として (ハ)，(ホ)，(ヘ)，(ト) のどこに存在するか。例で
示した答え方で解答せよ。 　例：Al＝(イ)

イ. (チ) に含まれる Ra の化合物及び Ba の化合物の化学式を書け。

ウ. キュリーは純粋な Ra の塩化物の水溶液に硝酸銀を加え塩化銀の沈

殿をつくり，それを回収，秤量して Ra の原子量を見積もった。使用した Ra の塩化物の質量は 100mg，回収された塩化銀の質量は 96.6mg であった。下線部分の反応を化学反応式で書け。そして Ra の原子量を有効数字 3 桁で求めよ。なお，Ra の塩化物には結晶水（水和水）は含まれていないものとする。また，塩化物イオンは銀イオンと完全に反応し沈殿を生成するものとする。必要なら以下の原子量の値を使用せよ。Ag＝108，Cl＝35.5，N＝14.0，O＝16.0

エ．キュリーが実験で使用したピッチブレンドには Ba が比較的多く含まれていたために，（チ）の回収率が高く，結果として Ra の回収も効率よく行われた。その後改良された方法では，人為的にろ液（ト）に Ba の塩化物を加えることが行われている。このことと，ピッチブレンドに含まれている Ra の量が極めて少量であること（ピッチブレンド 1000kg あたりに含まれる Ra は数 100mg である。キュリーは数 1000kg のピッチブレンドを用い最終的に 120mg の Ra の塩化物を得た。）を考えあわせて，改良法において Ba の塩化物をわざわざ加えるのはなぜか，3 行以内で答えよ。

オ．（g）の電気分解中に陰極でおこっている反応を式で表せ。

カ．（g）の電気分解で得られた Ra アマルガムから Ra を分離するのにキュリーはどうしたと思うか。1 行程度で答えよ。

　冒頭で述べたようにキュリー夫人はノーベル物理学賞とノーベル化学賞の両方を受賞していますが、いまだかつて物理と化学という理系の異なる分野で受賞した人は彼女以外にはいません。もうここまでくると凄すぎて(私は)彼女が神様のように見えてきてしまいます。

　ノーベル物理学賞の受賞理由は放射線の研究で（放射能、放射性物質など我々が日常的に使っている用語も彼女が最初に提案したのです！）、放射線を発見したベクレル、夫のピエール・キュリーとの共同受賞でした。ノーベ

ル化学賞の受賞理由はポロニウム、ラジウムという新元素を発見したことで、受賞当時、夫のピエールはすでに亡くなっていたために単独での受賞でした。この1995年の問題は後者の功績に相当するものですが、後述するように新元素は放射線を測定することで発見できたので、二つのノーベル賞の受賞は不可分なものといえるのです。

　問題にすると3ページ程度の問題ですが、キュリー夫人は純粋なRaを得るのに大変な苦労をしています。フローチャートに成分元素の流れと、**ア**、**イ**の解答を記入したものを次ページに示しました。

　キュリー夫人は新元素ラジウムの発見で有名ですが、ラジウムよりも先にこのフローチャートにはない新元素ポロニウムを発見しています。彼女はポロニウムの存在を予告した論文を1898年7月に発表し、同じ年の12月にラジウムの存在を予告した論文を発表しているのです。ここまでが研究に着手してから1年です。フローチャートでは固体（ヌ）までの段階ですね。しかしそこからが大変でした。固体（ヌ）から純粋な塩化ラジウムを単離できたのが約4年後の1902年、さらに純粋な金属ラジウムを単離できたのはなんとさらに8年後の1910年でした。

　キュリー夫妻は夫のピエール・キュリーが教授として勤務していたパリ産業物理化学学校の物置小屋と、使われていない薬学部の解剖教室というひどい環境で約4年の歳月をかけて塩化ラジウムの単離に取り組みました。しかもキュリー夫人は夫のピエールの無給の助手という軽い扱いでしたので、彼女は家計の足しになるようにとパリ郊外のセーヴルにある女子高等師範学校で物理学の講師として働きます（ちなみに、これも女子高等師範学校初の女性講師でした）。彼女はのちに、「それなりの設備や手段を自由に使えたら同じことをするのに1年あれば十分だったかもしれない」とも書き残しています。現在の研究室では実験で発生した有害なガスを吸い取ってくれるドラフトなどの安全対策を完備するのは当たり前になりましたが、当時はこのひどい環境で大きななべに砕かれたピッチブレンドと薬品を入れて、ぐつぐつ煮

ながら大きな重い鉄の棒をひたすらかき混ぜる毎日でした。有害なガスをた

くさん吸い込んでしまう過酷な環境だったのです。研究中にキュリー夫妻は

何回か体調を崩してしまうのですが、こんな環境では当然ですよね。フロー

チャートでみると「固体（ヌ）→（再結晶）Raの塩化物」としか書いてあり

ませんが、そこには彼女の10年以上にわたる新元素発見への情熱が秘められ

ているのです。

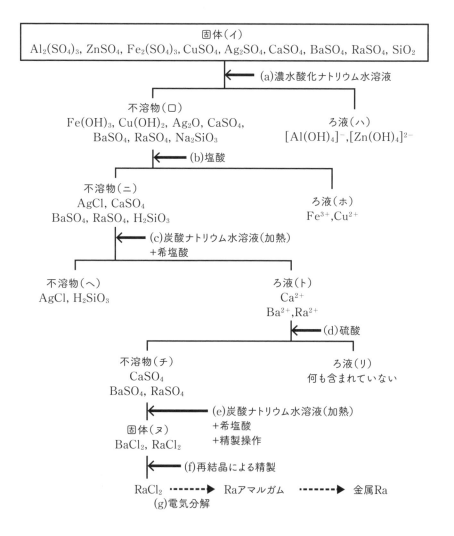

では問題を詳しく見ていきます。問題文の冒頭5行目ですが、「キュリーが使用したピッチブレンドは、Uを分離した後の固体（イ）であり、……」とあります。この時代ウランUはボヘミアンガラスで有名なチェコ（当時はハプスブルク家のオーストリア）のヨアヒムスタールの鉱山から採掘されていました。この鉱山は16世紀はじめに銀が発見されたことで繁栄した鉱山ですが、ウランも採掘されていました。ウランが原子爆弾や原子力発電所の核燃料として使われることはまだずっと後のことなので、当時はウランガラス（ガラスにウランを少し混ぜると美しい蛍光黄緑色になる）の材料として採掘されていたのです。

ウランを分離した後のピッチブレンドにもウランはわずかに含まれています。キュリー夫人はピッチブレンドの放射能を測定して、含まれる残りのウランの量から推測される放射能よりも4倍も強い放射能を観測しました。つまり、ウラン以外の何か放射能を出す未知の元素が含まれることに気づいたのです。未知の元素は、ビスマスに化学的性質が似ている元素とバリウムに化学的性質が似ている元素の2種類あることが分かったので、1898年7月にビスマスに似ている元素をポロニウムと命名して発表し、12月にバリウムに似ている元素をラジウムと命名してその存在を予告した論文を発表したのです。本書の巻末の周期表を見ると、ラジウムはバリウムと同じ2族でその下にあります。同じ族の元素は性質が似ていますので、ラジウムはバリウムを分離した中に混ざっていたのです。ポロニウムは周期表でビスマスの隣にあり、族は違いますが隣にあるので性質がビスマスに似ています。彼女の鋭いところはこの新元素が分離作業で沈殿物に存在するか、ろ液に存在するのかを見分けるために放射線の測定を利用したことです。これが先ほど述べた二つのノーベル賞が不可分であることの理由です。

キュリー夫人はラジウムの発見者として有名ですが、彼女が自分の祖国のポーランドにちなんでポロニウムと新元素を名付けたことを考えると、ポロニウムのほうがより思い入れが強かったといえるかもしれません。当時の

ポーランドは1918年に独立を回復するまではロシアの衛星国で、プロイセン王国やオーストリア＝ハンガリー帝国という大国にも挟まれて陰に陽に様々な抑圧を受けていましたので、キュリー夫人は心を痛めていたのです。

　彼女がポロニウムのほうを先に発見できたのは理由があります。それはピッチブレンド中にポロニウムの妨害となるビスマスがそれほど多くは含まれていなかったこと（ラジウムのほうは**エ**の問題文にあるように、ほとんどがバリウムでほんの少しだけラジウムが含まれている状態でした）、ポロニウムもビスマスも酸に溶けやすいという性質があるために、酸で溶かしてから気体の硫化水素を通すことで両者を簡単に硫化物として沈殿させることができたことが理由です。その後、硫化物を真空で700℃に熱し、硫化ポロニウムがガラス管の250〜300℃のところの黒い皮膜となって集まるのに対して、硫化ビスマスはもっと高温の部分に集まることを発見しました。つまり、ラジウムよりもずっと簡単に硫化ビスマス、硫化ポロニウムは分離することができたのです。

　このようにポロニウムのほうが早く発見できたのですが、キュリー夫人が純粋な単体を得るのに挑戦したのは、ポロニウムではなくラジウムでした。この理由はポロニウムの半減期（第17節に出てきましたね）が一番長いものでも138日ととても短く不安定であることと、ポロニウムに昇華性があったことが原因だと考えられています。

フローチャートの解説

　固体（イ）のピッチブレンド中の金属元素はすべて硫酸塩の形になっていますが、これはウランを回収するために採掘した鉱石を細かく砕いて硫酸に入れ、ウランを硫酸ウラニル（Ⅵ）　UO_2SO_4として取り出した後の残りかすだからというのが理由です。

(a) NaOH 水溶液を加えて両性金属である Zn と Al を錯イオンにすることで水溶液中に除いています。

(b) 塩酸を加えることで $Fe(OH)_3$、$Cu(OH)_2$ の沈殿は Fe^{3+}、Cu^{2+}（の塩化物塩）となって溶解します。それ以外の不溶物も塩酸を加えたせいで化学式が変化していますが、2族元素である $CaSO_4$、$BaSO_4$、$RaSO_4$ はそのままであることに注意しましょう。

(c) この操作で $AgCl$ と H_2SiO_3 は変化しませんが、2族元素の $CaSO_4$、$BaSO_4$、$RaSO_4$ は炭酸塩に変化し、塩酸と反応して Ca^{2+}、Ba^{2+}、Ra^{2+} となって溶解します。

(d)(e) この操作で Ca^{2+} が取り除かれました。(e) の操作で希塩酸を加えた段階で蒸発乾固させると Ca^{2+}、Ba^{2+}、Ra^{2+} の塩化物塩が得られるので、これを濃塩酸で洗浄します。すると $CaCl_2$ は溶解度が大きいので濃塩酸に溶解しますが、$BaCl_2$ は $RaCl_2$ とともに溶け残るのです。

　ラジウムという新元素発見はこの段階で発表されました。この段階では塩化バリウムの塊の中にわずかに塩化ラジウムが含まれているだけでしたが、キュリー夫妻は放射線を測定しながら目に見えない元素を追っていく手法で実験を行なっていたので、新元素が塩化バリウムの塊の中にあることは確実だとして「ラジウム」と名付けて発表したのです。

(f) 新元素ラジウムを発表すると、物理学者はその存在を認めてくれましたが、化学者の多くは懐疑的でした。というのは、化学者は測定法としての放射線を計る方法を知りませんでしたし、目の前にこれが新元素の単体ですよ、原子量はこれくらいなので周期表のここに入りますよ、と示されないと納得しなかったからです。そこでキュリー夫妻は純粋な塩化ラジウムの結晶化に取り組むのです。これはとても大変な実験で、先ほど述べたようにこれだけにキュリー夫妻は約4年もの歳月をかけました。どんな実験かというと、$BaCl_2$ と $RaCl_2$ はどちらも水にはよく溶け、アルコールには溶けにくいという性質がありますが、塩化ラジウムの水への溶解

度は塩化バリウムの溶解度よりもわずかに小さいことを利用した実験です。具体的には、まず両者を水に溶解させてから、そこにアルコールを加えていくと沈殿が生じます。その時生じた沈殿は、溶かす前の混合物よりもわずかに塩化ラジウムを多く含むようになります。これをろ過して沈殿を集め、ラジウムの濃度を上げます。この操作をひたすら繰り返すことで純粋な塩化ラジウムに近づけていくのです。

　まず**ウ**の前に、**エ**の解説をします。フローチャートではろ液（リ）には何も含まれていないと書きましたが、実際は本当にごくわずかにCa^{2+}、Ba^{2+}、Ra^{2+}が含まれています。もちろん沈殿の量に比べたら無視できるほどのわずかな量ですが、もともとごくわずかにしか含まれないRaの場合は話が別です。そこで、あらかじめ沈殿させる前のろ液（ト）に不要なBa^{2+}を入れておくことで$BaSO_4$中にRa^{2+}を紛れ込ませて沈殿させ、ろ液（リ）に含まれるRaをなるべく少なくしようというのが目的です。このように溶解度のわずかな差を利用して目的の物質を精製していく方法を共沈法といいます。

　次に**ウ**です。まず反応式は大丈夫ですか？　$RaCl_2 + 2AgNO_3 \rightarrow 2AgCl + Ra(NO_3)_2$ ですね。Raの原子量をxとすると、$RaCl_2$の式量は$x+71$、AgClの式量は143.5なので、以下の式が成り立ちます。

$$x+71 : 2 \times 143.5 = 100 : 96.6$$

　この式を解いてRaの原子量226.1が得られます。よって解答は2.26×10^2です。原子量が分かったことで、周期表の位置もBaの下の原子番号88番と確定し、化学者たちに新元素の発見を納得させることができたのです。

　オに行きましょう。みなさんはイオン化傾向の大きい金属、具体的にはアルカリ金属、アルカリ土類金属、そしてアルミニウムは水溶液を電気分解しても金属の単体は析出しないことはすでに知っていると思います。これらの金属の単体を得るには、溶融塩電解という方法を使って、高温で金属塩自体

を融かしてその融液を電気分解します。しかし、水銀を陰極に使用すると水溶液でも単体が析出するのです。どういうことかというと、イオン化傾向の大きい金属塩の水溶液を電気分解すると、通常は陰極からはH_2が発生するだけですが、陰極に水銀を使用するとこのH_2が発生する反応に高い電圧が必要になるので、H_2が発生する代わりにイオン化傾向の大きい金属が還元されて水銀との合金として陰極に取り込まれるという現象が起きるのです。このときに陰極でできる水銀と還元された金属との合金をアマルガムといいます。この問題では水溶液中のRa^{2+}が還元されて$Ra^{2+} + 2e^- \rightarrow Ra$ という反応がおきて、Raは水銀に取り込まれてRaアマルガムとなるのです。

最後に**カ**です。液体のHgに固体のRaが溶けているのだから、加熱してHgを蒸発させればいいことに気づくことができればいいでしょう。奈良の東大寺の大仏は建立当時金で覆われていたそうですが、その方法は金箔を貼り付けたのではありません。Hgに金を溶かしてアマルガムとして大仏に塗ったのち、加熱してHgを蒸発させるというものだったのです（金はHgには溶けるのです）。つまり、Raアマルガムも加熱してHgを蒸発させればよいのです。ただし、この方法ではおそらく満点はもらえません。金の場合は安定な金属なのでそれでいいのですが、Raは2族元素であり、カルシウムのように空気中では酸素と反応して酸化物になってしまうため、ただ加熱してHgを蒸発させると残るのは酸素と反応した酸化ラジウムRaOです。これを避けるためには酸素のない環境、つまり真空にして加熱すればよいのです。よって解答は「真空に近い減圧化で加熱して水銀を除去する」となります。

キュリー夫妻の情熱には多くの犠牲も伴いました。夫妻は研究中に度々体調不良に悩まされますが、その原因の一つには放射性物質を無防備に扱ってしまったことが指摘されています。夫妻の衣服や研究ノートからは今でも放射線が検出されるそうです。多くの犠牲のもとに進んだ放射線の研究ですから、今の時代の我々は平和利用していきたいものですね。

　「東大化学の入試準備としては、基礎的な知識を単に暗記するというのではなく、十分に理解し、とくに理論については徹底的に理解納得する必要がある。さらにそれらの知識や理論をどのように応用するかを平生から心がけて研究しておくとよい。計算の出題も多いので、計算技術も十分に習熟し、とくに計算間違いなどしないように心がける必要がある。つまり教科書の範囲の知識を片よることなく、全般にわたって確実に理解しておくことである。実験もできるだけ行い、詳細な観察を行なうと同時に、理論的な考察をするように習慣をつけておくとよいであろう。」

　なるほどと思いますね。でもこれ実は昭和35年（1960年）に発行された旺文社の「東大の全貌　付：最近五カ年全科入試問題研究」に書いてある文章なのです。時代が変わっても、化学の対策は同じということですね。ちなみにこの本では生物の対策については以下のように書いてあります。

　「過去五か年を通じて、例年三問を出題しているが、それらのうち形式面からみると能力テスト問題（※著者注：文章を読んで内容を理解したうえで知識を応用して正誤などを判定する問題）と知識テスト問題（※著者注：単純な知識問題）はほぼ半々である。〜中略〜内容面から見れば、生物のはたらきと遺伝を主流として発生・分類および生態がこれに次いでいる。〜中略〜そこで対策としては、東大志望の諸君は教科書を主とした勉強で、しかもそこに載っている事項のすべてを完璧に教師なり参考書によって理解し、記憶していなければならない。」

　どうでしょうか？　DNAの二重らせん構造が発見されてすぐの時代ですから、博物学的な内容やメンデル遺伝が中心だったところは現在と異なりますが、「教科書を主とした勉強」が大切というところは昔も今も変わらないようですね。

第30節

免疫の仕組みを知ることの重要性は年々高まっています

● 2010年生物第1問 ● 2014年生物第1問

生物に限らず、理科は2012年から高等学校のカリキュラムが大きく変わりました。この改訂で多くの内容が必修から選択に移りましたが、生物の免疫は選択から必修に移ってきたのです。臓器移植や新型コロナウイルスなど免疫に関する知識が役に立つ場面は増えてきたので、この改訂は評価できると思います。

東大では免疫に関する問題はよく出題されますが、その中でも2010年の出題は免疫について網羅している良問でした。問われていること自体は難しくはない(とは、ある予備校評です)のですが、記述だけでトータル13行書かなければいけないので大変です。75分で大問3問を解くことを考えると、この問題で25分、問題文を読んだり、選択問題を解いたりすることを考えると1行1分くらいで書いていかなければいけません。だから難しくはないといっても、それなりのトレーニングを積まないと対応できません。では、問題を見ていきましょう。

2010年生物第1問より

〔文1〕

免疫系には、抗体が主役となる □1□ 性免疫と、リンパ球などの免疫細胞が主役となる細胞性免疫がある。

抗体はB細胞で産生される［ 2 ］（Ig）というタンパク質である。代表的なIgであるIgGという分子は，図1−1に示すように，重鎖と軽鎖というポリペプチドが2本ずつで構成され，ジスルフィド結合で結ばれている。各ポリペプチドは可変部と定常部からなる。Y字型に開いた2つの腕の先端部分に存在する溝状の構造を抗原結合部位と呼ぶ。(ア)抗原と抗体の結合の強さは，抗原結合部位の立体構造と，抗体と結合する抗原表面の部分（抗原決定部位）の立体構造の相補性により決まる。適切なタンパク質分解酵素を用いると，抗原結合部位の立体構造を変化させずに，抗原結合部位を含む断片（Fab）とそれ以外の断片（Fc）に，IgGを分断できる。ここでは，図1−1に示すように，それぞれの部分をFab，Fcとよぶ。

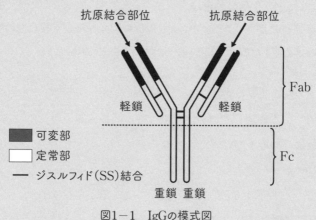

図1−1　IgGの模式図

　重鎖の可変部は，V，D，Jとよばれる3つの遺伝子断片にコードされている。未分化なB細胞の染色体には，異なる配列をもつ遺伝子断片が，それぞれ数個〜数十個存在する。B細胞が分化するとき，個々のB細胞で，V，D，Jの遺伝子断片が1つずつ選ばれて連結し（DNA再編成），1個のB細胞では1種類の固有のアミノ酸配列が決定される。軽鎖の可変部についても，V，Jの2つの遺伝子断片によるDNA再編成がおこる。その結果，個々のB細胞は異なる抗原特異性を持つ抗体を産生す

る。ある抗原に対する抗体を産生することができるB細胞が，生体内で，その抗原と出合うと，増殖（クローン増殖）し，抗体を産生する。このため，その抗原に対する血清中の抗体量が増える。リンパ球の1種である　3　は，B細胞のクローン増殖を調節する。

　マウスにヒトのがん細胞に対する抗体を産生させるため，次の実験を行った。

〔実験1〕ヒトの白血球由来のがん細胞Xの表面タンパク質Yと，正常なマウスの白血球の表面タンパク質Zを単一に精製した。YはXにのみ発現しており，正常なヒトの細胞には発現していない。YとZを同じ濃度で生理的食塩水に溶解し，2匹のマウスに，それぞれ2回ずつ同量注射した。経時的にマウスから血清を分離し，一定量のYおよびZに対する，血清中の抗体の反応の強さ（抗体力価）を測定した。その結果，図1-2のように，(ィ)Yを注射した場合，1回目の注射で抗体力価は弱く上昇したが，2回目の注射では強く上昇した。一方，Zを注射した場合には，抗体力価は全く上昇しなかった。

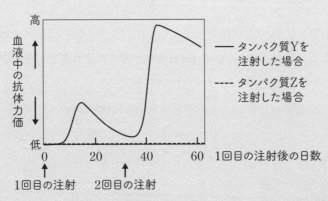

図1-2　タンパク質YとZを注射したマウスの抗体力価の経時的変化

〔問〕

I　文1について，以下の小問に答えよ。

　A　文中の空欄1～3に適切な語を入れよ。

B　マラリアはかつて，日本でもよくみられた感染症であったが，1950年代に撲滅され，現在の日本には常在しない。一方，日本人が海外でマラリアに感染する機会は増えている。マラリアに感染した日本人の血清は，マラリア原虫のタンパク質（抗原）に対して高い抗体力価を示す。ところが，1度もマラリアに感染したことがない日本人の血液中にも，マラリア原虫のタンパク質に結合する抗体を産生できるB細胞が，ごくわずかではあるが存在すると考えられている。その理由を3行程度で述べよ。

C　下線部（ア）について。抗原決定部位と抗原結合部位の結合様式として正しいものを，以下の（1）〜（5）からすべて選べ。

　　　（1）ペプチド結合　　　　　　（2）ジスルフィド結合
　　　（3）ファンデルワールス力　　（4）水素結合
　　　（5）イオン結合

D　ある1種類のIgG抗体が，異なる病原体OおよびPいずれとも，抗原抗体反応によって特異的に強く結合した。その理由を2行程度で述べよ。

E　実験1について。2種類の変異マウス，$Y^{+/+}$マウスと$Z^{-/-}$マウスに，実験1と同様にYとZをそれぞれ注射して，抗体を産生させる場合を考える。ここで，$Y^{+/+}$マウスはヒトのタンパク質Yの遺伝子をマウスの染色体に組み込んで，Yを細胞表面に発現させた変異マウスであり，$Z^{-/-}$マウスは，マウスのタンパク質Zを先天的に作れない変異マウスである。$Y^{+/+}$マウスにYを注射した場合は，Yに対する血清中の抗体力価は上昇しなかった。一方，$Z^{-/-}$マウスにZを注射した場合は，Zに対する血清中の抗体力価は上昇した。それらの結果が得られた理由を3行程度で述べよ。

F　下線部（イ）について。2回目のYの注射後，抗体力価が著しく上昇した説明として適切なものを，以下の（1）〜（5）からすべて選べ。

(1) 1回目のYの注射によりB細胞が産生した抗体は、リンパ組織に貯蔵されていた。2回目のYの注射によりその抗体が一挙に血液中に放出された。

(2) 1回目のYの注射によりB細胞が産生した抗体は、血清中に残っていた。2回目のYの注射によりその抗体自体のYとの結合が著しく強くなった。

(3) 1回目のYの注射によりクローン増殖したB細胞の一部が、記憶B細胞として残っていた。2回目の注射によりその記憶B細胞がすばやく増殖したため、Yと結合できる抗体の種類が著しく多くなった。

(4) 1回目のYの注射によりクローン増殖したB細胞の一部が、記憶B細胞として残っていた。2回目の注射によりその記憶B細胞にDNA再編成が起きて、Yと結合できる抗体の種類が著しく多くなった。

(5) 1回目のYの注射によりクローン増殖したB細胞の一部が、記憶B細胞として残っていた。2回目の注射によりその記憶B細胞にDNA再編成が起きて、1回目より著しく強くYと結合できる抗体を産生した。

免疫とは？

「免疫」とは「自己と非自己（自分ではないもの）を区別して、非自己を排除して体内の環境を維持する仕組み」のことです。登場するのは抗原、ヘルパーT細胞、キラーT細胞、B細胞、マクロファージ、樹状細胞、好中球です。体内に入ってきた異物のことを「抗原」といいます。ウイルス、細菌、毒物などはもちろん抗原ですし、同じヒトの細胞でも他人の細胞は非自己なので抗原になります。ヒトの細胞表面にはMHC（Major Histocompatibility

Complex 主要組織適合性複合体）というそれぞれのヒトに固有のタンパク質がたくさんくっついているので、MHCが異なると非自己と認識されて免疫機能から攻撃を受けるのです。抗原以外のヘルパー T 細胞～好中球はすべて白血球とよばれてひとまとまりに扱われていますが、免疫ではその役割によって分類されています。

　まず、抗原が体内に入ると、好中球という番犬の役割をする白血球が攻撃します。好中球はあくまで番犬ですので、他の白血球のように複雑なはたらきをするのではなく、抗原をひたすら食べて（貪食といいます）、殺菌するという単純なはたらきをします。好「中」球の名前の由来は、白血球を顕微鏡で見やすくするために色素を使って染色したときに、「中」性の染色液によく染まることから名付けられました。酸性の染色液によく染まる白血球は好酸球、塩基性の染色液によく染まる白血球は好塩基球といい、両者は寄生虫に対する防御の役割などをもっているようです。好中球、好酸球、好塩基球の3種類を顆粒球といいますが、顆粒球全体の9割以上は好中球です。

　好中球後の攻撃方法は問題文2行目の通り、B細胞が放出する抗体が主役になる1**体液**性免疫と、リンパ球などの細胞が主役となる細胞性免疫に分類できます。体液性免疫も細胞性免疫もはじめはマクロファージや樹状細胞が抗原を取り込み、分解してその情報をヘルパー T 細胞に伝えるところから始まるところは共通です。イメージとしては司令官のヘルパー T 細胞、暗殺の特殊部隊のキラー T 細胞、抗体という弾丸を発射する射撃部隊のB細胞、抗原を貪食する作用が好中球よりも強いマクロファージと考えてください。

　体液性免疫では情報を伝えられたヘルパー T 細胞がB細胞を活性化して、活性化されたB細胞が抗原にピッタリ結合する（これを特異的結合といいます）抗体を放出します（B細胞自身も抗原を認識することができます）。抗原は抗体によって無力化されたり、抗体が結合することでマクロファージや好中球によって食べられやすくなったりするのです。

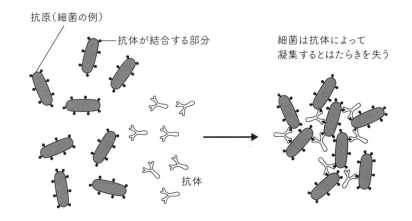

抗原（細菌の例）

抗体が結合する部分

細菌は抗体によって
凝集するとはたらきを失う

抗体

　この問題は体液性免疫で活躍する抗体にフォーカスしています。抗体の正体はB細胞で産生される₂**免疫グロブリン**（Ig：Immunoglobulin）というタンパク質です。ヒトの免疫グロブリンにはIgG、IgA、IgM、IgD、IgEの5種類がありますが、血中で最も多く存在するのはIgGなので、普通「抗体」というときはIgGを指します。IgGの模式図が問題の図1−1にありますが、Y字型をしているのは理由があります。細菌の生産する毒素に結合して毒性を失わせたり、ウイルスに結合して細胞への感染能力を失わせたりするだけならY字でなくてもI字でもいいわけですが、細菌自体に結合して細菌同士を結び付け、凝集させてはたらきを封じるには結合部位が2つ必要なのです。

　なお、細胞性免疫では情報を伝えられたヘルパーT細胞がキラーT細胞、マクロファージを活性化し、マクロファージは活発に抗原を貪食・殺菌し、キラーT細胞は抗原に侵された細胞を破壊します。

　一度活性化されたT細胞、B細胞のうち一部は免疫記憶細胞として体内に残るため、次に同じ抗原が侵入してきたときには前回よりも素早く免疫反応がおきます。これを二次応答といいますが、この問題の［実験1］はこの免疫記憶細胞による二次応答の実験ですので、後ほど詳しく解説します。

　さて、ヒトにある遺伝子は3万くらいと推定されているので、なぜ無数にある抗原に特異的に結合できる抗体をつくり出せるのかは長い間謎でした。

この謎を解いたのが日本人研究者の利根川進氏です。彼はこの業績で1987年のノーベル賞を受賞します。この問題で説明されている「DNA再編成（遺伝子再編成としている書籍も多いです）」についてもう少し詳しく解説しましょう。問題文で解説されている内容を図で表しました。

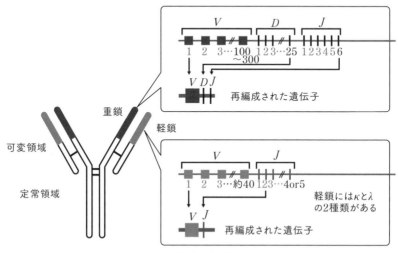

遺伝子編成の仕組み

　重鎖の遺伝子断片 V は100〜300あると考えられていますが、一番少ない100個としても、D には25個遺伝子があり、J には6個遺伝子があるので単純計算で $100 \times 24 \times 6 = 14400$ 種類、さらに軽鎖の分を考慮すると約500万種類、そして遺伝子の再編成の際に V、D、J の継ぎ目のDNAがいろいろな長さで付加されるので実質上無限大の種類の抗原に対応できるのです。

　体内に抗原が侵入したとき、この抗原と結合できる抗体を産生するB細胞のみが3 **ヘルパーT細胞**により活性化され、増殖します。これをクローン増殖といいます。

　Bはどうでしょうか。この問題は〔実験1〕のヒントにもなっています。未知の抗原にも結合できる抗体を産生できるB細胞が存在する理由を答える問題ですので、DNA再編成で多様な抗体ができることを3行にまとめればよい

でしょう。解答例として「B細胞は成熟する際に、DNAの再編成が行なわれるため、数えきれない種類の抗体を産生できる色々なB細胞ができる。その中にはマラリア原虫のタンパク質に結合する抗体を産生するB細胞も存在しているから。」となります。

Cは教科書を読んでいるだけでは出てこない、盲点となりがちな知識が聞かれています。解答の選択肢（1）～（5）は（1）、（2）の共有結合と、（3）～（5）の非共有結合に分類できます。第1節で共有結合について解説しましたが、もう一度確認してみましょう。

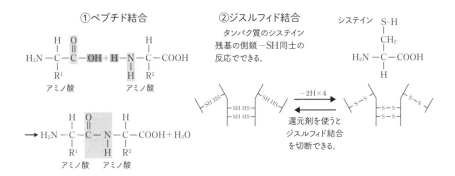

①ペプチド結合

②ジスルフィド結合
タンパク質のシステイン残基の側鎖−SH同士の反応でできる。

還元剤を使うとジスルフィド結合を切断できる。

③ファンデルワールスカ

　分子間力ともいう。分子同士が引きあう弱い力のこと。例えばドライアイスはCO_2がファンデルワールスカで引き合って固体になっているが、ファンデルワールスカは弱い力なので−79℃よりも高い温度では分子の熱振動のほうが勝ってバラバラになり、気体になってしまう。タンパク質間でのファンデルワールスカはあらゆるアミノ酸残基の側鎖同士ではたらく。

④水素結合

　電気陰性度が大きいO原子やN原子に結合したH原子は強くプラスに帯電しているため、他のO原子やN原子と強く引き付け合う。タンパク質ではペプチド結合のO原子とN原子の間などではたらく。

⑤イオン結合

　アスパラギン酸やグルタミン酸の負の電荷をもつカルボキシ基（−COO−）とリシン、アルギニン、ヒスチジンの正の電荷をもつアミノ基（−NH₃+）の間ではたらく。

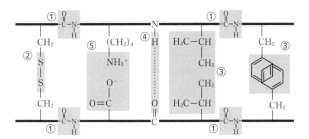

「抗体が抗原に結合する」という表現を我々は普通に使いますが、その結合の種類を問うとは油断できませんね。抗原抗体反応はカギと鍵穴の関係に例えられるように、1対1に厳密に対応しています。これを特異的な反応といいます。結合の強さの順番は①ペプチド結合≒②ジスルフィド結合＞⑤イオン結合＞＞④水素結合＞③ファンデルワールス力です。抗原と抗体は複数個のファンデルワールス力と水素結合が組み合わさって強く結びつくので解答は③、④になります。⑤のイオン結合を解答に入れるかどうかは予備校で分かれているところですが、イオン結合をNa^+とCl^-の間のクーロン力による結合と同じものととらえると解答には入らない気もしますし、イオン結合を＋や－に帯電しているアミノ酸の側鎖同士の弱い相互作用まで含めるととらえると解答に入れていいと思います。東大はどちらで採点したのか気になるところですね。

D　抗原と抗体は特異的に反応するので、1種類の抗体は1つの抗原としか結合できません。ですから病原体が異なっても1種類の IgG が結合できるということは病原体OとPが共通のタンパク質をもつということになります。よって解答は「異なる病原体OとPには抗原となる共通のタンパク質があり、そこに IgG 抗体が結合したため。」となります。

E、F　この問題は、以前侵入したものと同じ抗原が侵入すると、急速に強い免疫反応がおきる「二次応答」という現象がテーマです。図1−2はどの教科書にも載っている有名な図です。

　まず**E**ですが、問題自体は難しくありませんが、よく読むとすごいことが書いてありますね。マウスにヒトの遺伝子を組み込む？　マウスのタンパク質を先天的につくれない変異マウス？　そんなことできるのでしょうか？　もちろんできるのです。ちょっと寄り道して勉強していきましょう。

　まず、前者のヒトの遺伝子を組み込んだマウスは、組み込み方の違いにより2種類あります。トランスジェニックマウスとジーンターゲティングマウスのノックインマウスです。なんだか早口言葉みたいですね。そして後者の

もともとのマウスがもつ遺伝子を作れないようにしたマウスがジーンターゲ
ティングマウスのノックアウトマウスです。

　開発された順番はトランスジェニックマウス（1970年代）→ノックアウト
マウス（1989年）→ノックインマウスです。トランスジェニックマウスは
自然妊娠したマウスから受精卵を取り出し、発現させたいヒトの遺伝子を顕
微鏡で覗きながら小さなガラスピペットで受精卵に注入します（この技術を
マイクロインジェクションといいます）。こういうと簡単そうですが、マウ
スから受精卵を傷つけずに取り出す技術、マイクロインジェクションの技術、
導入する遺伝子の前後のDNA配列の設計など数多くのノウハウが必要です。
すべての条件を最適化できても最終的に遺伝子が導入されたマウスが生まれ
るのは数％の確率で、しかも遺伝子は受精卵のDNAにランダムに入り込む
ので、この段階ではまだペアでもつ染色体のうちひとつに遺伝子が入り込ん
だだけのマウスです。これをヘテロのマウスといい、このヘテロのマウスを
交配させていくことで、両方の染色体に遺伝子が入り込んだホモのマウスを
得ることができるのです（次の図）。

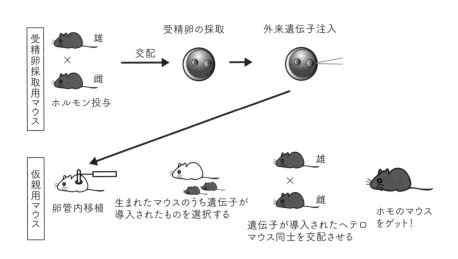

問題にあるY$^{+/+}$はYの遺伝子をホモでもつということを意味しています。このトランスジェニックマウスはとにかく外来の遺伝子が発現すればOKという方法で、導入した外来遺伝子が染色体のどこかの場所に偶然に遺伝子組換えをおこしているだけなので、特定の遺伝子を外来の遺伝子に組み替えたり（ノックイン）、特定の遺伝子の機能を失わせたり（ノックアウト）したマウスを作成することは非現実的でした。

　そこでジーンターゲティングマウスが開発されます。ジーンターゲティングマウスの作成にはES細胞を使います。ES細胞とはなんでしょうか。東大は2014年の入試問題でES細胞を出題していますので、ちょっと見てみましょう（問題は省略しています）。

2014 年生物第 1 問より

〔文 2〕

　マウスの初期胚発生では，胚盤胞期に胞胚腔が形成され，それを囲む栄養外胚葉と，内側に存在する内部細胞塊の，2つの細胞集団が現れる（図1−1）。成熟した胚盤胞が子宮の内壁に着床すると，栄養外胚葉の細胞は胎盤や胎膜を形成するが，胎仔の体細胞や生殖細胞には分化しない。一方，内部細胞塊からは胎盤細胞への分化は起こらず，胎仔の体をつくる三胚葉が派生する。さらに，中胚葉の一部の細胞が生殖細胞へと分化する。胚性幹細胞（ES細胞）は内部細胞塊から樹立され，その分化能をよく保持している。

　また，マウスでは，2つの8細胞期胚を合わせて1つの胚にしたり，8細胞期胚とES細胞を合わせて胚にES細胞を取り込ませたりすることによって，遺伝的に異なる細胞が混在する個体（キメラとよばれる）をつくることができる。キメラにおける細胞の分布様式は，表1−1に示すように，用いる細胞の組合せによって異なる。

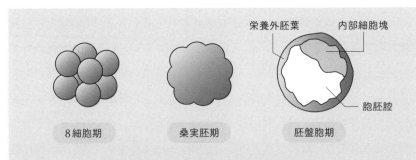

栄養外胚葉　　内部細胞塊

胞胚腔

8細胞期　　　　　桑実胚期　　　　　胚盤胞期

桑実胚期には割球の境界が不明瞭になる。
胚盤胞は内部構造を表すためにその断面図を示した。

図1-1　マウスの8細胞期から胚盤胞期までの発生を示した模式図

表1-1　異なる細胞の組合せで作製されるキメラ

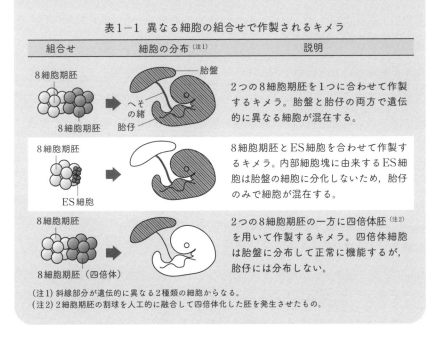

組合せ	細胞の分布(注1)	説明
8細胞期胚　　胎盤　へその緒　胎仔　8細胞期胚		2つの8細胞期胚を1つに合わせて作製するキメラ。胎盤と胎仔の両方で遺伝的に異なる細胞が混在する。
8細胞期胚　ES細胞		8細胞期胚とES細胞を合わせて作製するキメラ。内部細胞塊に由来するES細胞は胎盤の細胞に分化しないため，胎仔のみで細胞が混在する。
8細胞期胚　8細胞期胚（四倍体）		2つの8細胞期胚の一方に四倍体胚(注2)を用いて作製するキメラ。四倍体細胞は胎盤に分布して正常に機能するが，胎仔には分布しない。

(注1) 斜線部分が遺伝的に異なる2種類の細胞からなる。
(注2) 2細胞期胚の割球を人工的に融合して四倍体化した胚を発生させたもの。

　ES細胞を用いたキメラマウスの作り方について分かりやすくまとめられていますね。難しい語句について補足しながら見ていきましょう。受精卵ははじめ1つの細胞です。その細胞が一度卵割（受精卵がおこす細胞分裂を卵割といいます）すると、2つの細胞になります。これを2細胞期といいます。さらに卵割をすると4つの細胞の4細胞期になり、さらに卵割をして8細胞期

になります。次の卵割以降は細胞が増えて数えにくくなるので桑実胚期（桑の実に似てるからです）とよび、その後胚盤胞期になります。「内部細胞塊からは〜三胚葉が派生する」とありますが、三胚葉とは外胚葉、中胚葉、内胚葉のことで、外胚葉からは皮膚や神経系、感覚器、中胚葉からは骨格・筋系、循環器、泌尿生殖器、内胚葉からは消化器や呼吸器というようにそれぞれの胚葉からは体のどんな器官ができるのかは決まっています。ここから「中胚葉の一部の細胞が生殖細胞へと分化する」という表現が出てきています。

　胚性幹細胞（ES細胞）のすごいところは「分化能をよく保持している」ということです。「適切に培養をする」という条件は付きますが、ES細胞は胎盤以外の体のあらゆる器官に分化できるのです。マウスもヒトも一つの受精卵からすべての臓器ができるわけですから、受精卵がいろいろな臓器に分化する前のどこかの段階で取り出して培養し、条件を制御することで夢の人工臓器ができるのではないかという考えは古くからありました。しかし、実際にマウスの胚盤胞期の内部細胞塊を取り出して、分化しないように培養してES細胞にすることに成功したのは1981年でした。その後1998年にはヒトのES細胞も樹立されました。

　このES細胞を使ってノックイン／ノックアウトマウスをつくるには以下のようにします。次の図を見ながら読んでいってください。

手順1：ノックインしたい、もしくはノックアウトした遺伝子をのせた短いDNAをつくります。これをターゲティングベクターといいます。ターゲティングベクターには組換えたい遺伝子の前後にあるDNA配列と相同的なものと、特定の薬剤に耐性をもつ薬剤耐性遺伝子も組み込んでおきます。

手順2：ES細胞とターゲティングベクターをまぜて電気刺激を与えると、一部のES細胞の遺伝子とターゲティングベクターの遺伝子が組換わります。組換わったかどうかは顕微鏡で見ても分からないため、通常の細胞なら死んでしまう薬剤を与えます。すると組換えのおきたES細胞は薬剤に耐性をもっているので死にません。これが手順1で薬剤耐性遺伝子を入れた理由です。

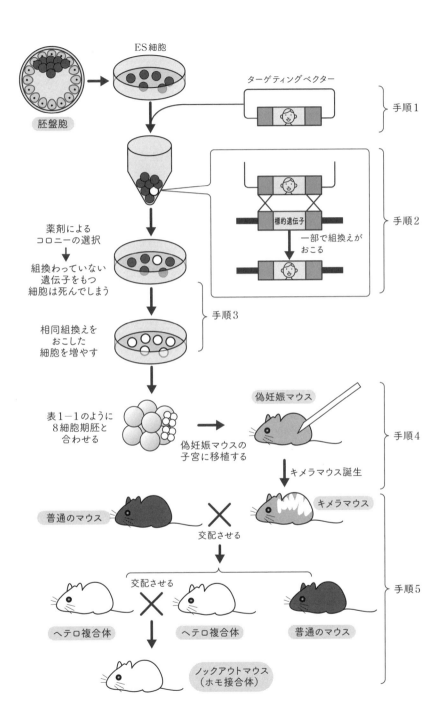

ES細胞

胚盤胞

ターゲティングベクター

手順1

手順2

標的遺伝子

一部で組換えが
おこる

薬剤による
コロニーの選択

組換わっていない
遺伝子をもつ
細胞は死んでしまう

手順3

相同組換えを
おこした
細胞を増やす

表1-1のように
8細胞期胚と
合わせる

偽妊娠マウス

偽妊娠マウスの
子宮に移植する

手順4

キメラマウス誕生

キメラマウス

普通のマウス

交配させる

手順5

交配させる

ヘテロ複合体

ヘテロ複合体

普通のマウス

ノックアウトマウス
（ホモ接合体）

手順3：得られた遺伝子が組換わったES細胞を培養して増やします。

手順4：表1−1の真ん中のように8細胞期胚と遺伝子組換えに成功したES細胞を合わせるとキメラマウスができます。キメラマウス自体は表1−1の上のように8細胞期胚を合わせることでもできますが、ジーンターゲティングマウスをつくるにはES細胞が必要なのです。

手順5：誕生したキメラマウスは遺伝子がノックイン／ノックアウトされた細胞と正常な細胞が混ざっている状態です。そこですべての細胞がノックイン／ノックアウトされたマウスを作るために、キメラマウスと普通のマウスを交配させて（ノックイン／ノックアウトされた細胞がキメラマウスの生殖細胞に分布していなければいけませんが、これは全くの運に支配されます。また、ノックイン／ノックアウトされた遺伝子が生存に必要なものだとそもそもキメラマウスが生まれなかったりします）、生まれた中からES細胞由来の遺伝子をヘテロでもっているヘテロ複合体同士を交配させ、ホモ接合体のノックイン／ノックアウトされたマウスを得るのです。文章で書いても複雑ですが、実際に実験をするとすべてうまくいったとしても1年はかかります。手順を完全に理解していて、材料がすべてそろっていてもところどころで職人芸のようなところがあり、経験がものをいう世界なのです。

　しかしここ数年はノックイン／ノックアウトマウスの作成にCRISPR−（クリスパー）Cas9（キャス）というシステムを利用して、受精卵のDNAを直接編集して遺伝子を組み替えてしまう方法が実用化されて標準技術となっています。2020年にはノーベル賞を受賞したのでそのうち東大でも出題されるものと思います。映画『ガタカ』の世界で描かれた未来がすぐそこに来ているのです。

　前置きが長くなってしまいましたが、**E**と**F**の解答を考えましょう。通常のマウスには発現していないヒトYタンパク質でも、もとから遺伝子としてもっていてそれが発現していると自己と認識されるために抗体力価は上昇しない、つまり免疫反応はおきません。骨髄で造血幹細胞から生まれた未熟なT細胞は胸腺でセレクションを受けて、このときに自己のタンパク質に反応

するＴ細胞は殺されてしまいます。もとからＹをつくり出す遺伝子をもっていれば、タンパク質Ｙに反応するＴ細胞は殺されてしまいますし、同様のセレクションは骨髄で未熟なＢ細胞に対しても行なわれているので、$Y^{+/+}$マウスにＹが入ってきても免疫応答はおこらないのです。逆にマウスが通常もっているタンパク質Ｚでも、ノックアウトされていればＺに反応するＴ細胞、Ｂ細胞は殺されずに体内に残っているので免疫反応はおきるのです。これを3行程度でまとめましょう。「$Y^{+/+}$マウスではもとからＹタンパク質が発現しているため、Ｙを自己と認識して抗体力価は上昇しない。$Z^{-/-}$マウスでは野生型マウスがもっているはずのＺタンパク質が存在していないので、Ｚを非自己と認識して抗体力価が上昇する。」でOKです。

　Ｆは二次応答とよばれる現象に関する問題です。過去に侵入した抗原が再度侵入すると急速に強い免疫反応がおきます。これが二次応答という現象です。過去に抗原に対応したＴ細胞やＢ細胞は一部が免疫記憶細胞として体内に残ります。そのため、二回目に抗原が侵入したときは直ちに免疫記憶細胞が増殖して抗体を大量に作るのです。この仕組みを利用したのが予防接種に使われるワクチンです。ワクチンは主に感染を防止したい抗原を弱毒化したもので、ワクチンを打つことで体内にあらかじめ免疫記憶細胞を作らせておくのです。

　この問題の解答は（3）になりますが、どの選択肢もそれらしく書いてありますので、他の選択肢のどこが不適切かを考えてみましょう。(1)、(2)については、二次応答は免疫記憶細胞が体内に残っているのであり、抗体が残っているのではありません。抗体の体内での寿命は1か月程度と考えられていますので、抗体が免疫記憶細胞のように残っているとしているところが不適切です。(4)と(5)は、免疫記憶細胞で再度DNA再編成がおきるとしているところが不適切です。

　生物は毎年新しい発見があるとても面白い分野です。筆者の手元には1985年の生物の教科書がありますが、この教科書では免疫についてはわずか3ペー

ジしかありませんでした。しかし現在の生物の教科書では23ページに増えています。20年後は何ページに増えているのでしょうか？　見てみたいですね。

Column 7　有名になった PCR と mRNA ワクチン

　2020年に流行が始まった新型コロナウイルスにより、私たちの生活は一変しました。それまでPCRと聞いても知らない人のほうが多かったのが、瞬く間に一般的な語句になりました。PCRとは、ポリメラーゼ連鎖反応（Polymerase Chain Reaction）の略で目的のDNAを増幅させる技術（コロナウイルスの検査で使われるのはPCRを進化させたRT－qPCRで、ウイルスのRNAの量を定量できます）ですが、1993年に発明者のキャリー・マリスがノーベル賞を受賞した比較的新しい技術です。高校の教科書にも20年位前から掲載されるようになりました。東大でもPCR法は出題されていて、2009年や2012年はPCR法の名称や使われる酵素が問われただけでしたが、2020年にはその仕組みまで突っ込んだ形で問われています。

　ワクチンも、従来はこの節で紹介したように弱毒化した抗原を使うのが一般的でしたが、新型コロナウイルスのワクチンは迅速に大量生産するためにmRNAを利用しています。これは抗原のウイルスタンパク質そのものではなく、それを組み立てる設計図であるmRNAを体内に届けて、自分でウイルスタンパク質を作ってもらう仕組みです。もちろん作られるウイルスタンパク質は無毒な部分だけなので人体に害はありません。mRNAなので、分解されやすく極低温で保管しなければいけないというデメリットもありますが、このmRNAワクチンが開発されたことで、ウイルスのDNA（もしくはRNA）さえ分かればワクチンが作れることになったのです。

第31節

光が波動でもあることを示した有名な実験を追体験できます

● 2001 年物理第 3 問　● 1982 年物理第 4 問

　　初めてノーベル賞を受賞した日本人が湯川秀樹だということは
この本を読んでいる多くのみなさんは答えられることと思います。
では、はじめてノーベル賞を受賞したアメリカ人は誰でしょうか？
正解は日露戦争の停戦を仲介したルーズベルト大統領です。でも
これはノーベル平和賞ですので、科学に関するノーベル賞なら
光に関する研究でノーベル物理学賞を受賞したアルバート・マ
イケルソンなのです。マイケルソンは、光を伝える媒質のエーテ
ルの存在を証明しようと一生懸命に実験をして失敗し続けますが、
その実験のための装置の考案がノーベル賞受賞の理由になりまし
た。彼がどんな装置を作ったのか、この節で紹介します。

　この第31節では、光に関する問題2問を紹介します。海の波は遠くから海
岸に近づいてくるように見えますが、海の水が動いてくるわけではありませ
ん。水は同じ場所で上下に振動しているだけですので、水が移動してくるの
ではなく、振動のエネルギーが移動してくるのです。すると真空でも伝わる
光はどうやって振動のエネルギーを伝えているのでしょうか？　そもそも光は
なぜ波だと言えるのでしょうか？　この疑問に答えた実験が今回紹介する2問
です。問題に行く前にまずは波に関する頻出の用語を図を見ながら押さえま
しょう。重要なのは次の3点です。

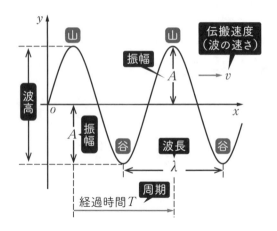

①波を伝える物質である媒質が1回振動するのにかかる時間［秒］を周期と
　いい T［秒］で表す。

②谷と谷、または山と山の間のように媒質が同じ振動の状態の隣り合う2点
　間の距離を波長といい、λ［m］で表す。

③1秒に媒質の1点を通過する波の数を振動数（周波数）といい、f［Hz̋ᵉ᷅ˡᵗˢ］
　で表す。

この3点から、以下が導かれます。

　波長 λ［m］、周期 T［秒］の波は T［秒］間に1波長分の距離を進むので、
波の速さ v［m/s］は $v = \dfrac{\lambda}{T}$ で表される。また、媒質が1回振動する時間
が T［秒］なので、f［Hz（ヘルツ）］は $\dfrac{1}{T}$ となるので、$v = f\lambda$ とも表
されます。

$$v = \frac{\lambda}{T} = f\lambda, \quad f = \frac{1}{T}$$

この式を波の基本式といいます。ここから先によく出てくるので覚えておき
ましょう。

さて、「内政干渉」や「三国干渉」のように「干渉」という言葉には、他人のことに立ち入って妨害するという意味がありますが、物理学でいう干渉は複数の波が重なり合って互いに強め合ったり、弱め合ったりする現象のことを指します。

　例えばお風呂の水面を右手と左手の人差し指で同時に同じ力でつんつんたたきます（このとき指先は同じように動いていますね。このときふたつの指先が振動させる媒質は同位相であるという言い方をします）。そうすると指先が水面に入った時点で波ができますね。波は円形状に広がっていきますが、2つの波が重なると、水面には大きく振動するところとほとんど振動しないところが交互にできます（図のS_1が左手の人差し指、S_2が右手の人差し指で水面をたたいているところです）。

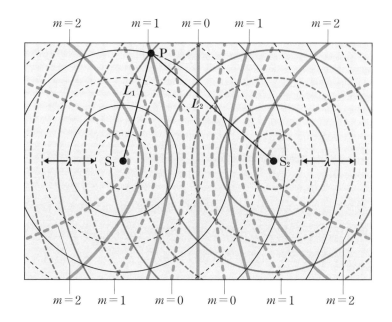

　このように波長の等しいいくつかの波が重なって強め合ったり弱めあったりする現象を波の干渉といいます。上図をもとに、波の山の部分を実線、谷の部分を破線で表して、2つの波が強め合うところを太い実線、弱め合うと

ころを太い破線で結んでいくと双曲線が現れます。弱め合う太い破線を節線といい、節線と節線の間は二つの波の山が重なり合って振幅が2倍の振動となっています。S_1からの距離がL_1、S_2からの距離がL_2となる点Pを考えて、波の干渉により強め合う点と弱め合う点を数式で表しましょう。

◎強め合う点

点Pが図のように ━━━ 上にあるときは、L_1とL_2との差が半波長の偶数倍なら山と山、谷と谷が重なり合うので振幅が2倍になります。このとき「二つの波は同位相である」という言い方をします。これを式で表すと、以下の通りです。

$$|L_1 - L_2| = m\lambda = 2m \times \frac{\lambda}{2} \ (m = 0,\ 1,\ 2, \cdots) \qquad (1)$$

◎弱め合う点

点Pが ━ ━ ━ 上にあるときは、L_1とL_2との差が半波長の奇数倍なら山と谷が重なり合うので振幅は弱まって波は消滅します。このとき「二つの波は逆位相である」という言い方をします。これを式で表すと、次の通りです。

$$|L_1 - L_2| = (m + \frac{1}{2})\lambda = (2m + 1) \times \frac{\lambda}{2} \ (m = 0,\ 1,\ 2, \cdots) \qquad (2)$$

この2つが波の干渉の条件式です。

さて、ここまでは水面を進む波をイメージして説明してきたわけですが、光ではどうでしょうか？ 干渉がおこれば「光は波だ」といえますね。ところが光は目に見える可視光線の領域の波長は400～800ｎｍ前後ととても短いので、干渉を観察するのは簡単ではありません。そこで、長い間「光は波だろう」という推測しかできませんでした。しかしイギリスの科学者トーマス・ヤングが光の干渉を実験で示して、「光は波だ」ということを証明したのです。この「ヤングの干渉実験」に関する問題を見てみましょう。

2001年物理第3問より（※問題Ⅲ～Ⅴは省略した）

　図3-1はヤングの干渉実験を示したものである。電球ＶはフィルターＦで囲まれていて，赤い光（波長λ）だけを透過するようにしてある。電球Ｖから出た光はスクリーンＡ上のスリットS_0，およびスクリーンＢ上の複スリットS_1，S_2を通ってスクリーンＣ上に干渉縞をつくる。スクリーンＡ，Ｂ，Ｃは互いに平行で，ＡＢ間の距離はL，ＢＣ間の距離はRである。S_1とS_2のスリット間距離はdとし，S_1S_2の垂直2等分線がスクリーンＡと交わる点をＭ，スクリーンＣと交わる点をＯとする。また，スクリーンＣ上の座標軸xを，Ｏを原点として図3-1のようにとる。このとき以下の設問に答えよ。必要に応じて，整数を表す記号としてm，nを用いよ。

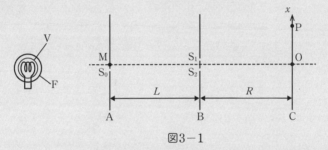

図3-1

Ⅰ　スリットS_0がＭの位置にある場合を考える。干渉縞の明線及び暗線が現れるx座標の値をそれぞれ示せ。ただし，スクリーン上の点をＰとするとき，S_1とＰとの距離を$\overline{S_1P}$などと表すと，

$$(\overline{S_1P} - \overline{S_2P})(\overline{S_1P} + \overline{S_2P}) = \overline{S_1P}^2 - \overline{S_2P}^2$$

が成り立つことを利用し，$\overline{OP}$，dがRと比べて十分小さいとして，

$$\overline{S_1P} + \overline{S_2P} \fallingdotseq 2R$$

としてよい。

Ⅱ　スクリーンＡを取り除くと，スクリーンＣ上の干渉縞は消失した。その理由を簡潔に述べよ。

ヤングは図3−1の実験を行なって、スクリーンCに明暗の縞模様（これを干渉縞といいます）ができることから光が波であることを証明しました。図3−1に光の進み方を模式的に描き加えてみましょう。

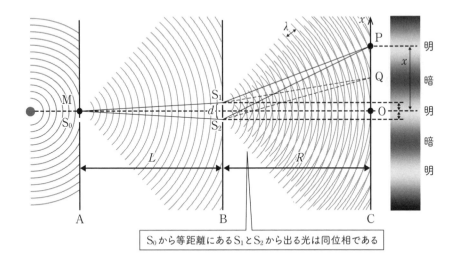

S₀から等距離にあるS₁とS₂から出る光は同位相である

　フィルターFからは等しい波長の光が放出されますが、その位相はバラバラにずれています（波の谷と山が重なっていない状態）。そこでスリットS₀を通すことで位相のそろった光のみをスクリーンBに送るのです。以上から**問Ⅱ**は、「干渉縞は同位相の光が重なり合うことでできるため、スクリーンAを取り除くと、光の位相がそろわなくなってしまうから。」が解答になります。

　S₀を通って進んできた光は複スリットS₁、S₂を通る際に回折（進んでいく波が障害物の陰にも回り込んで伝わっていく現象）し、それぞれのスリットから同位相の波が出ていきます。スクリーンまで進んだ二つの波はお互い干渉して、強め合ってできる明るい線（明線）と弱め合ってできる線（暗線）ができるのです。**問Ⅰ**ではスクリーン上に干渉縞の明線及び暗線が現れる場所を式で表すことを求められています。

　この節のはじめに説明したように、光路差の絶対値$|\overline{S_1P} - \overline{S_2P}|$が明線のときは

$$|L_1-L_2|=m\lambda\ =2m\times\frac{\lambda}{2}\qquad(m=0,\,1,\,2,\cdots)\qquad(1)$$

を、暗線のときは

$$|L_1-L_2|=\left(m+\frac{1}{2}\right)\lambda\ =(2m+1)\times\frac{\lambda}{2}\qquad(m=0,\,1,\,2,\cdots)\qquad(2)$$

を満たす時に現れます。この光路差（$\overline{S_1P}-\overline{S_2P}$）を問題で与えられたヒントを利用して、式（1）、（2）から $x=$ の形で表せば OK です。

問題では（$\overline{S_1P}-\overline{S_2P}$）（$\overline{S_1P}+\overline{S_2P}$）$=\overline{S_1P}^2-\overline{S_2P}^2$ というヒントが与えられているので、光路差（$\overline{S_1P}-\overline{S_2P}$）は以下の式で表され、

$$(\overline{S_1P}-\overline{S_2P})=\frac{\overline{S_1P}^2-\overline{S_2P}^2}{\overline{S_1P}+\overline{S_2P}}$$

さらにもう一つ与えられたヒントの近似式 $\overline{S_1P}+\overline{S_2P}\fallingdotseq2R$ から、

$$(\overline{S_1P}-\overline{S_2P})=\frac{\overline{S_1P}^2-\overline{S_2P}^2}{2R}$$

と表されます。この式の、$\overline{S_1P}^2-\overline{S_2P}^2$ に含まれる $\overline{S_1P}^2$ は、$\overline{S_1P}$、R、$x-\dfrac{d}{2}$ が直角三角形なので、三平方の定理から $\overline{S_1P}^2=R^2+\left(x-\dfrac{d}{2}\right)^2$ と表され、$\overline{S_2P}^2$ は $\overline{S_2P}$、R、$x+\dfrac{d}{2}$ が直角三角形なので、三平方の定理から $\overline{S_2P}^2=R^2+\left(x+\dfrac{d}{2}\right)^2$ と表されます。以上から

$$\overline{S_1P}^2-\overline{S_2P}^2=R^2+\left(x-\frac{d}{2}\right)^2-R^2-\left(x+\frac{d}{2}\right)^2=-2dx$$

となるので、光路差は

$$\overline{S_1P}-\overline{S_2P}=\frac{-2dx}{2R}=-\frac{dx}{R}$$

と表されます。この光路差の絶対値が式（1）に当てはまるときに明線が現れるので、

$$\frac{dx}{R}=2m\,\frac{\lambda}{2}\quad\text{よって}\quad x=m\,\frac{R\lambda}{d}$$

が明線が現れる x 座標の値になります。同様に暗線になる x 座標の値は光路差の絶対値が式（2）に当てはまればよいので、

$$\frac{dx}{R} = (2m+1) \times \frac{\lambda}{2} \quad \text{よって} \quad x = \left(m + \frac{1}{2}\right)\frac{R\lambda}{d}$$

が暗線が現れる x 座標の値になります。

　さて、この実験は光が波であることを証明したこと以外にももうひとつ重要なことも分かりました。それは光の波長です。第7節で可視光線のスペクトルを示しましたが、赤色の光の波長は700nm前後です。700nmというと、0.00007cmですから短すぎて当時は測定できていなかったのです。しかし、ヤングの実験では**問I**の解答で $x = m\dfrac{R\lambda}{d}$ が出てきましたから、スリットの間隔 d（1mm以下）、明線の間隔 x（数mm）、スリットとスクリーン間の距離 R（数m）を測定することで光の波長まで求めることができたのです。これがヤングの実験のもうひとつの重要な成果なのです。

　さて、ヤングが実験で光が波であることを証明すると、続いて光を伝える媒質は何かが問題になりました。水面を伝わる波を伝える媒質は水ですし、音を伝える媒質は空気ですが、光は真空でも伝わるのでいったい何が媒質なのかという問題が立ちはだかったのです。現在では光は電磁波の一種であることが分かっているので、媒質が何もない真空を伝わることに誰も疑問をもちませんが、同じ電磁波である電波がやっと認識されつつあった当時では媒質がないのに波が伝わるという事実は受け入れることが難しかったのです。そこでこの問題を解決するために、光の波を伝える媒質として「エーテル」が存在すると考えられるようになりました。当時の人は何とかしてエーテルの存在の証拠を見つけようとしていろいろな実験を考えますが、うまくいきません。そこでアメリカの科学者アルバート・マイケルソンは1982年物理第4問の装置を考えたのです。

1982 年物理第 4 問より（※（4）の問題は省略した）

　次図に示す装置で光の干渉の実験を行う。単色光源を出た光は半透明の鏡（半透鏡）で2つに分けられ，一方は平面鏡Mで反射されて同じ路をもどり，その一部が半透鏡を通過して光検出器に達する。他方は平面鏡M_0で反射されて同じ路をもどり，その一部が半透鏡で反射されて光検出器に至り，鏡Mからの光と干渉する。鏡M_0は固定され，鏡Mは光の進行方向に動かすことができる。

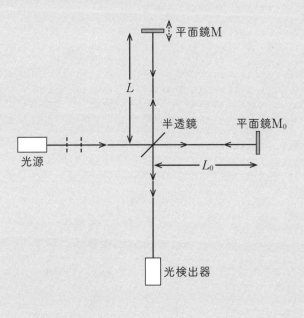

　マイケルソンは「光は太陽から進んでくるのだから，宇宙はエーテルで満たされているはずだ」という当時の考えに基づいて，宇宙を秒速30kmで公転している地球は南北方向と東西方向でエーテルに対する相対速度が異なるために光の速度も変わるだろうと考えました。そこで，この光の速度の違いを検出するために，光を二方向に分けてその違いを検出しようと考えたのです。マイケルソンはエーテルの存在を信じ，何とかその存在を証明しようと

半透鏡と平面鏡の距離Lを大きくしていき、装置を改良しながら何回も測定しました。しかし後にアインシュタインが相対性理論で証明したように（奇しくもアインシュタインの名前もアルバートでした！）、光の速度はどこでも、どのように測定しても変わりませんでした。エーテルを発見するための実験は、結局はエーテルが存在しないことを証明してしまうという皮肉な結果になってしまったのです。そのためマイケルソンの実験は「失敗したことで有名な実験」と言われていますが、後のアインシュタインの特殊相対性理論の発見につながったわけですから偉大な失敗だったわけですね。一緒に問題を解きながら、マイケルソンの努力を追体験してみましょう。

> (1) 鏡 M を少しずつ半透鏡から遠ざけたところ，検出器での光の強さは単調に減少し，はじめの位置から Δx だけ動かしたとき最小となった。また鏡 M をはじめの位置から少しずつ半透鏡に近づけたところ，光の強さは単調に増加し，$2\Delta x$ だけ動かしたとき最大となった。光の波長 λ を Δx を用いて表せ。
>
> (2) 鏡 M をはじめの位置に固定し，光源の光の波長を少しずつ短くしていったところ，検出器での光の強さは単調に増加し，波長が $\lambda - \Delta\lambda$ のとき最大となった。この結果から，半透鏡から鏡 M，M_0 までの距離 L，L_0 の差 $\Delta L = L - L_0$ を λ，$\Delta\lambda$ を用いて表せ。ΔL の符号も求めよ。
>
> (3) 前問の実験で $\dfrac{\Delta\lambda}{\lambda} = 3.03 \times 10^{-3}$ であった。光の波長を λ にもどし，鏡 M をはじめの位置から，ΔL が 0 となる位置までゆっくり移動させる。そのときの検出器での光の強さに何回最小が現れるか。

まずは（1）です。二つに分けられた光の光路差が半波長の偶数倍になるとき、半透鏡で分けられた二つの光は同位相で光検出器に到達するので光の強さは最大になります。この状態から鏡Mをどちらかに動かすと光の強さは

減少していき、二つの光が逆位相になったとき光の強さは最小になるのです。問題では、「初めの位置からΔxだけ遠ざけたとき最小となり、$2\Delta x$だけ近づけたとき最大になった」とありますので、光路差が$6\Delta x$だけ変化したとき（光は半透鏡から平面鏡Mまでを往復しているのでΔxだけ動かしたときには光路差は$2\Delta x$だけ変化していることに注意しましょう）に半波長（$\frac{1}{2}\lambda$）分のずれが生じたことが分かります。以上から$6\Delta x = \frac{1}{2}\lambda$となり、光の波長$\lambda = 12\Delta x$という解答が得られます。

　続いて（2）ですが、問題の内容をきちんと把握するのが難しいですね。この問題ではΔL（$= L - L_0$）の正負を求めることも問題になっています。（1）を解いただけでは、ΔLの符号は分かりません。どういうことかというと、次の2つの模式図の可能性があるのです。上の模式図は（A）$L_0 > L$の場合、下の模式図は（B）$L > L_0$の場合です。

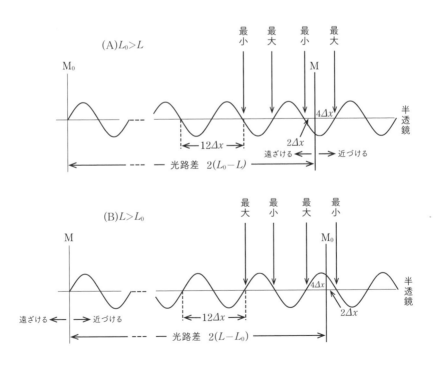

どちらでも（1）は成立します。（A）の場合は模式図で平面鏡Mを右に動かして光の強さを最大にしていく過程で光路差が増えていきますね、（B）の場合は同じ過程では光路差が減少していきます。どちらが正しいのでしょうか？ それは（2）を考えると分かる仕組みになっています。（2）では、「光源の光の波長を少しずつ短くしていったところ、検出器での光の強さは単調に増加し、」とあります。波長を短くしたときには、次の図のように変化するので（A）のほうが正しいこと（ΔLの符号は負）が分かるのです。

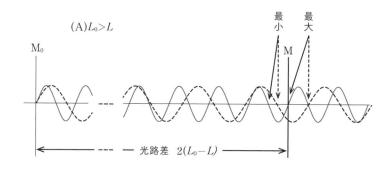

（A）で、光源の波長を短くしたときの図（実際には波長を短くしたのはごくわずかだが、分かりやすくするためにかなり短くしてある）。
波長が短くなると、平面鏡Mの右側にあった光検出器が最大になる位相が左にずれてくる。もし（B）なら、光の強さは単調に減少するはずである。

　ではΔLをλ、$\Delta\lambda$ を用いて表してみましょう。まず、（1）から光路差 $2(L_0-L)+4\Delta x$の中にはm個の波長λ の波が入っています。$L_0-L=-\Delta L$（問題のΔLはL_0-Lと定義されていることに注意）なので、$-2\Delta L+4\Delta x=m\lambda$ですね。（2）で波長を短くしたときには、光路差$2(L_0-L)$の中に、短くなった波長$\lambda-\Delta\lambda$の波が$m$個入っています。$-2\Delta L=m(\lambda-\Delta\lambda)$ですね。この2つの式と（1）の解答から$\Delta L=-\dfrac{\lambda(\lambda-\Delta\lambda)}{6\Delta\lambda}$が得られます。
　（3）では実際に光路差中に入っている波の個数を求めます。光路差中には$\dfrac{-2\Delta L}{\lambda}$ 個の波が入っているので、ΔLに（2）の解答を代入すると、

$$\frac{-2\Delta L}{\lambda} = \frac{2 \times \lambda\,(\lambda - \Delta\lambda)}{\lambda \times 6\Delta\lambda} = \frac{(\lambda - \Delta\lambda)}{3\Delta\lambda} = \frac{\lambda}{3\Delta\lambda} - \frac{1}{3}$$

となります。ここに問題で与えられた $\dfrac{\Delta\lambda}{\lambda}=3.03 \times 10^{-3}$ を代入すると、109.67…になります。つまり、平面鏡 M を半透鏡から遠ざけていくと、まず109.5 個のところで最小になり、次に108.5 個のところで最小になり……最後は 0.5 個のところで最小になります。以上から求める回数は 110 回になります。

　マイケルソンはエーテルの存在を証明することには失敗しましたが、1907年に光学に関する研究が評価されて、アメリカ人ではじめてノーベル物理学賞を受賞します。彼の業績は「失敗から科学は発展する」という大切な教訓をわれわれに与えてくれたと言えるのではないでしょうか。

Column 8　東大の募集人数

　この本を書くにあたって、赤本と呼ばれる教学社から出版されている大学入試シリーズと旺文社の『全国大学入試問題正解』をたくさん集めました。どんどん古い本を集めて『全国大学入試問題正解』は昭和25年のものまで集めました。東大では昭和25年（1950年）の募集人員は理科が800人で倍率5.9倍（文科が1200人で4.6倍）、昭和29年（1954年）の募集人員は理科が840人で倍率が7.1倍（文科が1160人で7.0倍）、昭和51年（1976年）の募集人員は理科が1693人で3.2倍（文科が1370人で4.6倍）でした。規模が拡大しているのが分かりますね（ここ数年は文科理科あわせて3千人強の募集で倍率は3倍強です）。当然東大だけではなく、他の大学も募集人数を増やしていますし、大学の数自体も昭和25年は200校だったのが、2021年度は788校に増えているので大学に入りやすくなったことが分かりますね。

出題者は予知していたのでしょうか、「重力波」のノーベル物理学賞受賞を先取りした問題です

● 2017年地学第1問

　今回のテーマは重力波です。重力波の発見が2017年のノーベル物理学賞の受賞テーマでした。ノーベル賞の発表は10月ですので、この問題はその約半年前に出題されたものです。まさにノーベル賞受賞を先取りした出題でした。

　重力波はアインシュタインがその存在を100年前に予言したため、その検出は彼が残した最後の宿題を解くことだといわれていました。それに2015年9月14日に成功し、2016年2月に問題文にあるようにアメリカのLIGO実験チームが検出成功を発表したのです。発表の翌年の受賞はノーベル賞史上最速でした。ノーベル賞は研究成果が出てから受賞まで時間がかかるのが通常なので、「ノーベル賞は長生きしないと受賞できない」とも揶揄されています。現に青色発光ダイオードの中村修二氏は受賞まで21年、早かったといわれるiPS細胞の山中伸弥氏でも受賞まで6年かかっていることを考えると、発表の翌年に受賞というのは本当に驚愕のスピードです。このスピードには理由があって、重力波の存在自体はすでに確実視されていて、あとは検出だけが待ち望まれている状態だったからです。

　ではそもそも重力波とはいったい何なのでしょうか。問題を解きながらその秘密を探ってみましょう。

　宇宙に関する次の問い（問 1 〜 2）に答えよ。数値での解答には有効数字 1 桁で答え，計算の過程も示せ。

問 1　昨年 2 月，アメリカの LIGO（ライゴ）実験チームは，史上初めてブラックホール連星の合体で生じた重力波を検出したと発表した。一般相対性理論によれば，重力は時空の歪みであり，時空のわずかな歪みが光速の波動として伝わる現象が重力波である。この発見に関する以下の問いに答えよ。なお，光速は 3×10^8m/s，1 年は 3×10^7s，1 天文単位は 2×10^{11}m とする。

(1)　合体直前の重力波信号の振動から，連星の公転周期を 0.01s と見積もった。合体直前の 2 つのブラックホールは，光速に近い速度で公転している。ここでは，2 つのブラックホールの質量が等しく，光速の 0.4 倍の速度で円軌道を公転しているとして，連星間の距離が何 km か求めよ。

(2)　さらに，ケプラーの法則が成り立つとして，この連星のそれぞれのブラックホールの質量を，太陽質量（$M_\odot$）単位で求めよ。

(3)　重元素の量が太陽と同程度である星の進化では，約 $20M_\odot$ より重いブラックホールは作られないと考えられており，今回のブラックホール連星は重元素の量が少ない連星が進化したものである可能性が高い。この連星が形成された場所や誕生時の星の種族として考えられるものを，以下の語群から 3 つ以上の語を用いながら，2 行程度で答えよ。

　　語群：　球状星団　　　散開星団　　　ハロー　　　円盤部

　　　　　　種族 I　　　　種族 II

(4)　連星間の平均距離が a であるブラックホール連星の公転により重
力波が放出されると，それに伴うエネルギー損失により，a は公転周
期より長い時間スケールでゆっくりと減少する。その場合 a は時刻 t
に対して以下の式に従う。

$$a(t) = (C - At)^{\frac{1}{4}}$$

ここで A は連星の質量で決まる定数であり，C は初期条件によっ
て決まる定数である。また，$C > 0$，$A > 0$，$t \leq \dfrac{C}{A}$ とし，$a = 0$ で
合体が起こるとする。ある時刻 t_0 で $a = a_0$ だった連星が時刻 t_m で合
体する場合，合体までにかかる時間 $t_m - t_0$ を A と a_0 で表せ。

(5)　今回重力波が検出されたブラックホール連星は，誕生から合体ま
で重力波の放出のみでエネルギーを失うものとする。現在の宇宙の
年齢を答え，さらに，誕生時の連星間距離の上限値 a_max を求めよ。
なお，この連星においては $A = 3 \times 10^{24}\,\mathrm{m^4/s}$ である。また，地学に
登場する様々な長さスケールの中で，a_max に近いものを 1 つ，例と
してあげよ。

　アインシュタインが1916年に発表した一般相対性理論が、はじめて正しい
と証明されたのが1919年5月29日でした。この日に大西洋上のプリンシペ
島でイギリスの天文学者アーサー・エディントンが皆既日食を観測して、太
陽のまわりにある恒星の位置がずれて見えることを報告したからです。どう
いうことかというと、一般相対性理論から導かれる予測には、重力によって
空間はゆがめられるというものがありました。「空間がゆがめられる」といっ
ても分かりにくいと思いますので、光の進み方を例にして考えてみましょう。
　光は直進しますが、水面やガラス面などでは屈折します。これは、空気中
を光が進む速度と、水中やガラス中を光が進む速度が異なることが理由です。
これはみなさんが日常で体験する現象ですね。しかし宇宙空間は真空なので、
光の速度（光速）は問題文にあるように常に 3×10^8 [m/秒] で、屈折せず

に直進するはずです。しかし、太陽という大きな質量をもつ天体の近くを通るときはその重力によって空間がゆがめられるためにまるで光が屈折したかのように進むのです。これを重力レンズ効果といいます。

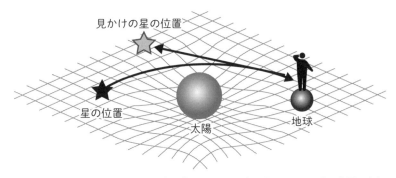

見かけの星の位置
星の位置
太陽
地球

光は曲がって届くが、人の目には光は直進してくるように見えるため、星の位置が本来の位置からずれて見える。この図では、太陽の後ろにあって本来は見ることのできない星も重力レンズ効果により見えている。

　その後も一般相対性理論から予測されるものが次々と証明、検出されていったのですが、最後に残ったものが重力波だったのです。

　では重力波とは何でしょうか。一言でいえば問題文にあるように「時空のわずかな歪みが光速の波動として伝わる現象」なのでしょうが、これでは何のことだか意味不明なので、重力波どころか物理ですら専門外の筆者が巻末の参考文献を読み漁って分かったようなふり（!?）をして説明いたします。

　例えば、みなさんがダンベルを持って振り回したときのことを考えると、「ダンベル」という重力がはたらいているものを振り回したので、このときにも重力波は発生しています。しかし、あまりに小さすぎて検出はできません。そこで重力波を検出するために、宇宙のはるか遠くで起きた質量の大きな天体の運動を利用します。それが（2）の問題のテーマになっているように太陽質量の30倍程度同士の2つのブラックホールの合体だったのです。当然ブラックホールは見えないので、いつ重力波が地球に届くかは分かりません。そもそもブラックホールの合体だったということは検出した重力波から

分かったことであり、もともとは地球に届く重力波は中性子星起源のものの
ほうが可能性が高いと考えられていました。そんな状態でしたので、LIGO
ははじめに運用された2002年から2010年までは重力波を検出することはで
きませんでした。そこで、検出感度をはるかに高めて2015年から Advanced
LIGO として運用を始めようとしたそのテスト期間中に重力波が検出できた
のです。

　重力波を検出するには時空のゆがみを測定しなければいけないので、図の
ような仕組みを利用します。

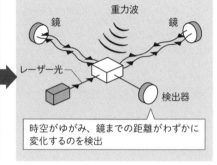

　この図ってどこかで見たことありませんか？ そう！ 前節でみたマイケル
ソンの干渉計です。今回の問題で検出した重力波による時空のゆがみは、地
球と太陽の間の距離で原子1個分程度ゆがむというとてつもなく小さいもの
なので、ゆがみを検出するためにレーザー光を使用して、4キロという長い
距離をレーザー光を何往復もさせます。そして重力波が到達したときの空間
のゆがみをレーザー光の進む距離のずれを測定することで検出するのですが、
その原理はマイケルソンの干渉計そのものなのです。

　重力波の検出器はアメリカのルイジアナ州リビングストンとワシントン州
ハンフォードという3000km離れた2ヶ所にあるので、重力波の到達時間の
差からどの方向から重力波が来たのかが分かり、検出した信号の様子を調べ

ると、天体の質量やどんな運動をしていたのかが分かります。問題を解いて
いくとこれが分かるのがこの問題の醍醐味です。

（1）　合体直前の2つのブラックホールの様子と計算過程を次の図に示しま
した。この図を用いて計算していくと、解答が約400kmと求められます。

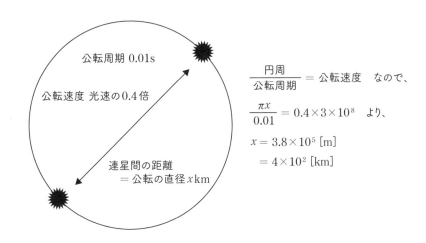

　この問題は指数を使うことを除けば、小学生でもできる算数の問題ではあ
りますが、重力波という複雑な現象を算数の問題にしてしまうところがすご
いところですね。

（2）　ケプラーの法則とは、その名の通り1600年前後に活躍したドイツの天
文学者であるケプラーが発表したもので、第1〜第3の法則があります。
【ケプラーの第1法則（楕円軌道の法則）】
　「惑星は太陽を焦点の1つとする楕円軌道を描く」というものです。
【ケプラーの第2法則（面積速度一定の法則）】
　「各惑星について、太陽と惑星を結ぶ線分は、等しい時間に等しい面積を描
く」というものです。楕円軌道を描く惑星は、一定の公転速度ではなく、太

陽に最も近い点（これを近日点といいます）で最も速く、太陽に最も遠い点（遠日点）で最も遅くなります（次の図）。

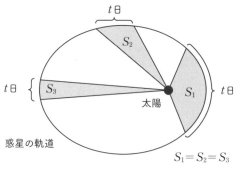

ケプラーの第2法則

【ケプラーの第3法則（調和の法則）】

「惑星と太陽の平均距離 a の3乗は、惑星の公転周期 P の2乗に比例する」というものです。これは、$\dfrac{a^3}{P^2} = K$（一定）という式で表されます。a の単位を天文単位で、P の単位を年で考えると、地球は両方とも1ですので、K も1になります。

このケプラーの第3法則は、その後のニュートンの万有引力の法則の発見によって理論的に解明されて、万有引力定数 G（6.67408×10^{-11} [m³/kg・s²]）、2つの天体の質量 M、m [kg] を用いて、①式のように表されることが分かりました。

$$\frac{a^3}{P^2} = \frac{G(M+m)}{4\pi^2} \qquad \cdots ①$$

太陽系では太陽の質量は他の惑星に比べて格段に大きいので、太陽の質量を Ms、惑星の質量を m とすると $Ms + m \fallingdotseq Ms$ となるため、①式は②式に書き直せます。

$$\frac{a^3}{P^2} = \frac{G \times Ms}{4\pi^2} = 1 \qquad \cdots ②$$

ここで①式を②式で割ると、③式が得られます。

$$\frac{a^3}{P^2} = \frac{M+m}{Ms} \qquad \cdots ③$$

この③式は、2つの連星の距離と公転周期が分かればその連星の質量の合計が太陽の何倍であるか分かることを表しています。この式に、(1) で求めた連星間の距離（3.8×10^5 [m]）と、問題で与えられた数値を代入すると解答が得られます。

$$a = \frac{連星間の距離 [m]}{1 天文単位 [m]} = \frac{3.8 \times 10^5}{2 \times 10^{11}} = 1.9 \times 10^{-6} [天文単位]$$

$$P = \frac{連星の公転周期 [秒]}{1 年の長さ [秒]} = \frac{0.01}{3 \times 10^7} = \frac{1}{3 \times 10^9} [年]$$

この a と P を③式の左辺に代入すると、$(1.9 \times 10^{-6})^3 \times (3 \times 10^9)^2 = 61.731$ となって、質量の等しいブラックホール2個分の質量は太陽の約62倍ということが分かりました。有効数字1桁で求めよという指示があるので、それぞれのブラックホールの質量は 3×10 となります。実際観測から求められた質量は太陽の29倍と36倍なので、だいたい近い値になっていることが分かりますね。

(3)　恒星の種類を問う総合問題で類似の問題が第26節にありますので、忘れてしまったよ、という方はそこに戻りましょう。そのときに宇宙の恒星は種族Ⅰと種族Ⅱに分けられるという話をしました。そこで出てきた表に従って解答をまとめます。「この連星が形成された場所としては、銀河の**ハロー**に存在する**球状星団**であり、誕生時の星の種族は重元素の少ない**種族Ⅱ**の恒星が進化したものと考えられる。」となります。

(4)　もはや数学の問題ですね。合体がおきるときは $a = 0$ なので、C を A と t_m を使って次のように表されます。

$$a(t_m) = (C - At_m)^{\frac{1}{4}} = 0 \quad \text{より} \quad C = At_m$$

これを t_0 の式 $a(t_0) = (C - At_0)^{\frac{1}{4}} = a_0$ の C に代入すると、解答が得られます。

$$(At_m - At_0)^{\frac{1}{4}} = a_0$$

$$A(t_m - t_0) = a_0{}^4$$

$$t_m - t_0 = \frac{a_0{}^4}{A}$$

この数式は次の（5）を解くときに使います。

（5）　これも知識と計算ですが、その背景にあるものを考えてみましょう。そもそも第26節で触れたようにブラックホールができるには太陽の10倍以上の質量が必要でした。10倍以上ならこの問題のように太陽質量の30倍でも、10万倍以上でもいいわけです。前者を恒星質量ブラックホール、後者を超大質量ブラックホール、そしてその間のものを中間質量ブラックホールといいます。今回は恒星質量ブラックホール、つまり恒星が超新星爆発してできたブラックホールなので、その恒星のキャラクターについてここまで考えてきたわけですね。（3）で考えたように、重力波の発生源となった連星ブラックホールの起源については種族IIの恒星と考えられますが、そうではないという説もあり、詳しいことは分かっていません。（3）の解答のように、球状星団のような恒星が高密度で存在する領域で連星が形成され、合体したという考え方もありますが、この（5）で考察しているのはビックバン後の宇宙で最初にできた恒星、つまり初代の恒星（これを種族IIIの星といいます）の連星系が進化して誕生したという説なのです。球状星団は老齢な恒星の集まりですが、必ずしも宇宙年齢に等しい星団ばかりではありません。ここが、二つの説を分けているところです。この（5）で求める連星間距離の上限値 $a_{\max}$ は、初代の恒星の連星系だと考えたときのものになります。単純な知識と計算で

解ける問題ですが、実は連星ブラックホールの起源にも触れることができる問題になっているのです。

　では計算をしていきましょう。まず宇宙の年齢は138億年です。これは知識問題ですね。有効数字1桁で答えるので、1×10^{10} [年] になります。138億年まで覚えていなくても有効数字1桁なら解答できるのではないでしょうか。これが一つ目の質問の答えです。

　次に a_{max} を求めます。(4) の解答を利用して、$a_0 = a_{max}$ のときを考えると、以下の式が成り立ちます。このとき、A の単位に秒が使われているので、宇宙の年齢に 3×10^7 をかけて単位を年から秒に直すのを忘れないようにしてください。

$$a_{max}{}^4 = A \times 宇宙の年齢$$
$$a_{max}{}^4 = (3 \times 10^{24}) \times (1.38 \times 10^{10} \times 3 \times 10^7)$$
$$a_{max}{}^4 = 124.2 \times 10^{40}$$
$$a_{max} = \sqrt[4]{124.2 \times 10^{40}}$$

　3の4乗が81で、4の4乗が256なので、124.2の4乗根は $3.X$ になります。この問題は有効数字1桁でよいので、3.5の4乗を計算すると約150になるため、X は5未満となって、解答は 3×10^{10} [m] となります。

　この a_{max} に近い地学に登場するスケールですが、このままでは分かりにくいので、天文単位に直すと $(3 \times 10^{10}) \div (2 \times 10^{11}) = 0.15$ [天文単位] となります。解答は、例えば「金星（平均距離0.7天文単位）と地球（平均距離1天文単位）が最接近したとき（内合）の距離の半分」、それから有効数字が1桁のアバウトな計算なので（問題で与えられている1天文単位は 2×10^{11} mだが、実際は 1.5×10^{11} m）、「太陽と水星の平均距離（0.39天文単位）の半分」という解答でもOKでしょう。

　いかがでしたか？　重力波という最新の話題に触れながら、しっかりと高校の地学で学習している知識を使った問題になっているところがすごいですね。

参考文献

〈全体を通じて使用したもの〉
東大の〇〇　25カ年シリーズ　教学社
東京大学　理科　大学入試シリーズ及び科目別入試シリーズ　教学社
鉄緑会　東大物理問題集及び東大化学問題集　鉄緑会物理科, 化学科
全国大学入試問題正解　旺文社　物理, 化学, 生物
〈第 1 章・第 2 章〉
「高校の化学」が一冊でまるごとわかる　竹田淳一郎　ベレ出版　2018
雲の中では何が起こっているのか　荒木健太郎　ベレ出版　2014
Earth Science Edgar W. Spencer McGraw－Hill Higher Education 2003
難関校過去問シリーズ　東大の物理 25カ年［第 2 版］鈴木健一編著　教学社
生物基礎・生物のすべて　大森徹, 伊藤和修　KADOKAWA　2019
プロメテウス　解剖学　コアアトラス　坂井建雄監訳　市村浩一郎ほか訳　医学書院　2010
出生時の呼吸循環動態の変化と新生児仮死の病態生理　難波文彦　医学出版　BIRTH　Vol.2 No.3 pp. 14-15, 2013
〈第 3 章〉
化学構造と薬理作用　医薬品を化学的に読む　柴崎正勝他監修　西出喜代治ほか編集　2010　廣川書店
分子生物学講義中継〈Part0 上下巻、Part1 ～ 3〉井出利憲　羊土社　2002 ～ 2005
スピンラザの作用機序 HP
独立行政法人医薬品医療機器総合機構 HP　ヌシネルセンナトリウム
ワインバーグ　がんの生物学　R.A ワインバーグ　南江堂　2008
Abegglen, L. M. et al. J. Am. Med. Assoc. 314, 1850-1860 (2015)
SD Tyner et al. Nature. 2002 Jan 3;415(6867):45－53
〈第 4 章〉
リチウムイオン電池物語　吉野彰　シーエムシー出版　2004
リチウムイオン電池の安全性と要素技術　鳶島真一　科学情報出版　2016
リチウムイオン二次電池の性能評価　小山昇監修　日刊工業新聞社　2019
東大の物理問題と対策　最近 12カ年 1968 年版科目別入試シリーズ　教学社
株式会社マグナ HP　(https://www.magna-tokyo.com/)
〈第 5 章〉
太陽系の年代学　圦本尚義　天文月報　93. 121-133（2000）
考古学のための化学 10 章　馬淵久夫ほか編　東京大学出版会　1981
年代を測る－放射性炭素法　木越邦彦　中公新書　1978
岩波講座　地球科学 6　地球年代学　小嶋稔他編　岩波書店　1978
鉛同位体比による金属考古遺物の産地決定　中井俊一　国立歴史民俗博物館研究報告　第 86 集　27-43　2001 年 3 月
高レベル放射性廃棄物の最終処分について　今田高俊他　日本学術協力財団　2014
地層処分 脱原発後に残される科学課題　吉田栄一　近未来社　2012
放射性廃棄物の憂鬱　楠戸伊緒里　祥伝社新書　2012
放射性廃棄物処分の原則と基礎　杤山修　ERC 出版　2016
徹底検証・使用済み核燃料 再処理か乾式貯蔵か　フランク・フォンヒッペル＋国際核分裂性物質パネル（IPFM）編　田窪雅文訳　合同出版　2014
気象庁 HP
ウェザーニュース社 HP
海洋底拡大説とプレート・テクトニクス　上田誠也　地質学雑誌　Vol. 78 (No. 2), pp. 75-84, 1972.
ウェゲナーの大陸移動説は仮説実験の勝利　西村寿雄　文芸社　2017
大陸と海洋の起源（上、下）大陸移動説　ヴェーゲナー　都城秋穂他訳　岩波文庫　1981
〈第 6 章〉
凍った地球　スノーボールアースと生命進化の物語　田近英一　新潮選書　2009
知は地球を救う　7. 地球・生命の誕生とその後の変容　臼田秀明　帝京大学教育学部紀要 2　001-007　2014 年 3 月

地球大進化　46億年・人類への旅　2巻　全球凍結　NHK「地球大進化」プロジェクト　NHK出版　2004
エディアカラ紀・カンブリア紀の生物　土屋健　技術評論社　2013
バージェス頁岩 化石図譜　Derek E.G. Briggs 他　大野照文監訳　朝倉書店　2003
種の起源　〈上〉〈下〉　チャールズ・ダーウィン　八杉龍一訳　岩波文庫　1990
ビーグル号航海記〈上〉〈下〉　チャールズ・ダーウィン　島地威雄訳　岩波文庫　1959
チャールズ・ダーウィンの生涯　進化論を生んだジェントルマンの社会　松永俊男　朝日新聞出版　2009
地衣類のふしぎ　柏谷博之　SBクリエイティブ　2009
磯焼けを海中林へ　岩礁生態系の世界　谷口和也　裳華房　1998
群集生態学　宮下直　野田隆史　東京大学出版会　2003

〈第7章〉
FNの高校物理　（http://fnorio.com/0129Fizeau_1849/Fizeau_1849.html）
測り方の科学史Ⅰ　地球から宇宙へ　西條敏美　恒星社厚生閣　2011
理解しやすい地学ⅠB　石田志朗　文英堂　1995
東大2018 たたかう東大　東京大学新聞社　2017

〈第8章〉
キュリー夫人伝（新装版）エーヴ・キュリー　河野万里子訳　白水社　2014
マリー・キュリー　新しい自然の力の発見　ナオミ・パサコフ　西田美緒子訳　大月書店　2007
マリー・キュリー　激動の時代に生きた女性科学者の素顔　桜井邦朋　地人書館　1995
マリー・キュリー　フラスコの中の闇と光　B・ゴールドスミス　小川真理子監修　竹内喜訳　WEVE出版　2007
放射能分析の歴史（Ⅰ）その生みの親、キュリー夫人の生誕100年　奥野久輝　『分析化学』Vol. 16 pp. 1090 -1098, 1967.
化学史に学ぶ "Chemistry" の魅力Ⅱ　飯塚泰雄　触媒懇談会ニュース　No.111 February1 2018
On a New Substance Strongly Radioactive, Contained in Pitchblende. Pierre Curie and Marie Curie, Comptes Rendus de l'Académie des Sciences, 127, 1898, pp. 1215-17, reproduced in this translation in Henry A. Boorse and Lloyd Motz (eds)
On a New Radioactive Substance Contained in Pitchblende. Pierre Curie and Marie Curie, Comptes Rendus de l'Académie des Sciences, 127, 1898, pp. 175-8, reproduced in this translation in Henry A. Boorse and Lloyd Motz (eds)
休み時間の免疫学　第2版　齋藤紀先　講談社　2012
好きになる免疫学　萩原清文　講談社　2001
初学者のための免疫学問答　改訂10版　矢田純一　中外医学社　2004
株式会社医学生物学研究所 HP　抗体の役割
ES細胞による再生医療と創薬の可能性　中辻憲夫　日本薬理学雑誌　120 pp. 295-302, 2002
遺伝子ノックアウトマウスの行動実験を行う前に必要なこと　曽良一郎他　日本薬理学雑誌　125 pp. 373-377, 2005
相同組み換え法による遺伝子破壊マウス作成技術　竹田直樹　日本薬理学雑誌　129 pp. 330-336, 2007
遺伝子改変マウスの作成の歴史と技術進歩　宮脇慎吾他　生産と技術　Vol.71 No.4 pp. 15-20, 2019
キャンベル生物学　Neil A. Campbell 他著　小林興監訳　丸善　2007
CRISPR/Cas でマウスゲノムを自在に操る　相田知海他　生化学　第88巻第1号, pp. 119-123, 2016
歴史を変えた物理実験　霜田光一　丸善出版　2017
マイケルソンと光の速度　バーナード・ヤッフェ　藤岡由夫訳　河出書房新社　1979
重力波　発見！　高橋真理子　新潮選書　2017
アインシュタインからの宿題：重力波の検出　川村静児　日本物理学会誌　Vol. 70 (No. 2), pp. 125-129, 2015.
重力波で見える宇宙のはじまり　ピエール・ビネトリュイ　安東正樹監訳　講談社ブルーバックス　2017
重力波とはなにか　安東正樹　講談社ブルーバックス　2016
いやでも物理が面白くなる　志村忠夫　講談社ブルーバックス　2019
山賀進の Web site　（https://www.s-yamaga.jp/index.htm）

元素の周期表

族	1	2	3	4	5	6	7	8	9

周期									
1	1H 水素 1.008								
2	3Li リチウム 6.941	4Be ベリリウム 9.012							
3	11Na ナトリウム 22.99	12Mg マグネシウム 24.31							
4	19K カリウム 39.10	20Ca カルシウム 40.08	21Sc スカンジウム 44.96	22Ti チタン 47.87	23V バナジウム 50.94	24Cr クロム 52.00	25Mn マンガン 54.94	26Fe 鉄 55.85	27Co コバルト 58.93
5	37Rb ルビジウム 85.47	38Sr ストロンチウム 87.62	39Y イットリウム 88.91	40Zr ジルコニウム 91.22	41Nb ニオブ 92.91	42Mo モリブデン 95.94	43Tc テクネチウム (99)	44Ru ルテニウム 101.1	45Rh ロジウム 102.9
6	55Cs セシウム 132.9	56Ba バリウム 137.3	57~71 ランタノイド	72Hf ハフニウム 178.5	73Ta タンタル 180.9	74W タングステン 183.8	75Re レニウム 186.2	76Os オスミウム 190.2	77Ir イリジウム 192.2
7	87Fr フランシウム (223)	88Ra ラジウム (226)	89~103 アクチノイド	104Rf ラザホージウム (267)	105Db ドブニウム (268)	106Sg シーボーギウム (271)	107Bh ボーリウム (272)	108Hs ハッシウム (277)	109Mt マイトネリウム (276)

典型元素　遷移元素

元素記号
原子番号
元素名　1H 水素 1.008
原子量

ランタノイド	57La ランタン 138.9	58Ce セリウム 140.1	59Pr プラセオジム 140.9	60Nd ネオジム 144.2	61Pm プロメチウム (145)	62Sm サマリウム 150.4

アクチノイド	89Ac アクチニウム (227)	90Th トリウム 232.0	91Pa プロトアクチニウム 231.0	92U ウラン 238.0	93Np ネプツニウム (237)	94Pu プルトニウム (239)

安定同位体がなく、天然の同位体の存在比が一定していない元素の場合は、その原子量を( )で表示した。

| 10 | 11 | 12 | 13 | 14 | 15 | 16 | 17 | 18 | 周期 |

常温（25℃）、1013hPa
での単体の状態

単体は気体　単体は液体　単体は固体
（102番以降の性状は不明）

| | | | | | | | | 2He ヘリウム 4.003 | 1 |

| | | | 5B ホウ素 10.81 | 6C 炭素 12.01 | 7N 窒素 14.01 | 8O 酸素 16.00 | 9F フッ素 19.00 | 10Ne ネオン 20.18 | 2 |

| | | | 13Al アルミニウム 26.98 | 14Si ケイ素 28.09 | 15P リン 30.97 | 16S 硫黄 32.07 | 17Cl 塩素 35.45 | 18Ar アルゴン 39.95 | 3 |

| 28Ni ニッケル 58.69 | 29Cu 銅 63.55 | 30Zn 亜鉛 65.38 | 31Ga ガリウム 69.72 | 32Ge ゲルマニウム 72.63 | 33As ヒ素 74.92 | 34Se セレン 78.96 | 35Br 臭素 79.90 | 36Kr クリプトン 83.80 | 4 |

| 46Pd パラジウム 106.4 | 47Ag 銀 107.9 | 48Cd カドミウム 112.4 | 49In インジウム 114.8 | 50Sn スズ 118.7 | 51Sb アンチモン 121.8 | 52Te テルル 127.6 | 53I ヨウ素 126.9 | 54Xe キセノン 131.3 | 5 |

| 78Pt 白金 195.1 | 79Au 金 197.0 | 80Hg 水銀 200.6 | 81Tl タリウム 204.4 | 82Pb 鉛 207.2 | 83Bi ビスマス 209.0 | 84Po ポロニウム (210) | 85At アスタチン (210) | 86Rn ラドン (222) | 6 |

| 110Ds ダームスタチウム (281) | 111Rg レントゲニウム (280) | 112Cn コペルニシウム (285) | 113Nh ニホニウム (286) | 114Fl フレロビウム (289) | 115Mc モスコビウム (289) | 116Lv リバモリウム (293) | 117Ts テネシン (294) | 118Og オガネソン (294) | 7 |

| 63Eu ユウロピウム 152.0 | 64Gd ガドリニウム 157.3 | 65Tb テルビウム 158.9 | 66Dy ジスプロシウム 162.5 | 67Ho ホルミウム 164.9 | 68Er エルビウム 167.3 | 69Tm ツリウム 168.9 | 70Yb イッテルビウム 173.0 | 71Lu ルテチウム 175.0 |

| 95Am アメリシウム (243) | 96Cm キュリウム (247) | 97Bk バークリウム (247) | 98Cf カリホルニウム (252) | 99Es アインスタイニウム (252) | 100Fm フェルミウム (257) | 101Md メンデレビウム (258) | 102No ノーベリウム (259) | 103Lr ローレンシウム (262) |

著者紹介

竹田 淳一郎（たけだ・じゅんいちろう）

1979年東京生まれ。慶應義塾志木高等学校を経て2001年慶應義塾大学理工学部応用化学科卒業、2003年同大学大学院修了。早稲田大学高等学院教諭、早稲田大学教育学部非常勤講師、気象予報士、環境計量士。普段は中高生を教えているが、実験教室では小学生、大学では教員志望の学生、オープンカレッジでは30代〜80代の社会人と幅広い年代に理科を教えた経験があり、身近な教材を使って、実験中心の楽しい授業をすることを心がけている。
著書に『大人のための高校化学復習帳』（講談社）、『「高校の化学」が一冊でまるごとわかる』（ベレ出版）など。

◉── カバーデザイン　　都井美穂子
◉── DTP・本文図版　　三枝未央／林田直子

教養としての東大理科の入試問題

| 2021年 9月 25日 | 初版発行 |
| 2021年 11月 18日 | 第2刷発行 |

著者	竹田 淳一郎
発行者	内田 真介
発行・発売	ベレ出版
	〒162-0832　東京都新宿区岩戸町12 レベッカビル
	TEL.03-5225-4790 FAX.03-5225-4795
	ホームページ　https://www.beret.co.jp/
印刷	モリモト印刷株式会社
製本	根本製本株式会社

ISBN 978-4-86064-669-1 C0040　　　　　　　　　　編集担当　坂東一郎